明趙府居敬堂本《靈樞》

主編◎錢超塵
副主編◎王育林　劉陽

《黃帝內經》版本通鑒
第一輯

北京科学技术出版社

圖書在版編目（CIP）數據

明趙府居敬堂本《靈樞》/ 錢超塵主編. — 北京：北京科學技術出版社, 2022.1
（《黄帝内經》版本通鑒；第二輯）
ISBN 978 – 7 – 5714 – 1837 – 3

Ⅰ. ①明… Ⅱ. ①錢… Ⅲ. ①《靈樞經》 Ⅳ. ①R221.2

中國版本圖書館 CIP 數據核字（2021）第194661號

策劃編輯：侍　偉　吴　丹
責任編輯：吴　丹
責任校對：賈　榮
責任印製：李　茗
出 版 人：曾慶宇
出版發行：北京科學技術出版社
社　　址：北京西直門南大街16號
郵政編碼：100035
電話傳真：0086-10-66135495（總編室）　0086-10-66113227（發行部）
網　　址：www.bkydw.cn
印　　刷：北京七彩京通數碼快印有限公司
開　　本：787 mm × 1092 mm　1/16
字　　數：419千字
印　　張：35
版　　次：2022年1月第1版
印　　次：2022年1月第1次印刷
ISBN 978 – 7 – 5714 – 1837 – 3

定　　價：**790.00元**

《〈黄帝内經〉版本通鑒·第二輯》編纂委員會

主　編　錢超塵

副主編　王育林　劉陽

前言

中醫學是超越時代、跨越國度、具有永恒魅力的中華民族文化瑰寶，是富有當代價值、維護人體健康的生命科學，它將伴隨中華民族而永生。中醫學核心經典《黄帝内經》（包括《素問》和《靈樞》），奠定了中醫理論基礎，指導作用歷久彌新，是臨床家登堂入室的津梁，是理論家取之不盡的寶藏，是研究中國傳統文化必讀之書。

讀書貴得善本。章太炎先生鍼對中醫讀書不注重善本的問題，指出『近世治經籍者，皆以得真本爲亟，獨醫家爲藝事，學者往往不尋古始』，認爲這是不好的讀書習慣。他又説：『信乎，稽古之士，宜得善本而讀之也！』閲讀《黄帝内經》，必須對它的成書源流、歷史沿革、當代版本存佚狀況有明確的認識，纔能選擇佳善版本，獲取真知。

《黄帝内經》某些篇段成於战國時期，至西漢整理成文，《漢書·藝文志》載有『《黄帝内經》十八卷』。西晋皇甫謐《鍼灸甲乙經》類編其書，序云：『《黄帝内經》十八卷，今《鍼經》九卷，《素問》九卷，即《内經》也。』這説明《黄帝内經》一直分爲兩種相對獨立的書籍流傳，一種名《素問》，一種名《鍼經》。《鍼經》即《靈樞》的初名，在流傳過程中也稱《九卷》《九靈》《九墟》，東漢末期張仲景、魏太醫令王叔和均引用過《九卷》之名。

《素問》的版本傳承相對明晰。南朝梁全元起作《素問訓解》存亡繼絶，唐初楊上善類編《黄帝内經太素》取之。唐乾元三年（七六〇）朝廷詔令將《素問》作爲中醫考試教材。唐中期王冰以全元起本爲底本作注，收入『七篇大論』，改爲二十四卷八十一篇，爲《素問》的流行奠定了基礎。北宋天聖五年（一〇二七）、景祐二年（一〇三五），以全元起本爲底本的《素問》兩次雕版刊行。北宋嘉祐年間（一〇五六至一〇六三）校正醫書局林億、孫奇等以王冰注本爲底本，增校勘、訓詁、釋音，仍以二十四卷八十一篇刊行。此後《素問》單行本均以北宋嘉祐本爲原本，歷南宋（金）、元、明、清至今，形成多個版本系統。二十四卷本，以金刻本（存十三卷）、元讀書堂本、明顧從德覆宋本、明無名氏覆宋本、明周曰校本、明『醫統』本爲代表；十二卷本，以元古林書堂本、明熊宗立本、明趙府居敬堂本、明吴悌本爲代表；五十卷本，即『道藏』本；此外還有明清注家九卷本、日本刻九卷本等。南宋、北宋及更早之本俱已不存。

《靈樞》在魏晋以後至北宋初期的傳承情况，因史料有缺而相對隱晦。唐初楊上善類編《黄帝内經太素》收入《九卷》。唐中期王冰注《素問》引文，始有『靈樞經』之稱。因存本不全，北宋校正醫書局未校《靈樞》。遲至元祐七年（一〇九二），高麗進獻《黄帝鍼經》，始獲全帙，元祐八年（一〇九三）正月北宋政府頒行之。此後《靈樞》再次沉寂，至南宋紹興乙亥（一一五五），史崧刊出家藏《靈樞》，將原本九卷校正並增修音釋，勒成二十四卷。此本成爲此後所有傳本的祖本，流傳至今已形成多個版本系統。其中二十四卷本，以明無名氏仿宋本、明周曰校本爲代表；十二卷本，以元古林書堂本、明熊宗立本、明趙府居敬堂本、明田經本、明吴悌本、明吴勉學本爲代表；此外還有二十三卷本（即『道藏』本）、明詹林所二卷本、『道藏』收録的《靈樞略》一卷本、日本刻九卷本等。

除《素問》《靈樞》各有單行本之外，《黄帝内經》尚有類編本。西晉皇甫謐《鍼灸甲乙經》，將《素問》《九卷》《明堂孔穴鍼灸治要》三書類編，但編輯時『删其浮辭，除其重複』，故與《素問》《靈樞》對勘，《鍼灸甲乙經》文句每不全足。唐代楊上善《黄帝内經太素》三十卷，將《九卷》《素問》全文收入，不加删掇，詳加注釋。《黄帝内經太素》文獻價值巨大，但在南宋之後却沉寂無聞，直到清光緒中葉，學者楊守敬在日本發現仁和寺存有仁和三年（八八七，相當於唐光啓三年）舊鈔卷子本，存二十三卷，遂影寫携歸，一時轟動醫林。嗣後日本國内相繼再發現佚文二卷有奇，至此《黄帝内經太素》現存二十五卷，堪稱《黄帝内經》版本史上的奇迹。

綜觀《黄帝内經》版本歷史，可謂一縷不絶，沉浮聚散；視其存亡現狀，又可謂同源異派，星分飄零。現存《黄帝内經》善本分散保存在國内外諸多藏書機構，此前囿於信息交流、印刷技術，從未有大規模集中最優秀版本出版的先例。當今電子信息技術發展日新月異，互聯網的普及使信息交流具有前所未有的廣泛性、時效性，乘此東風，《黄帝内經》現存的諸多優秀版本得以鳩聚刊印，爲中醫從業者及愛好者和傳統文化學者集中學習、研究提供便利。『《黄帝内經》版本通鑒』叢書，首次對《黄帝内經》精善本進行大規模集中解題、影印，目的是保存經典、傳承文明、繼往開來，爲振興中醫奠基，爲中華文化復興增添一份力量。

繼二〇一九年『《黄帝内經》版本通鑒·第一輯』出版十二種優秀版本之後，『《黄帝内經》版本通鑒·第二輯』再次精選十三種經典版本，包括《素問》六種、《靈樞》六種、《太素》一種，列録如下。

（1）蕭延平校刻蘭陵堂本《太素》。

（2）元讀書堂本《素問》。

（3）明熊宗立本《靈樞》。

（4）朝鮮小字整板本《素問》。

（5）明吴悌本《靈樞》。

（6）楊守敬題記覆宋本《素問》。

（7）朝鮮銅活字（乙亥字）本《靈樞》。

（8）明趙府居敬堂本《靈樞》。

（9）明『醫統』本《素問》。

（10）明『醫統』本《靈樞》。

（11）明詹林所本《素問》。

（12）明詹林所本《靈樞》。

（13）明潘之恒《黄海》本《素問》。

這十三種經典版本的特點如下。

（1）蕭延平校刻蘭陵堂本《太素》，校印俱精，爲《太素》刊本中之精品。

（2）元讀書堂本《素問》，爲今僅存的宋元刊本三種之一，巾箱本，分二十四卷，與顧從德覆宋本一致，但附有《亡篇》，各篇文字内容、音釋拆附情況又與元古林書堂本高度近似。此本校刻精善，爲現存《素問》之佳槧，足以與元古林書堂本、顧從德本並美；若單論文字訛誤之少，猶過二本。

（3）朝鮮小字整板本《素問》，爲現存朝鮮本之較早者，其底本爲元古林書堂本。品相顯拙，但勝在校勘精審，仍具有較高的版本價值。

（4）楊守敬題記覆宋本《素問》、明潘之恒《黄海》本《素問》，均承自宋本，作二十四卷。前者當是以顧從德覆宋本改版（删去刻工）者，後者是以宋本校勘重刻者，品相良佳。

（5）本輯收入明代兩種《素問》《靈樞》合刻本，分别是吴勉學校刻『古今醫統正脉全書』本（簡稱『醫統』本）、閩書林詹林所本（簡稱詹本），二者各有特色。『醫統』本《素問》以顧從德本爲底本仿刻，《靈樞》以吴悌本爲底本重刻，校刻皆良。詹本《素問》以熊宗立本爲底本，删去宋臣注重刻；《靈樞》亦以熊宗立本爲底本，合併爲兩卷重刻。詹本品相不甚佳，訛舛不少，因刊刻年代尚早，今存完帙，在探索《黄帝内經》版本源流方面，仍具一定價值。

（6）本輯收入的《靈樞》均爲明代版本，屬古林書堂十二卷本系統，各具特色。其中，熊宗立本上承古林書堂本（仿刻，熊宗立句讀），下爲本輯明代諸本之祖。吴悌本（校審精，品相佳）、趙府居敬堂本(品相佳,後世通行)、詹林所本(合併爲二卷)皆直承熊宗立本;『醫統』本承吴悌本;朝鮮銅活字(乙亥字)本(朝鮮銅活字官刻,校審精,品相佳)承田經本(即山東布政使司本),田經本承熊宗立本。

『《黄帝内經》版本通鑒』卷帙浩大,爲出版這套叢書,北京科學技術出版社領導及各位編輯同仁以極高的使命感和責任心,付出了極大的心血和努力,剋服了諸多困難,終成其功,謹此致以崇高敬意。相信這套叢書必不辜負同仁之望,可在促進中醫藥事業發展、深化祖國傳統文化研究、增强國家文化軟實力等諸多方面做出應有的貢獻。

囿於執筆者眼界、學識,諸篇解題必有疏漏及訛誤之處,請方家、讀者不吝指正。

錢超塵

[説明:爲更準確地體現版本、訓詁學研究的學術内涵,撰寫時保留了部分異體字,所選擇字樣如下:欬(欬嗽)、並(並且)、併(合併)、嶽(山嶽)、鍼、於、異。]

目録

《黄帝内經》版本通鑒·第二輯

明趙府居敬堂本《靈樞》

解題　王育林

解題

嘉業堂藏趙府居敬堂本《靈樞》十二卷，共三册。現藏於美國加州大學伯克利分校東亞圖書館。第一册即卷之一至卷之四，第二册即卷之五至卷之八，第三册即卷之九至卷之十二。每册的内文首頁即卷之一、卷之五、卷之九的首頁頁眉鈐有方形陰文印『劉承幹字貞一號翰怡』、方形陽文印『吴興劉氏嘉業堂藏書印』。書口刻『趙府居敬堂』和『靈樞經卷某』。史崧叙、目録和正文各卷卷次作『黄帝素問靈樞經叙』『黄帝素問靈樞經目録』『黄帝素問靈樞經卷之某』。書口有刻工姓名記號『云』『仲』『恒』『陘』『孝』『崔』『悌』『倫』『雲』『侃』等，一人一頁交替出現。此書與嘉業堂所藏之趙府本《素問》字迹相似，而彼書刻工未留名姓。相關版本資訊可互相參證。今按浙江湖州南潯鎮嘉業堂爲近世著名私家藏書樓，與寧波天一閣、瑞安玉海樓、海寧别下齋並稱爲晚近浙江四大藏書樓，而其儲書之富，不愧巨擘。書樓主人劉承幹（一八八二至一九六三）係清人劉鏞之孫。劉承幹好藏書，亦好刻書。輯刻於民國二年至七年（一九一三至一九一八年）的《嘉業堂叢書》影響最大。此樓是劉承幹於1920 年所建，因清帝溥儀所贈『欽若嘉業』九龍金匾而得名。劉承幹自清季肆力搜集庋藏歷代書籍，至民國初積書達六十萬卷，内多清末浙東著名藏書家散出之珍本，流譽學林。二十世紀三十年代以後，其書陸續流出,分藏於海内外多家圖書館。

本書各册首卷首頁卷目下方還有方形陰文印『盱台王氏十四間書樓藏書印』。按,『台』通『眙』。十四間書樓的主人是清人王錫元(一八二四至一九一一)。王錫元字蘭生,盱眙(今江蘇省盱眙縣)人,清同治甲子科(同治三年,一八六四年)舉人,乙丑科(同治四年,一八六五年)進士。曾任吏部文選司主事、淮安府里河同知。同治九年(一八七〇年)任盱眙知縣。著有《光緒盱眙縣志稿》《夢影詞》《隅園隱語》等書。其父王蔭槐(約生于一七八五年,卒年不詳),字子和,一字味蘭,清代嘉慶朝癸酉年舉人,有《蠙廬詩鈔》傳世。其家築有花園名『偶園』,藏書萬卷,稱『十四間書樓』。王錫元有鈐印三枚,即『盱眙王錫元蘭生收藏經籍金石文字』『盱台王氏十四間書樓藏書印』『樂與共晨夕』。一九一九年,傅增湘游高郵,曾登樓披閲其藏書竟日,當時尚有藏書萬餘册,傅增湘稱『其中雖無宋元古本,而舊抄秘刻亦頗有之』。一九三七年前後,藏書被書賈捆載而去。

明趙府居敬堂本《靈樞》,刻印精工,流傳很廣,惜時有誤字,近代學者蕭延平、現代學者錢超塵等已有校正。

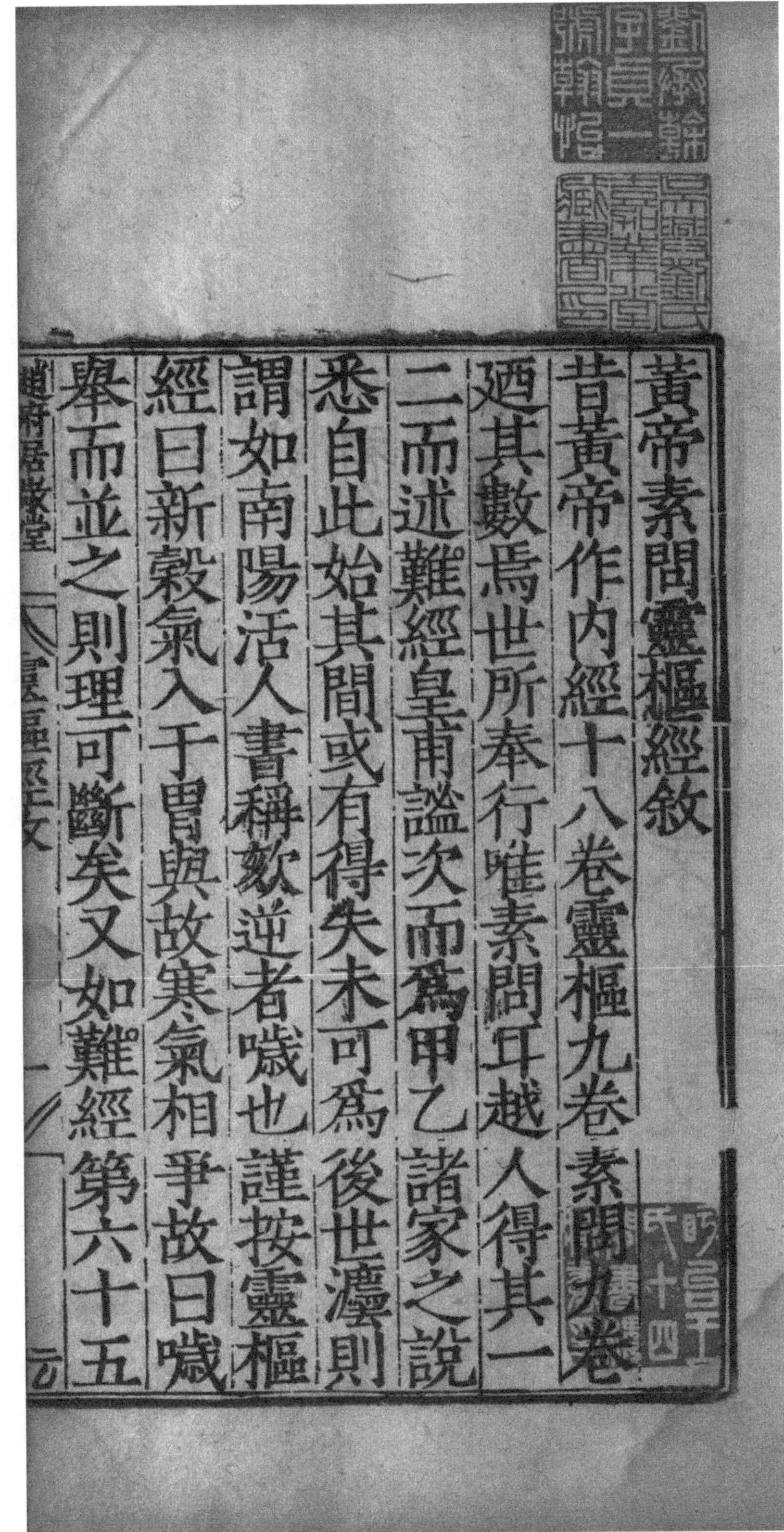

黃帝素問靈樞經敘

昔黃帝作内經十八卷靈樞九卷素問九卷迺其數焉世所奉行唯素問耳越人得其一二而述難經皇甫謐次而爲甲乙諸家之說悉自此始其間或有得失未可爲後世法則謂如南陽活人書稱欬逆者噦也謹按靈樞經曰新穀氣入于胃與故寒氣相爭故曰噦舉而並之則理可斷矣又如難經第六十五

篇是越人標指靈樞本輸之大略世或以爲流注謹按靈樞經曰所言節者神氣之所遊行出入也非皮肉筋骨也又曰神氣者正氣也神氣之所遊行出入者流注也井滎輸經合者本輸也舉而並之則知相去不啻天壤之異但恨靈樞不傳久矣世莫能究夫爲醫者在讀醫書耳讀而不能爲醫者有矣未有不讀而能爲醫者也不讀醫書又非世業殺

人尤毒於梃刃是故古人有言曰爲人子而
不讀醫書由爲不孝也僕本庸昧自髫迄壯
潛心斯道頗涉其理輒不自揣參對諸書再
行校正家藏舊本靈樞九卷共八十一篇增
修音釋附于卷末勒爲二十四卷庶使好生
之人開卷易明了無差別除已具狀經所屬
申明外准使府指揮依條申轉運司選官詳
定具書送祕書省國子監今崧專訪請名醫

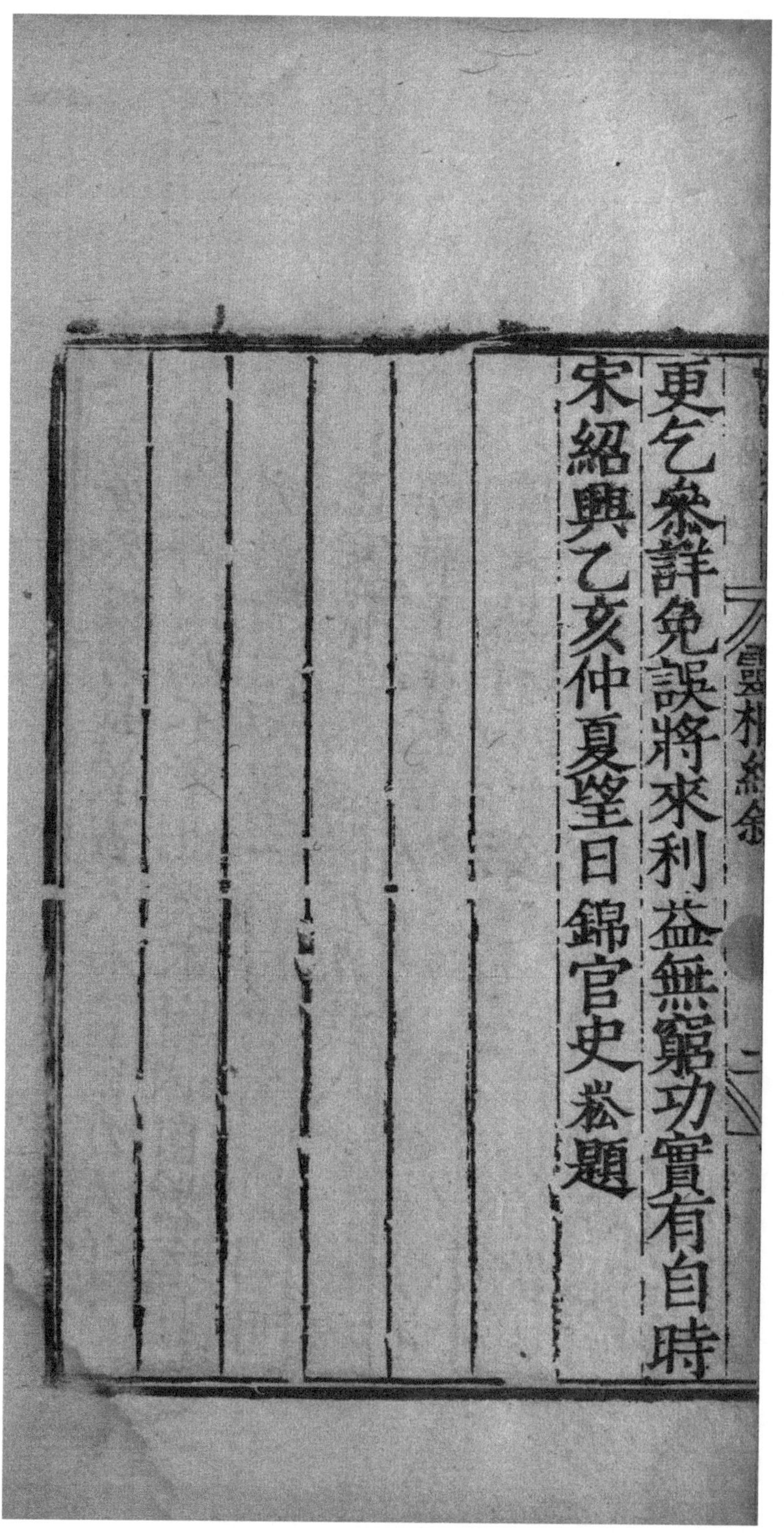

更乞參詳免誤將來利益無窮功實有自時
宋紹興乙亥仲夏望日錦官史崧題

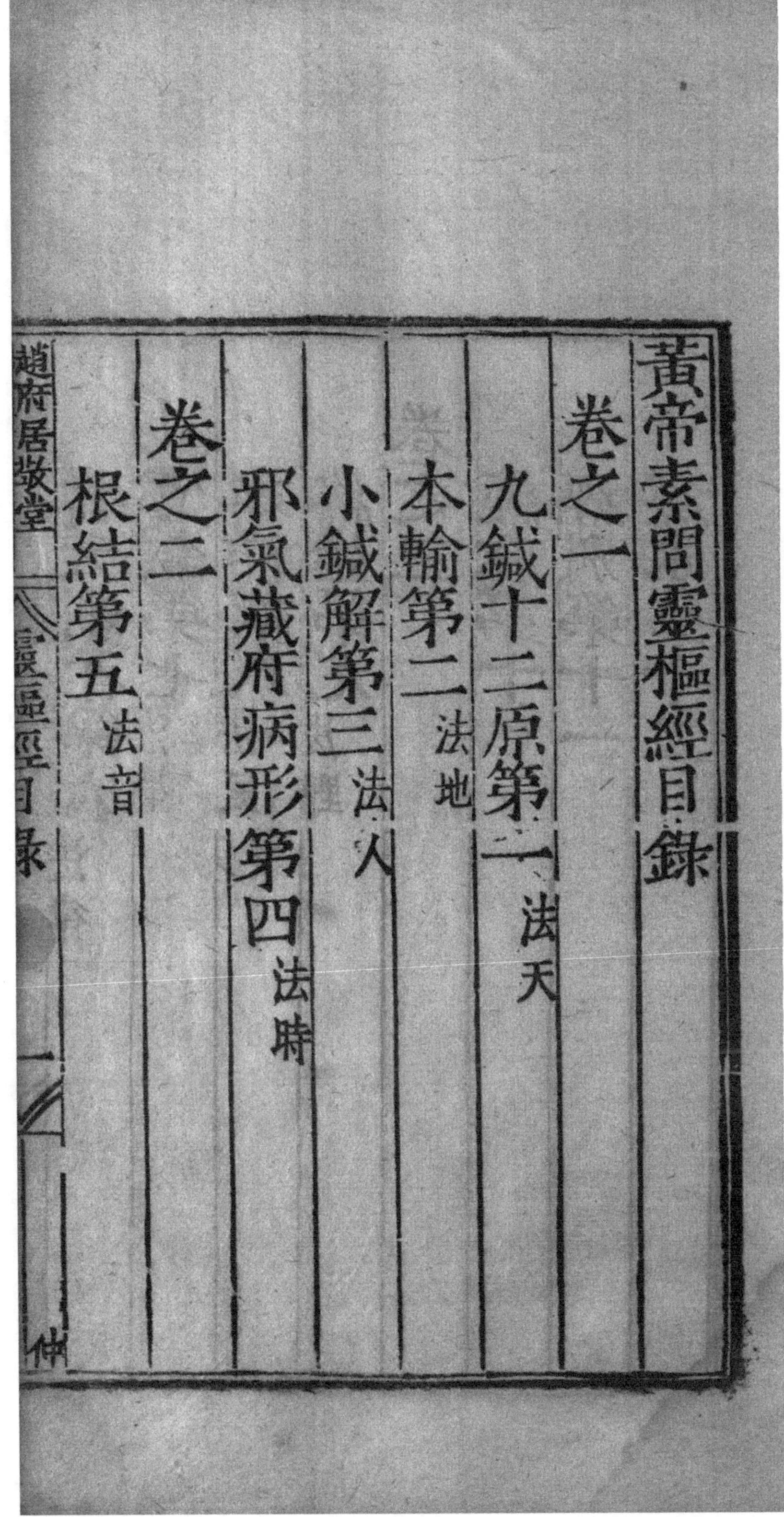

黄帝素問靈樞經目錄

卷之一

卷之二

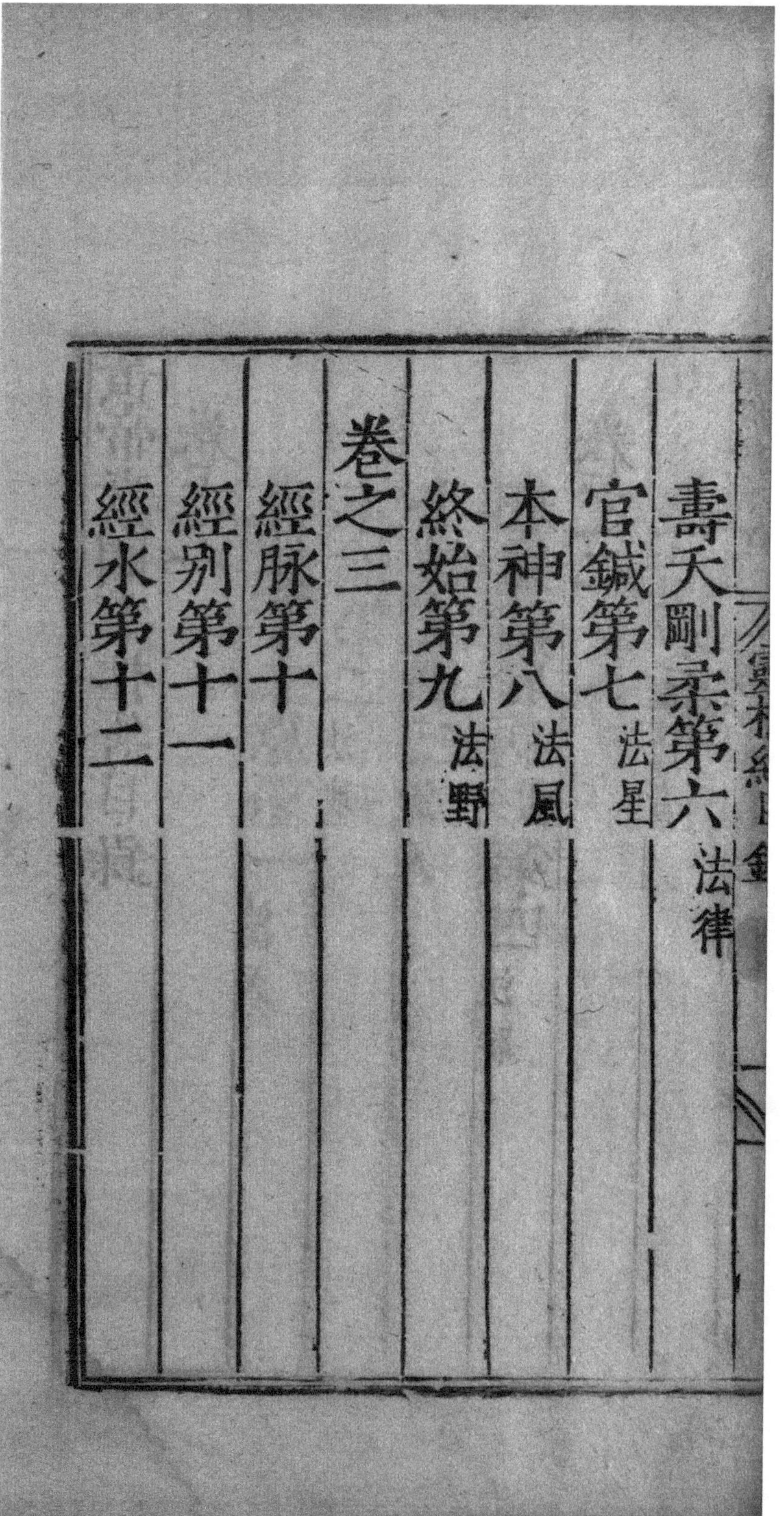

卷之三

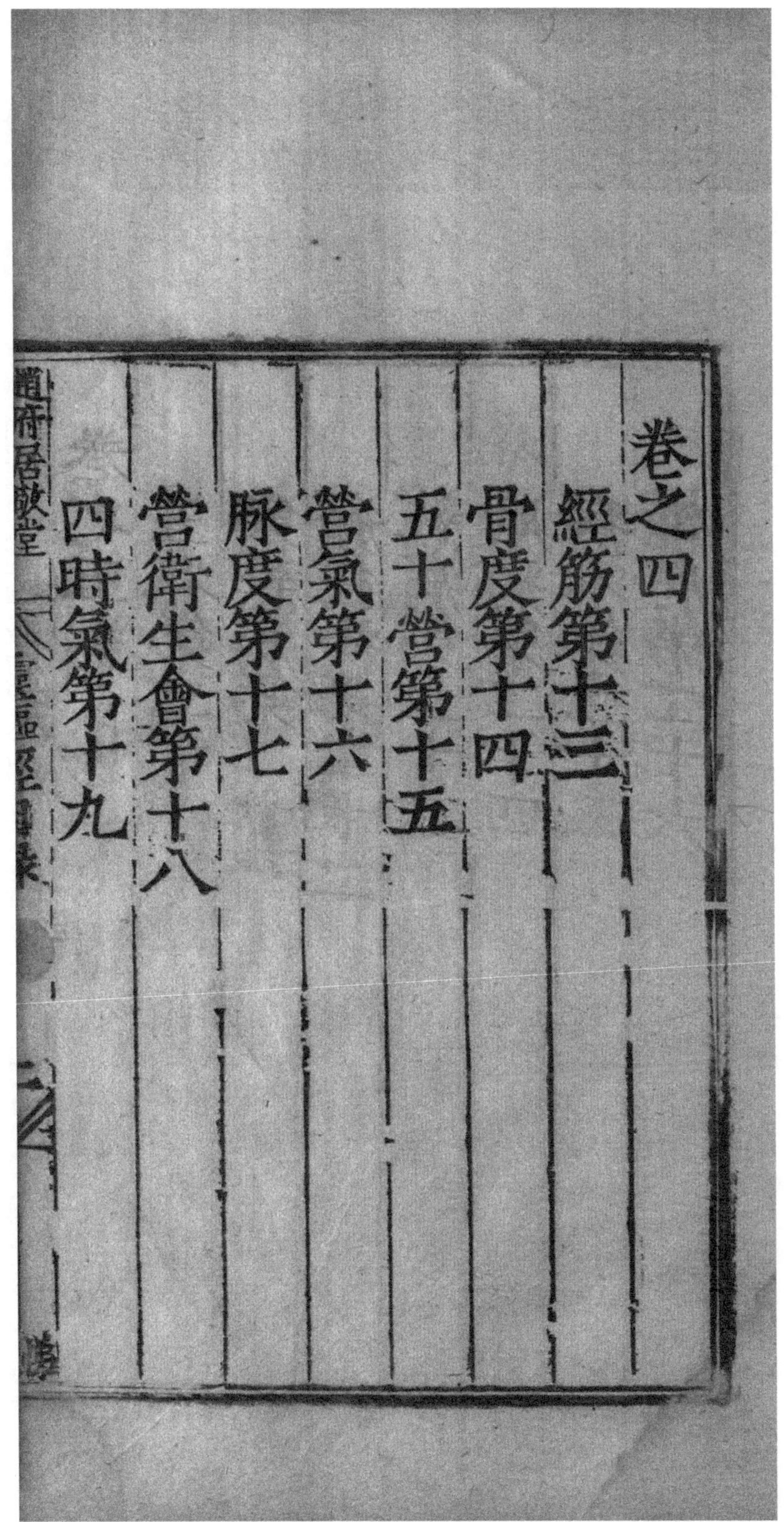

卷之四

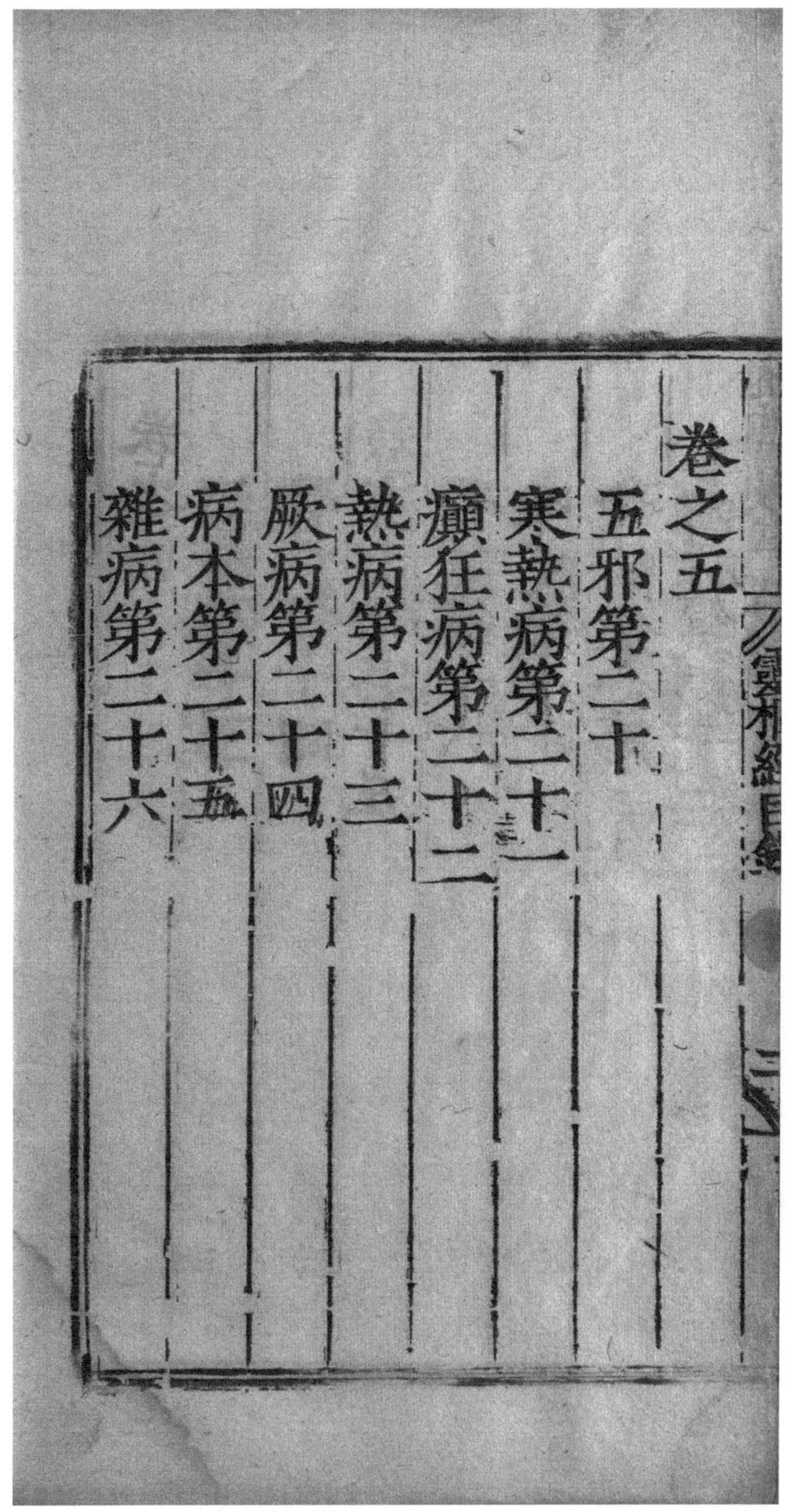

卷之五

五邪第二十

寒熱病第二十一

癲狂病第二十二

熱病第二十三

厥病第二十四

病本第二十五

雜病第二十六

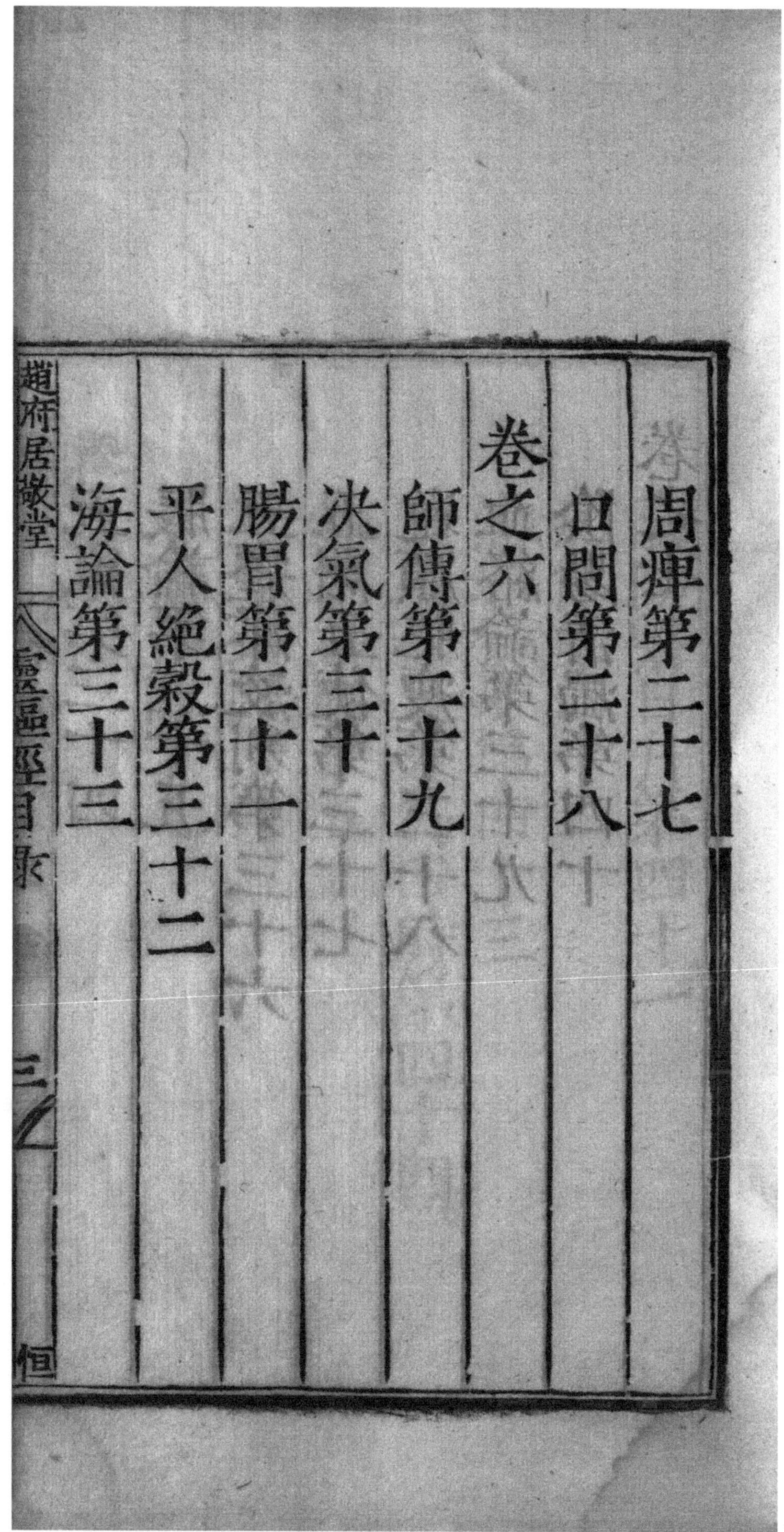

卷之六

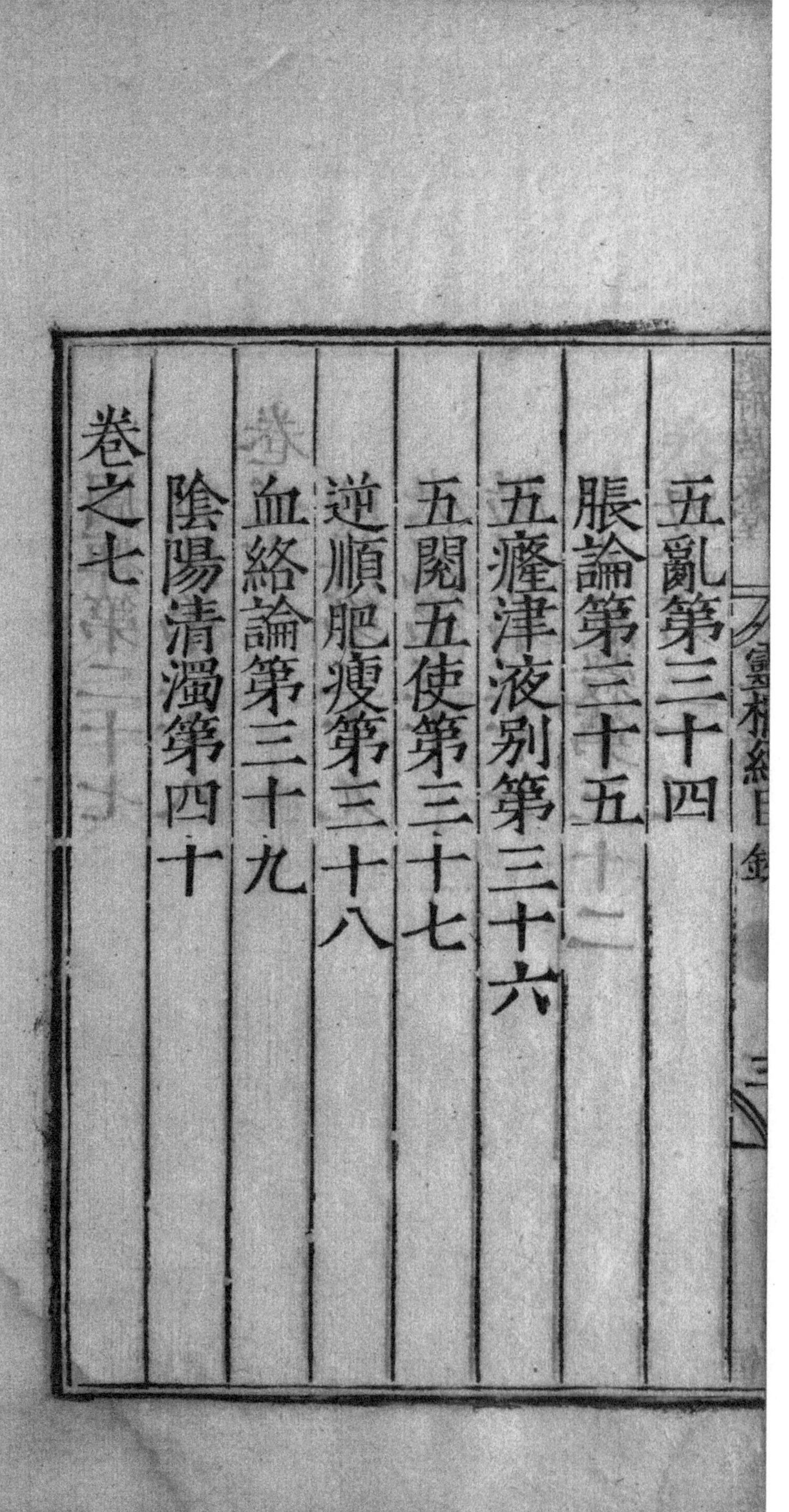

卷之七

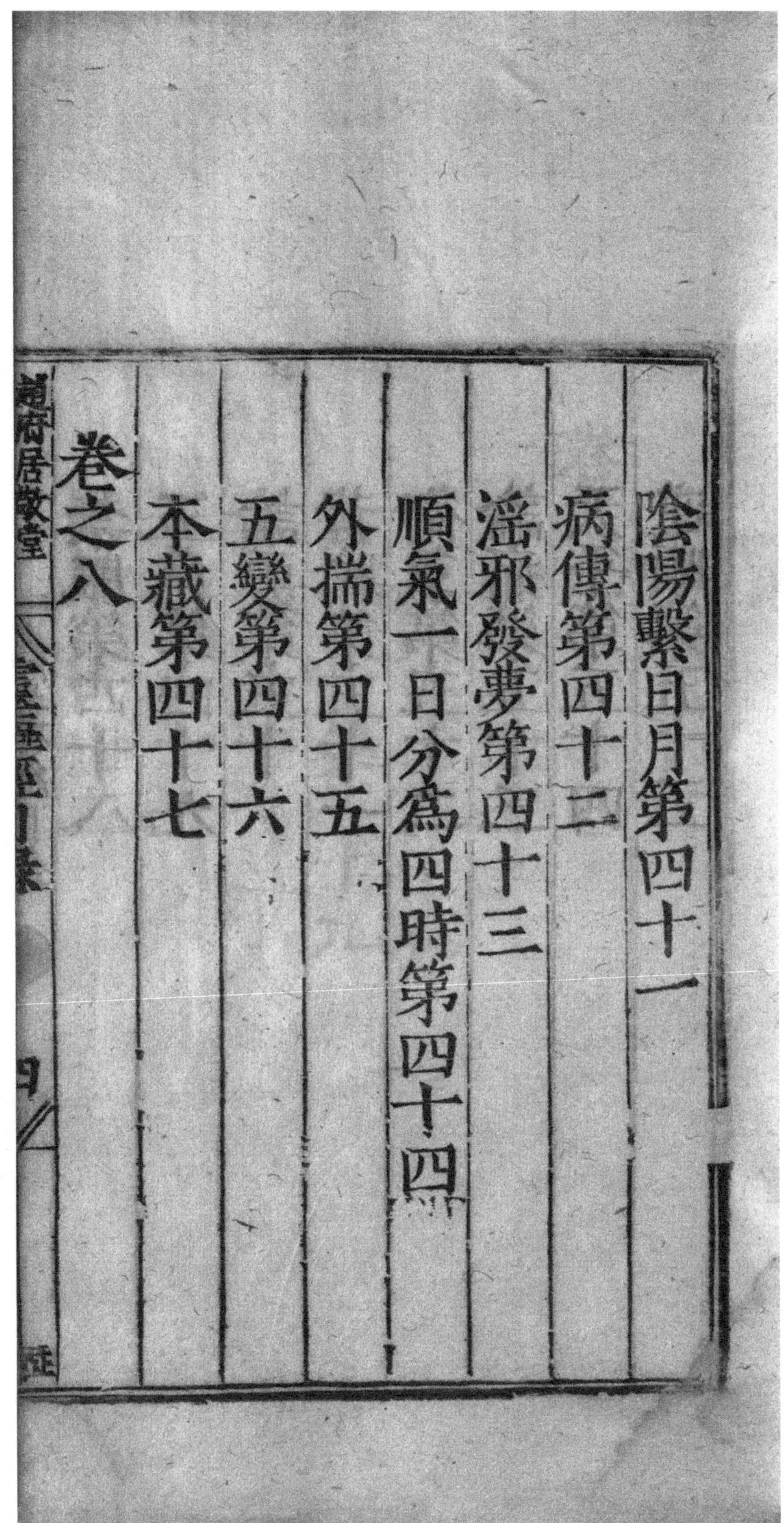

卷之八

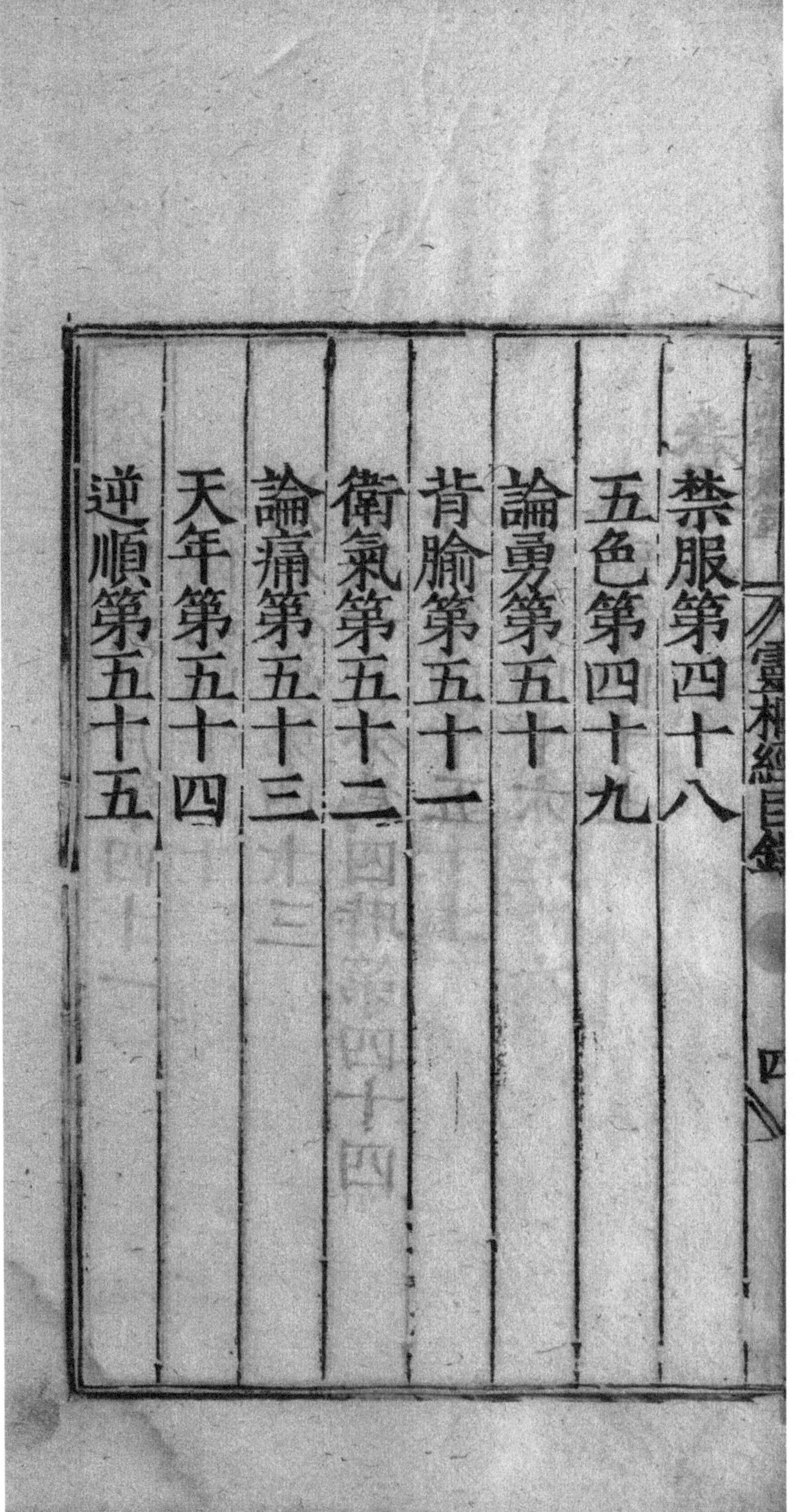

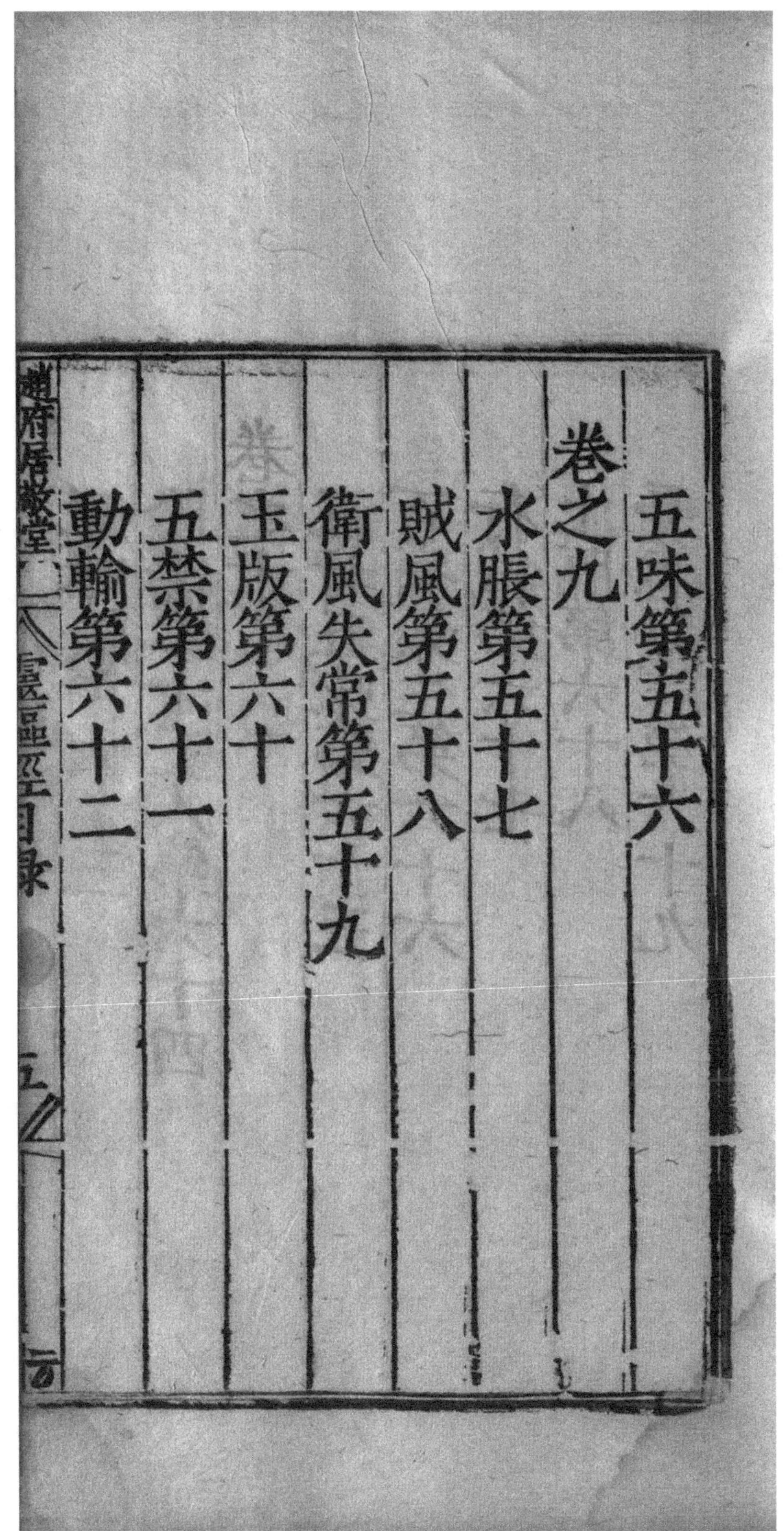

五味第五十六

卷之九

水脹第五十七

賊風第五十八

衛氣失常第五十九

玉版第六十

五禁第六十一

動輸第六十二

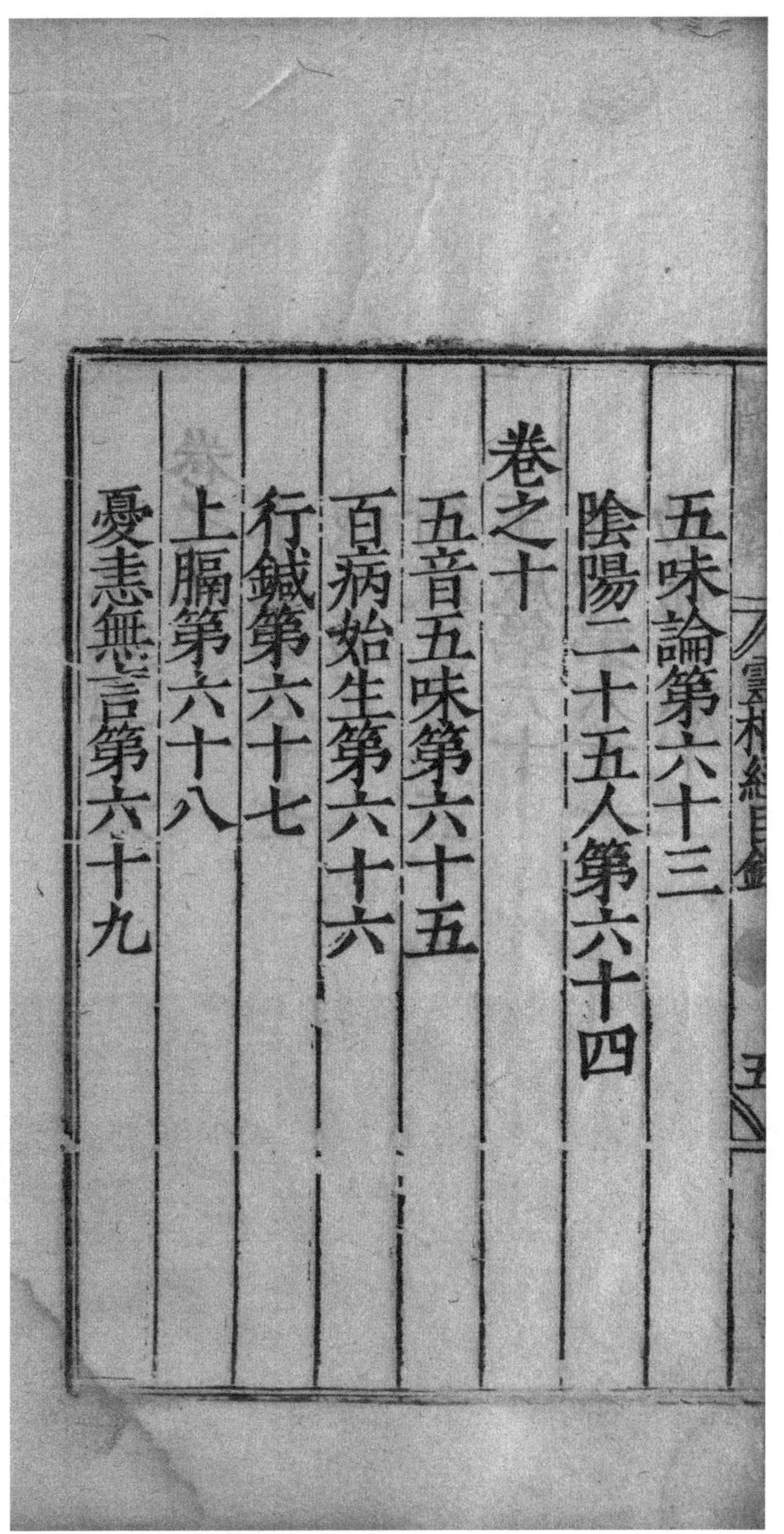

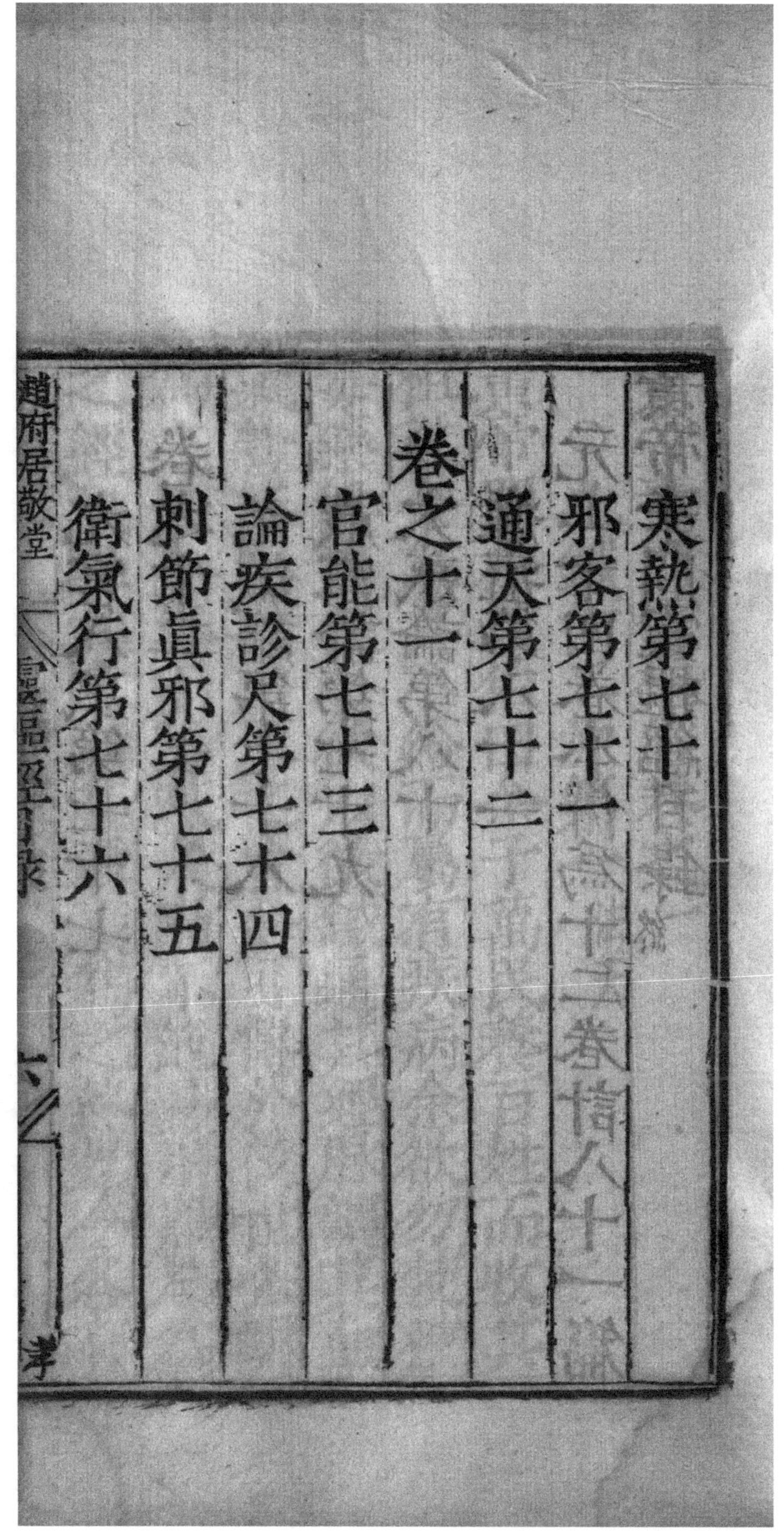

寒熱第七十
邪客第七十一
通天第七十二
卷之十一
官能第七十三
論疾診尺第七十四
刺節眞邪第七十五
衛氣行第七十六

趙府居敬堂　靈樞經目録　六

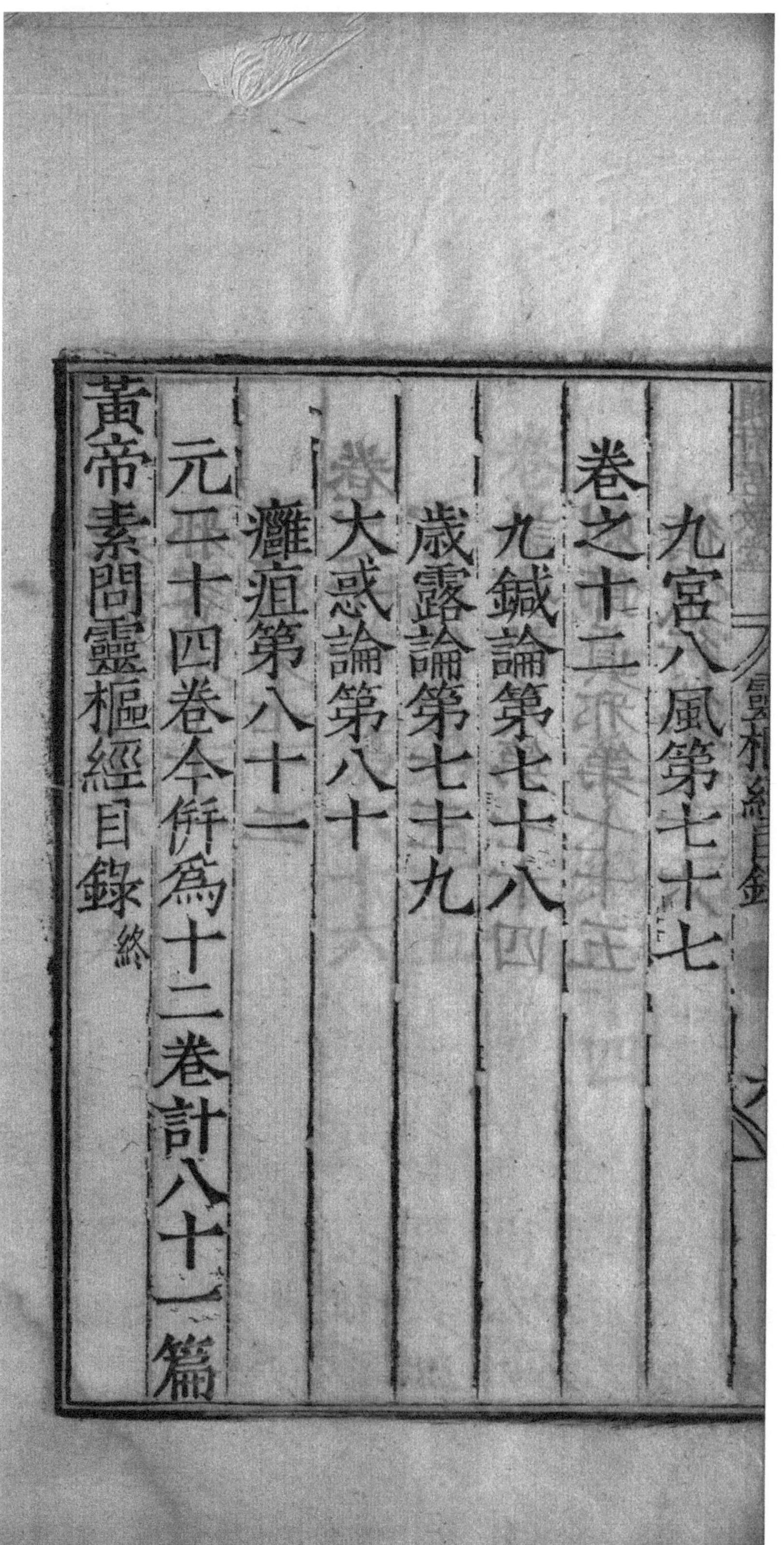
九宫八風第七十七
卷之十二
九鍼論第七十八
歲露論第七十九
大惑論第八十
癰疽第八十一
元二十四卷今併爲十二卷計八十一篇
黄帝素問靈樞經目録終

黃帝素問靈樞經卷之一

○九鍼十二原第一　法天

黃帝問於歧伯曰余子萬民養百姓而收其租稅余哀其不給而屬有疾病余欲勿使被毒藥無用砭石欲以微鍼通其經脈調其血氣營其逆順出入之會令可傳於後世必明爲之法令終而不滅久而不絶易用難忘爲之經紀異其章別其表裏爲之終始令各有

形先立鍼經願聞其情岐伯荅曰臣請推而次之令有綱紀始於一終於九焉請言其道小鍼之要易陳而難入麤守形上守神神乎神客在門未覩其疾惡知其原刺之微在速遲麤守關上守機機之動不離其空空中之機清靜而微其來不可逢其往不可追知機之道者不可掛以髮不知機道叩之不發知其往來要與之期麤之闇乎妙哉工獨有之

往者爲逆來者爲順明知逆順正行無問逆
而奪之惡得無虛追而濟之惡得無實迎之
隨之以意和之鍼道畢矣凡用鍼者虛則實
之滿則泄之宛陳則除之邪勝則虛之大要
曰徐而疾則實疾而徐則虛言實與虛若有
若無察後與先若存若亾爲虛與實若得若
失虛實之要九鍼最妙補寫之時以鍼爲之
寫曰必持內之放而出之排陽得鍼邪氣得

泄按而引鍼是謂内温血不得散氣不得出也補曰隨之隨之意若妄之若行若按如蚊蝱止如留如還去如絃絶令左屬右其氣故止外門已閉中氣乃實必無留血急取誅之持鍼之道堅者爲寶正指直刺無鍼左右神在秋毫屬意病者審視血脉者刺之無殆方刺之時必在懸陽及與兩衛神屬勿去知病存亡血脉者在腧横居視之獨澄切之獨堅

九鍼之名各不同形一曰鑱鍼長一寸六分
二曰員鍼長一寸六分三曰鍉鍼長三寸半
四曰鋒鍼長一寸六分五曰鈹鍼長四寸廣
二分半六曰員利鍼長一寸六分七曰毫鍼
長三寸六分八曰長鍼長七寸九曰大鍼長
四寸鑱鍼者頭大末鋭去寫陽氣員鍼者鍼
如卵形揩摩分間不得傷肌肉以寫分氣鍉
鍼者鋒如黍粟之鋭主按脉勿陷以致其氣

鋒鍼者刃三隅以發痼疾鈹鍼者末如劍鋒
以取大膿員利鍼者大如氂且員且銳中身
微大以取暴氣毫鍼者尖如蚊虻喙靜以徐
往微以久留之而養以取痛痺長鍼者鋒利
身薄可以取遠痺大鍼者尖如梃其鋒微員
以寫機關之水也九鍼畢矣夫氣之在脉也
邪氣在上濁氣在中清氣在下故鍼陷脉則
邪氣出鍼中脉則濁氣出鍼大深則邪氣反

沉病益故曰皮肉筋脉各有所處病各有所宜各不同形各以任其所宜無實無虛損不足而益有餘是謂甚病病益甚取五脉者死取三脉者恇奪陰者死奪陽者狂鍼害畢矣刺之而氣不至無問其數刺之而氣至乃去之勿復鍼鍼各有所宜各不同形各任其所爲刺之要氣至而有効効之信若風之吹雲明乎若見蒼天刺之道畢矣黃帝曰願聞五

藏六府所出之處岐伯曰五藏五腧五五二十五腧六府六腧六六三十六腧經脉十二絡脉十五凡二十七氣以上下所出爲井所溜爲滎所注爲腧所行爲經所以爲合二十七氣所行皆在五腧也節之交三百六十五會知其要者一言而終不知其要流散無窮所言節者神氣之所遊行出入也非皮肉筋骨也覩其色察其目知其散復一其形聽其

動靜知其邪正右主推之左持而御之氣至而去之凡將用鍼必先診脉視氣之劇易乃可以治也五藏之氣已絶於内而用鍼者反實其外是謂重竭重竭必死其死也靜治之者輙反其氣取腋與膺五藏之氣已絶於外而用鍼者反實其内是謂逆厥逆厥則必死其死也躁治之者反取四末刺之害中而不去則精泄害中而去則致氣精泄則病益甚

而恇致氣則生爲癰瘍五藏有六府六府有十二原十二原出於四關四關主治五藏五藏有疾當取之十二原十二原者五藏之所以稟三百六十五節氣味也五藏有疾也應出十二原二原各有所出明知其原覩其應而知五藏之害矣陽中之少陰肺也其原出於大淵大淵二陽中之太陽心也其原出於大陵大陵二陰中之少陽肝也其原出於太

衝太衝二陰中之至陰脾也其原出於太白太白二陰中之太陰腎也其原出於太谿太谿二膏之原出於鳩尾鳩尾一肓之原出於脖胦脖胦一凡此十二原者主治五藏六府之有疾者也脹取三陽飧泄取三陰今夫五藏之有疾也譬猶刺也猶汚也猶結也猶閉也刺雖久猶可拔也汚雖久猶可雪也結雖久猶可解也閉雖久猶可決也或言久疾之

不可取者非其說也夫善用鍼者取其疾也猶拔刺也猶雪汚也猶解結也猶決閉也疾雖久猶可畢也言不可治者未得其術也刺諸熱者如以手探湯刺寒清者如人不欲行陰有陽疾者取之下陵三里正往無殆氣下乃止不下復始也疾高而内者取之陰之陵泉疾高而外者取之陽之陵泉也

宛陳上音鬱又音蘊又於阮切氂莫高切又音毫在腧春遇切鑱

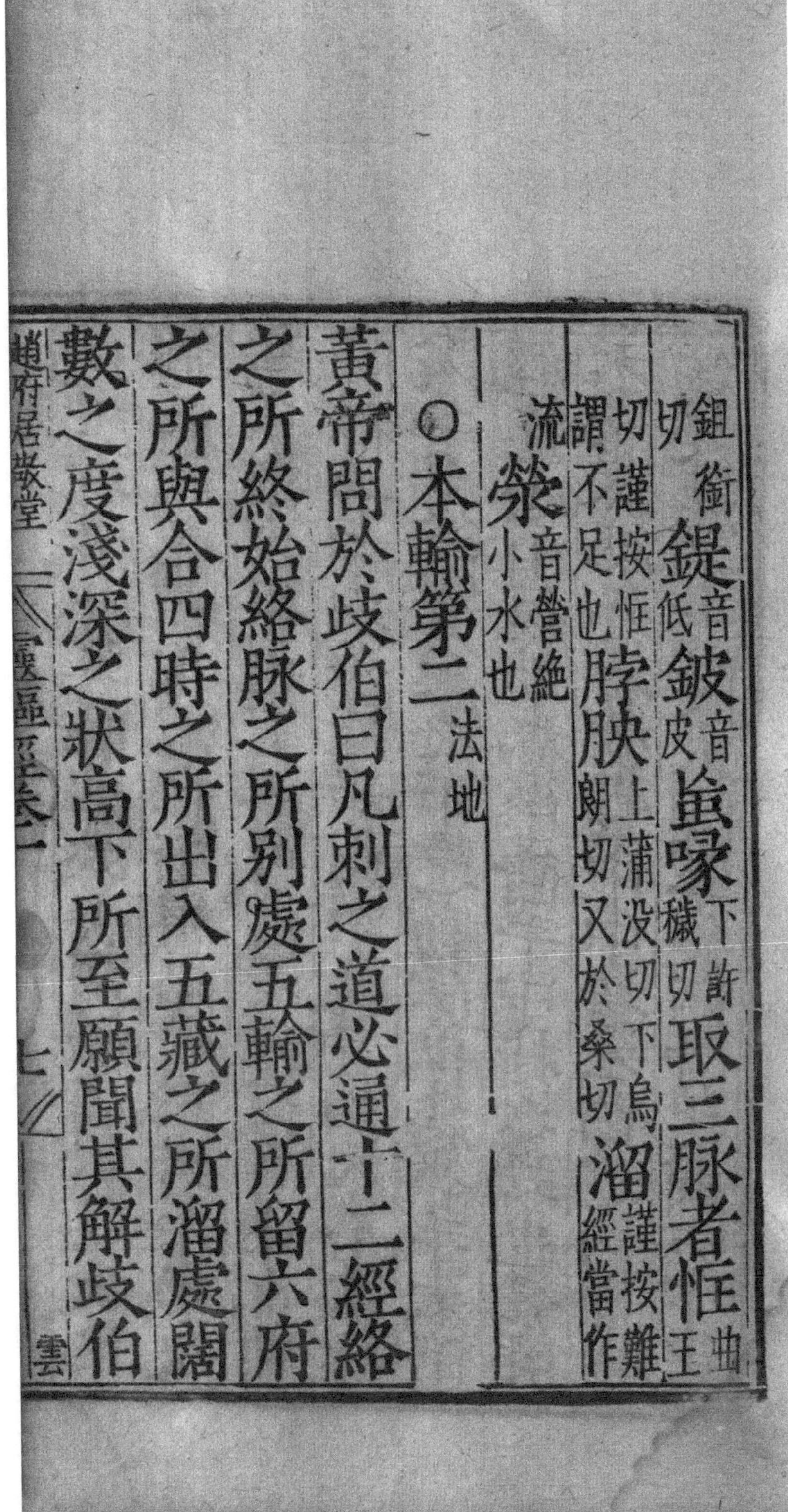

鉏衘切切鍉音低鈹音皮蝱喙下許穢切取三脉者恇曲王切謹按恇謂不足也脖胦上蒲没切下烏朗切又於桑切溜謹按難經當作流滎音營絶小水也

○本輸第二法地

黄帝問於岐伯曰凡刺之道必通十二經絡之所終始絡脉之所别處五輸之所留六府之所與合四時之所出入五藏之所溜處闊數之度淺深之狀高下所至願聞其解岐伯

曰請言其次也肺出於少商少商者手大指端内側也爲井木溜于魚際魚際者手魚也爲滎注于大淵大淵魚後一寸陷者中也爲腧行于經渠經渠寸口中也動而不居爲經入于尺澤尺澤肘中之動脉也爲合手太陰經也心出於中衝中衝手中指之端也爲井木溜於勞宫勞宫掌中中指本節之内間也爲滎注于大陵大陵掌後兩骨之間方下者

也爲腧行於間使間使之道兩筋之間三寸之中也有過則至無過則止爲經入于曲澤曲澤肘内廉下䧟者之中也屈而得之爲合手少陰也肝出于大敦大敦者足大指之端及三毛之中也爲井木溜于行間行間足大指間也爲滎注于大衝大衝行間上二寸䧟者之中也爲腧行于中封中封内踝之前一寸半䧟者之中使逆則宛使和則通摇足而

得之爲經入于曲泉曲泉輔骨之下大筋之上也屈膝而得之爲合足厥陰也脾出于隱白隱白者足大指之端内側也爲井木溜于大都大都本節之後下陷者之中也爲滎注于太白太白腕骨之下也爲腧行于商丘商丘内踝之下陷者之中也爲經入于陰之陵泉陰之陵泉輔骨之下陷者之中也伸而得之爲合足太陰也腎出于湧泉湧泉者足心

也爲井木溜于然谷然谷然骨之下者也爲
滎注于大谿大谿內踝之後跟骨之上陷中
者也爲腧行于復留復留上內踝二寸動而
不休爲經入于陰谷陰谷輔骨之後大筋之
下小筋之上也按之應手屈膝而得之爲合
足少陰經也膀胱出於至陰至陰者足小指
之端也爲井金溜于通谷通谷本節之前外
側也爲滎注于束骨束骨本節之後陷者中

也爲腧過于京骨京骨足外側大骨之下爲
原行于崑崙崑崙在外踝之後跟骨之上爲
經入于委中委中膕中央爲合委而取之足
太陽也膽出于竅陰竅陰者足小指次指之
端也爲井金溜于俠谿俠谿足小指次指之
間也爲滎注于臨泣臨泣上行一寸半陷者
中也爲腧過于丘墟丘墟外踝之前下陷者
中也爲原行于陽輔陽輔外踝之上輔骨之

前及絶骨之端也爲經入于陽之陵泉陽之陵泉在膝外陷者中也爲合伸而得之足少陽也胃出于厲兑厲兑者足大指内次指之端也爲井金溜于内庭内庭次指外間也爲滎注于陷谷陷谷者上中指内間上行二寸陷者中也爲腧過于衝陽衝陽足跗上五寸陷者中也爲原搖足而得之行于解谿解谿上衝陽一寸半陷者中也爲經入于下陵下

陵膝下三寸胻骨外三里也爲合復下三里三寸爲巨虛上廉復下上廉三寸爲巨虛下廉也大腸屬上小腸屬下足陽明胃脉也大腸小腸皆屬于胃是足陽明也三焦者上合手少陽出于關衝關衝者手小指次指之端也爲井金溜于液門液門小指次指之間也爲滎注于中渚中渚本節之後陷者中也爲腧過于陽池陽池在腕上陷者之中也爲原

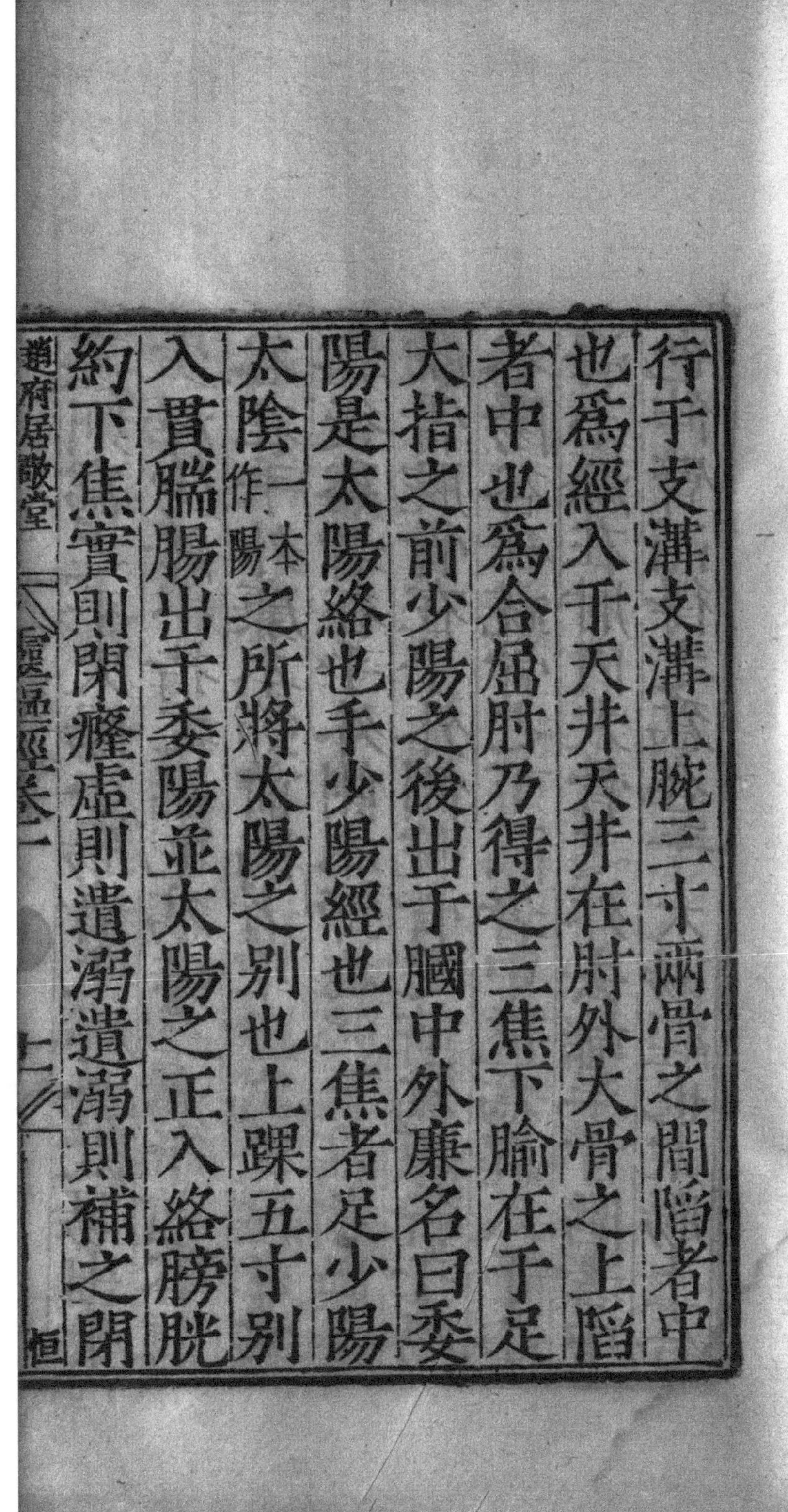

行于支溝支溝上腕三寸兩骨之間陷者中也爲經入于天井天井在肘外大骨之上陷者中也爲合屈肘乃得之三焦下腧在于足大指之前少陽之後出于膕中外廉名曰委陽是太陽絡也手少陽經也三焦者足少陽太陰一本作陽之所將太陽之別也上踝五寸別入貫腨腸出于委陽並太陽之正入絡膀胱約下焦實則閉癃虛則遺溺遺溺則補之閉

癃則寫之手太陽小腸者上合於太陽出于
少澤少澤小指之端也爲井金溜于前谷前
谷在手外廉本節前陷者中也爲滎注于後
谿後谿者在手外側本節之後也爲腧過于
腕骨腕骨在手外側腕骨之前爲原行于陽
谷陽谷在鋭骨之下陷者中也爲經入于小
海小海在肘内大骨之外去端半寸陷者中
也伸臂而得之爲合手太陽經也太陽上合

手陽明出于商陽商陽大指次指之端也爲井金溜于本節之前二間爲滎注于本節之後三間爲腧過于合谷合谷在大指歧骨之間爲原行于陽谿陽谿在兩筋間陷者中也爲經入于曲池在肘外輔骨陷者中屈臂而得之爲合手陽明也是謂五藏六府之腧五五二十五腧六六三十六腧也六府皆出足之三陽上合于手者也缺盆之中任脉也名

曰天突一次任脉側之動脉足陽明也名曰人迎二次脉手陽明也名曰扶突三次脉手太陽也名曰天窻四次脉足少陽也名曰天容五次脉手少陽也名曰天牖六次脉足太陽也名曰天柱七次脉頸中央之脉督脉也名曰風府腋内動脉手太陰也名曰天府腋下三寸手心主也名曰天池刺上關者呿不能欠刺下關者欠不能呿刺犢鼻者屈不能

伸刺兩關者伸不能屈足陽明挾喉之動脉
也其腧在膺中手陽明次在其腧外不至曲
頰一寸手太陽當曲頰足少陽在耳下曲頰
之後手少陽出耳後上加完骨之上足太陽
挾項大筋之中髮際陰尺動脉在五里五腧
之禁也肺合大腸大腸者傳道之府心合小
腸小腸者受盛之府肝合膽膽者中精之府
脾合胃胃者五穀之府腎合膀胱膀胱者津

液之府也少陽屬腎腎上連肺故將兩藏三焦者中瀆之府也水道出焉屬膀胱是孤之府也是六府之所與合者春取絡脉諸榮大經分肉之間甚者深取之間者淺取之夏取諸腧孫絡肌肉皮膚之上秋取諸合餘如春法冬取諸井諸腧之分欲深而留之此四時之序氣之所處病之所舍藏之所宜轉筋者立而取之可令遂已痿厥者張而刺之可令

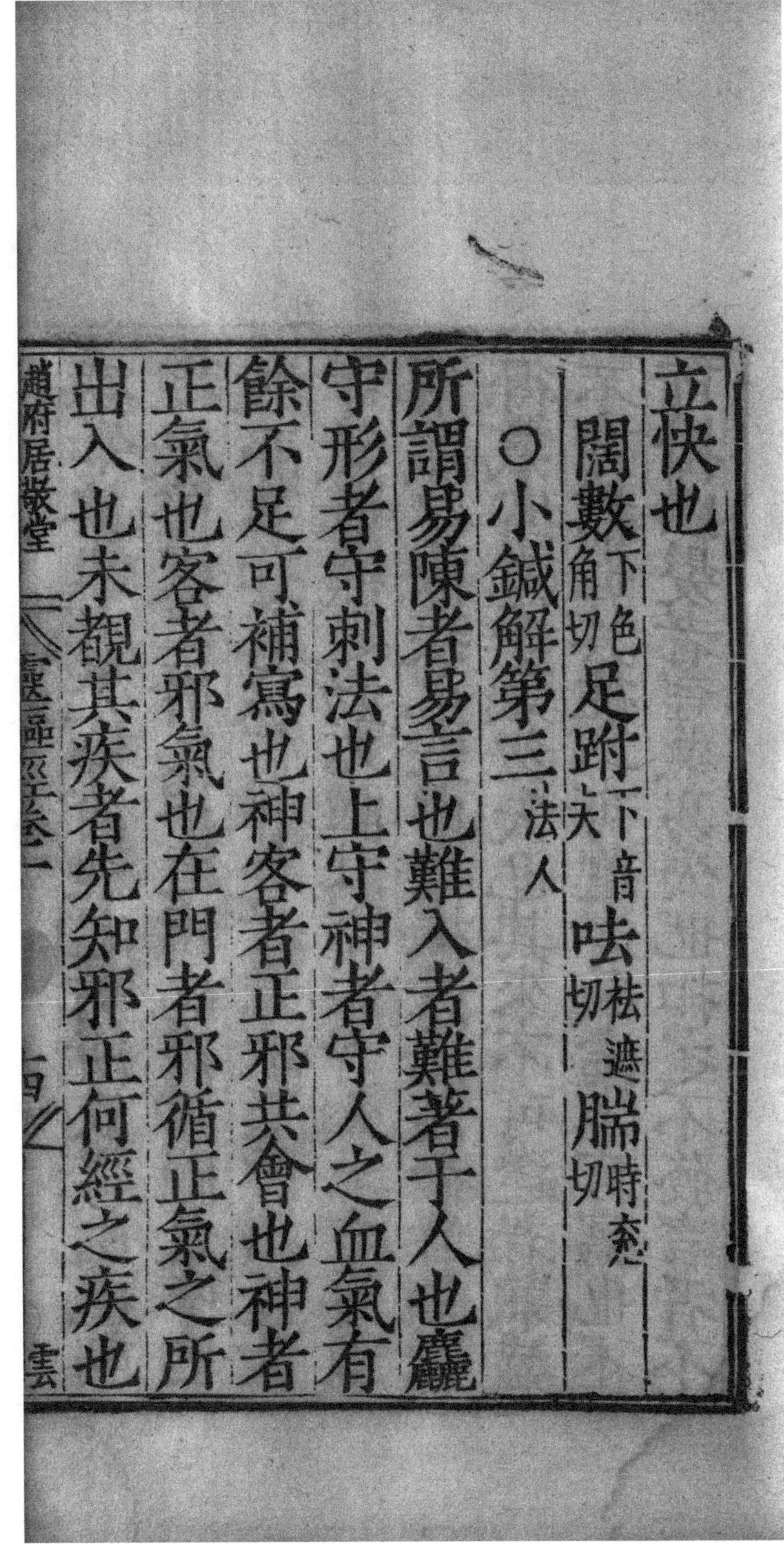

立快也

闊數下色角切足跗下音夫呿祛遮切腨時兗切

○小鍼解第三法人

所謂易陳者易言也難入者難著于人也麤

守形者守刺法也上守神者守人之血氣有

餘不足可補寫也神客者正邪共會也神者

正氣也客者邪氣也在門者邪循正氣之所

出入也未覩其疾者先知邪正何經之疾也

惡知其原者先知何經之病所取之處也刺之微在數遲者徐疾之意也麤守關者守四肢而不知血氣正邪之往來也上守機者知守氣也機之動不離其空中者知氣之虛實用鍼之徐疾也空中之機清淨以微者鍼以得氣密意守氣勿失也其來不可逢者氣盛不可補也其往不可追者氣虛不可寫也不可掛以髮者言氣易失也扣之不發言者不

知補寫之意也血氣已盡而氣不下也知其往來者知氣之逆順盛虛也要與之期者知氣之可取之時也麤之闇者冥冥不知氣之微密也妙哉工獨有之者盡知鍼意也往者爲逆者言氣之虛而小小者逆也來者爲順者言形氣之平平者順也明知逆順正行無間者言知所取之處也迎而奪之者寫也追而濟之者補也所謂虛則實之者氣口虛而

當補之也滿則泄之者氣口盛而當寫之也宛陳則除之者去血脉也邪勝則虛之者言諸經有盛者皆寫其邪也徐而疾則實者言徐内而疾出也疾而徐則虛者言疾内而徐出也言實與虛若有若無者言實者有氣虛者無氣也察後與先若亾若存者言氣之虛實補寫之先後也察其氣之已下與常存也爲虛與實若得若失者言補者佖然若有得

也寫則悗然若有失也夫氣之在脉也邪氣
在上者言邪氣之中人也高故邪氣在上也
濁氣在中者言水穀皆入于胃其精氣上注
於肺濁溜于腸胃言寒溫不適飲食不節而
病生于腸胃故命曰濁氣在中也清氣在下
者言清濕地氣之中人也必從足始故曰清
氣在下也鍼陷脉則邪氣出者取之上鍼中
脉則濁氣出者取之陽明合也鍼大深則邪

氣反沉者言淺浮之病不欲深刺也深則邪
氣從之入故曰反沉也皮肉筋脉各有所處
者言經絡各有所主也取五脉者死言病在
中氣不足但用鍼盡大寫其諸陰之脉也取
三陽之脉者唯言盡寫三陽之氣令病人恇
然不復也奪陰者死言取尺之五里五往者
也奪陽者狂正言也覩其色察其目知其散
復一其形聽其動靜者言上工知相五色于

目有知調尺寸小大緩急滑濇以言所病也知其邪正者知論虚邪與正邪之風也右主推之左持而御之者言持鍼而出入也氣至而去之者言補寫氣調而去之也調氣在于終始一者持心也節之交三百六十五會者絡脉之滲灌諸節者也所謂五藏之氣已絶于内者脉口氣内絶不至反取其外之病處與陽經之合有留鍼以致陽氣陽氣至則内

重竭重竭則死矣其死也無氣以動故靜所謂五藏之氣已絶于外者脉口氣外絶不至反取其四末之輸有留鍼以致其陰氣陰氣至則陽氣反入入則逆逆則死矣其死也陰氣有餘故躁所以察其目者五藏使五色循明循明則聲章聲章者則言聲與平生異也

㑌然上皮筆切又音必滿貌怳然上吁往切狂貌深內下音納

○邪氣藏府病形第四 法時

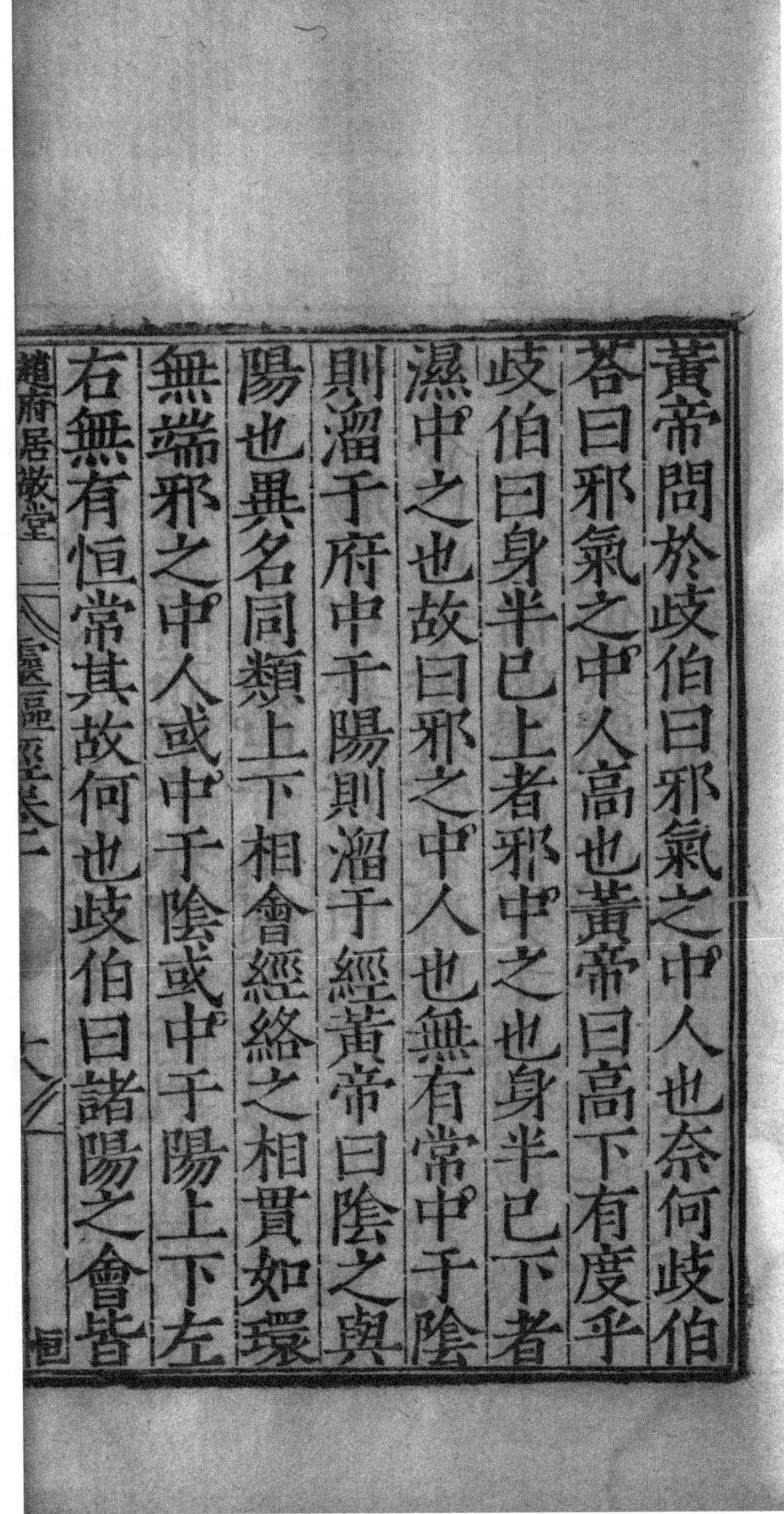

黃帝問於岐伯曰邪氣之中人也奈何岐伯荅曰邪氣之中人高也黃帝曰高下有度乎岐伯曰身半已上者邪中之也身半已下者濕中之也故曰邪之中人也無有常中于陰則溜于府中于陽則溜于經黃帝曰陰之與陽也異名同類上下相會經絡之相貫如環無端邪之中人或中于陰或中于陽上下左右無有恒常其故何也岐伯曰諸陽之會皆

在于面中人也方乘虛時及新用力若飲食汗出腠理開而中于邪中于面則下陽明中于項則下太陽中于頰則下少陽其中于膺背兩脇亦中其經黄帝曰其中于陰奈何歧伯荅曰中于陰者常從臂胻始夫臂與胻其陰皮薄其肉淖澤故俱受于風獨傷其陰黄帝曰此故傷其藏乎歧伯荅曰身之中于風也不必動藏故邪入于陰經則其藏氣實邪

氣入而不能客故還之於府故中陽則溜于經中陰則溜于府黄帝曰邪之中人藏奈何岐伯曰愁憂恐懼則傷心形寒寒飲則傷肺以其兩寒相感中外皆傷故氣道而上行有所墮墜惡血留内若有所大怒氣上而不下積于脇下則傷肝有所擊仆若醉入房汗出當風則傷脾有所用力舉重若入房過度汗出浴水則傷腎黄帝曰五藏之中風奈何岐

伯曰陰陽俱感邪乃得徃黄帝曰善哉黄帝
問於歧伯曰首面與身形也屬骨連筋同血
合於氣耳天寒則裂地凌冰其卒寒或手足
懈惰然而其面不衣何也歧伯荅曰十二經
脉三百六十五絡其血氣皆上于面而走空
竅其精陽氣上走於目而爲睛其别氣走於
耳而爲聽其宗氣上出於鼻而爲臭其濁氣
出於胃走脣舌而爲味其氣之津液皆上燻

于面而皮又厚其肉堅故天氣甚寒不能勝
之也黃帝曰邪之中人其病形何如岐伯曰
虛邪之中身也灑淅動形正邪之中人也微
先見于色不知于身若有若無若亾若存有
形無形莫知其情黃帝曰善哉黃帝問於岐
伯曰余聞之見其色知其病命曰明按其脉
知其病命曰神問其病知其處命曰工余願
聞見而知之按而得之問而極之爲之奈何

岐伯荅曰夫色脉與尺之相應也如桴鼓影響之相應也不得相失也此亦本末根葉之出候也故根死則葉枯矣色脉形肉不得相失也故知一則爲工知二則爲神知三則神且明矣黃帝曰願卒聞之岐伯荅曰色青者其脉絃也赤者其脉鉤也黃者其脉代也白者其脉毛黑者其脉石見其色而不得其脉反得其相勝之脉則死矣得其相生之脉則

病已矣黃帝問於歧伯曰五藏之所生變化之病形何如歧伯荅曰先定其五色五脉之應其病乃可別也黃帝曰色脉已定別之柰何歧伯曰調其脉之緩急小大滑濇而病變定矣黃帝曰調之柰何歧伯荅曰脉急者尺之皮膚亦急脉緩者尺之皮膚亦緩脉小者尺之皮膚亦減而少氣脉大者尺之皮膚亦賁而起脉滑者尺之皮膚亦滑脉濇者尺之

皮膚亦濇凡此變者有微有甚故善調尺者不待於寸善調脉者不待於色能參合而行之者可以爲上工上工十全九行二者爲中工中工十全七行一者爲下工下工十全六
黄帝曰請問脉之緩急小大滑濇之病形何如岐伯曰臣請言五藏之病變也心脉急甚者爲瘛瘲微急爲心痛引背食不下緩甚爲狂笑微緩爲伏梁在心下上下行時唾血太

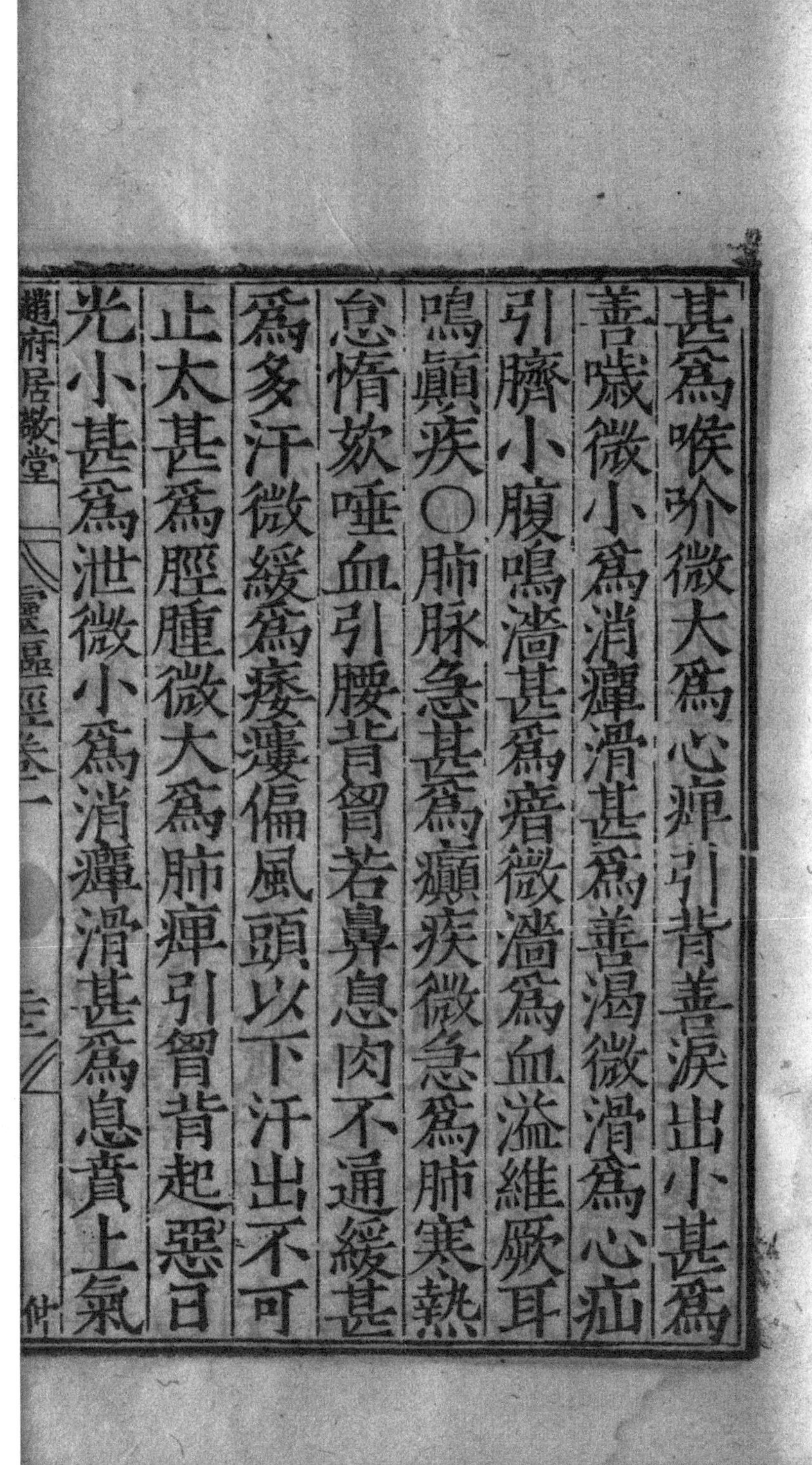

甚爲喉吤微大爲心痺引背善淚出小甚爲善噦微小爲消癉滑甚爲善渴微滑爲心疝引臍小腹鳴濇甚爲瘖微濇爲血溢維厥耳鳴顛疾○肺脉急甚爲癲疾微急爲肺寒熱怠惰欬唾血引腰背胷若鼻息肉不通緩甚爲多汗微緩爲痿瘻偏風頭以下汗出不可止太甚爲脛腫微大爲肺痺引胷背起惡日光小甚爲泄微小爲消癉滑甚爲息賁上氣

微滑爲上下出血濇甚爲嘔血微濇爲鼠瘻在頸支腋之間下不勝其上其應善痠矣○肝脉急甚者爲惡言微急爲肥氣在脇下若覆杯緩甚爲善嘔微緩爲水瘕痺也太甚爲内癰善嘔衄微大爲肝痺陰縮欬引小腹小甚爲多飲微小爲消癉滑甚爲㿗疝微滑爲遺溺濇甚爲溢飲微濇爲瘈攣筋痺○脾脉急甚爲瘈瘲微急爲膈中食飲入而還出後

沃沫緩甚爲痿厥微緩爲風痿四肢不用心慧然若無病太甚爲擊仆微大爲疝氣腹裏大膿血在腸胃之外小甚爲寒熱微小爲消癉滑甚爲㿗癃微滑爲蟲毒蛕蝎腹熱濇甚爲腸㿗微濇爲內㿗多下膿血腎脉急甚爲骨癲疾微急爲沉厥奔豚足不收不得前後緩甚爲折脊微緩爲洞洞者食不化下嗌還出太甚爲陰痿微大爲石水起臍已下至小

腹腫腫然上至胃脘死不治小甚爲洞泄微
小爲消癉滑甚爲癃㿉微滑爲骨痿坐不能
起起則目無所見濇甚爲大癰微濇爲不月
沉痔黄帝曰病之六變者刺之奈何岐伯荅
曰諸急者多寒緩者多熱大者多氣少血小
者血氣皆少滑者陽氣盛微有熱濇者多血
少氣微有寒是故刺急者深内而久留之刺
緩者淺内而疾發鍼以去其熱刺大者微寫

其氣無出其血刺滑者疾發鍼而淺內之以寫其陽氣而去其熱刺濇者必中其脉隨其逆順而久留之必先按而循之已發鍼疾按其痏無令其血出以和其脉諸小者陰陽形氣俱不足勿取以鍼而調以甘藥也黄帝曰余聞五藏六府之氣滎輸所入爲合令何道從入入安連過願聞其故歧伯荅曰此陽脉之別入于內屬於府者也黄帝曰滎輸與合

各有名乎岐伯荅曰滎輸治外經合治內府
黃帝曰治內府奈何歧伯曰取之於合黃帝
曰合各有名乎歧伯荅曰胃合於三里大腸
合入于巨虛上廉小腸合入于巨虛下廉三
焦合入於委陽膀胱合入于委中央膽合入
于陽陵泉黃帝曰取之奈何歧伯荅曰取之
三里者低跗取之巨虛者舉足取之委陽者
屈伸而索之委中者屈而取之陽陵泉者正

竪膝予之齊下至委陽之陽取之取諸外經者揄申而從之黄帝曰願聞六府之病岐伯荅曰面熱者足陽明病魚絡血者手陽明病兩跗之上脉竪陷者足陽明病此胃脉也大腸病者腸中切痛而鳴濯濯冬日重感于寒即泄當臍而痛不能久立與胃同候取巨虚上廉胃病者腹䐜脹胃脘當心而痛上肢兩脇膈咽不通食飲不下取之三里也〇小腸

病者小腹痛腰脊控睪而痛時窘之後當耳前熱若寒甚若獨肩上熱甚及手小指次指之間熱若脉陷者此其候也手太陽病也取之巨虚下廉○三焦病者腹氣滿小腹尤堅不得小便窘急溢則水留即爲脹候在足太陽之外大絡大絡在太陽少陽之間亦見于脉取委陽○膀胱病者小腹偏腫而痛以手按之卽欲小便而不得肩上熱若脉陷及足

小指外廉及脛踝後皆熱若脉陷取委中央

○膽病者善太息口苦嘔宿汁心下澹澹恐人將捕之嗌中吤吤然數唾在足少陽之本末亦視其脉之陷下者灸之其寒熱者取陽陵泉黄帝曰刺之有道乎岐伯荅曰刺此者必中氣穴無中肉節中氣穴則鍼染一作遊于巷中肉節卽皮膚痛補寫反則病益篤中筋則筋緩邪氣不出與其真相搏亂而不去反

還内著用鍼不審以順爲逆也

中于膂背一作肩背亦中其經一本作下其經胻戶當切

淖澤上奴教切下皆同甲乙經上音濁下音液謹詳淖濁也澤液也入而

不客一本作容瘛瘲上治下縱吤音戒噦乙劣切息賁音下

奔痠音酸瘕音賈瘨徒回切仆音付蛸蝎上胡狹切腹中長蟲

下胡葛切蠱蟲也腄竹垂切痏榮美切揄春朱切睪音高陰丸

也維厥詳此經絡有陽維陰維故有維厥

黄帝素問靈樞經卷之一　終

黄帝素問靈樞經卷之二

〇根結第五 法旨

岐伯曰天地相感寒暖相移陰陽之道孰少孰多陰道偶陽道竒發于春夏陰氣少陽氣多陰陽不調何補何寫發于秋冬陽氣少陰氣多陰氣盛而陽氣衰故莖葉枯槁濕雨下歸陰陽相移何寫何補竒邪離經不可勝數不知根結五藏六府折關敗樞開闔而走陰

陽大失不可復取九鍼之玄要在終始故能
知終始一言而畢不知終始鍼道咸絶太陽
根于至陰結于命門命門者目也陽明根于
厲兑結于顙大顙大者鉗耳也少陽根于竅
陰結于窻籠窻籠者耳中也太陽爲開陽明
爲闔少陽爲樞故開折則肉節瀆而暴病起
矣故暴病者取之太陽視有餘不足瀆者皮
肉宛膲而弱也闔折則氣無所止息而痿疾

起矣故痿疾者取之陽明視有餘不足無所止息者眞氣稽留邪氣居之也樞折卽骨繇而不安於地故骨繇者取之少陽視有餘不足骨繇者節緩而不收也所謂骨繇者搖故也當窮其本也太陰根于隱白結于大倉少陰根于湧泉結于廉泉厥陰根于大敦結于玉英絡于膻中太陰爲開厥陰爲闔少陽爲樞故開折則倉廩無所輸膈洞膈洞者取之

太陰視有餘不足故開折者氣不足而生病也闔折即氣絶而喜悲悲者取之厥陰視有餘不足樞折則脉有所結而不通不通者取之少陰視有餘不足有結者皆取之不足足太陽根于至陰溜于京骨注于崑崙入于天柱飛揚也足少陽根于竅陰溜于丘墟注于陽輔入于天容光明也足陽明根于厲兑溜于衝陽注于下陵入于人迎豐隆也手太陽

根于少澤溜于陽谷注于少海入于天窻支正也手少陽根于關衝溜于陽池注于支溝入于天牖外關也手陽明根于商陽溜于合谷注于陽谿入于扶突偏歷也此所謂十二經者盛絡皆當取之一日一夜五十營以營五藏之精不應數者名曰狂生所謂五十營者五藏皆受氣持其脉口數其至也五十動而不一代者五藏皆受氣四十動一代者一

藏無氣三十動一代者二藏無氣二十動一
代者三藏無氣十動一代者四藏無氣不滿
十動一代者五藏無氣予之短期要在終始
所謂五十動而不一代者以爲常也以知五
藏之期予之短期者乍數乍踈也黄帝曰逆
順五體者言人骨節之小大肉之堅脆皮之
厚薄血之清濁氣之滑濇脉之長短血之多
少經絡之數余已知之矣此皆布衣匹夫之

士也夫王公大人血食之君身體柔脆肌肉
軟弱血氣慓悍滑利其刺之徐疾淺深多少
可得同之乎歧伯荅曰膏粱菽藿之味何可
同也氣滑卽出疾其氣濇則出遲氣悍則鍼
小而入淺氣濇則鍼大而入深深則欲留淺
則欲疾以此觀之刺布衣者深以留之刺大
人者微以徐之此皆因氣慓悍滑利也黄帝
曰形氣之逆順奈何歧伯曰形氣不足病氣

有餘是邪勝也急寫之形氣有餘病氣不足急補之形氣不足病氣不足此陰陽氣俱不足也不可刺之刺之則重不足重不足則陰陽俱竭血氣皆盡五藏空虛筋骨髓枯老者絶滅壯者不復矣形氣有餘病氣有餘此謂陰陽俱有餘也急寫其邪調其虛實故曰有餘者寫之不足者補之此之謂也故曰刺不知逆順眞邪相搏滿而補之則陰陽四溢腸

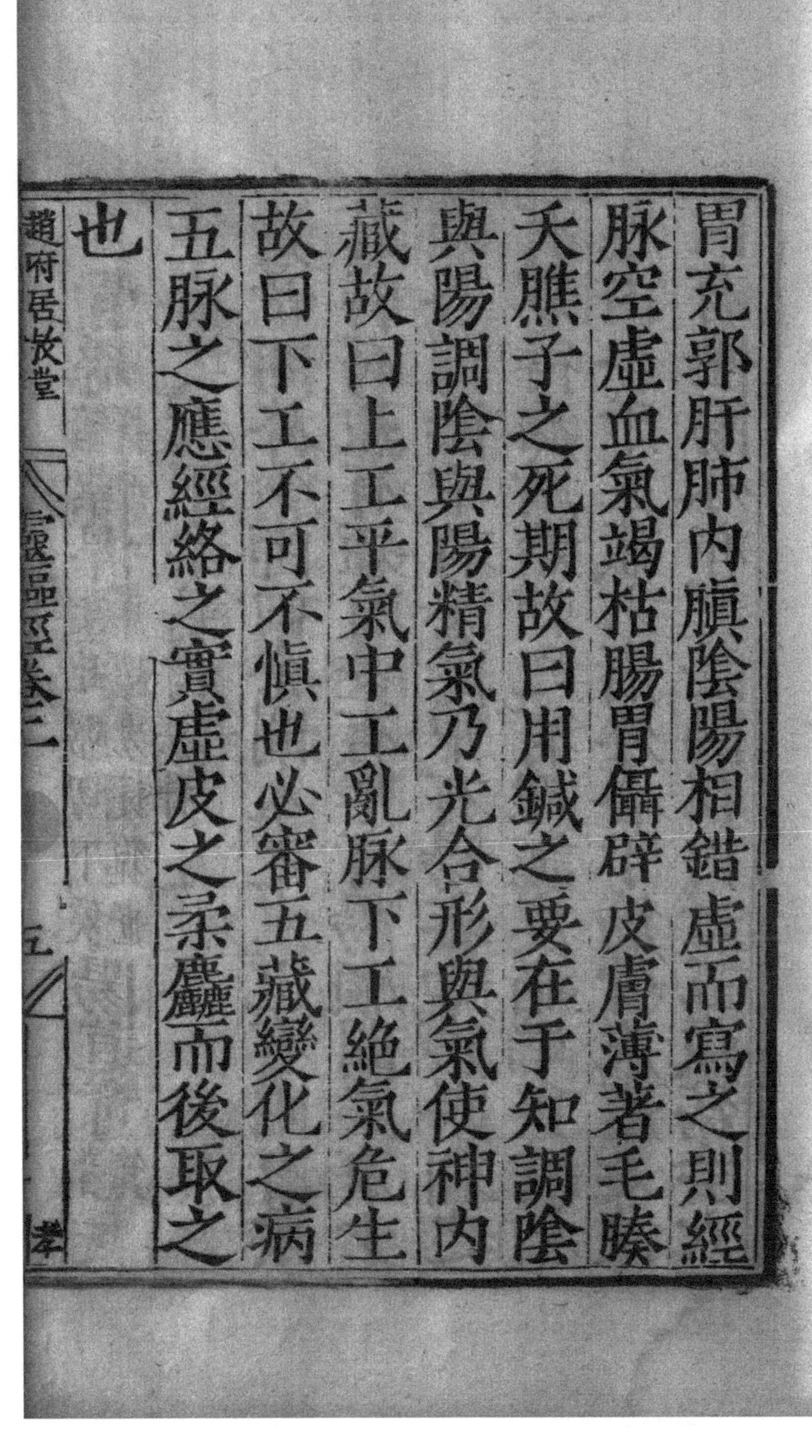

胃充郭肝肺內䐜陰陽相錯虛而寫之則經脉空虛血氣竭枯腸胃㒤辟皮膚薄著毛腠夭膲子之死期故曰用鍼之要在于知調陰與陽調陰與陽精氣乃光合形與氣使神內藏故曰上工平氣中工亂脉下工絶氣危生故曰下工不可不慎也必審五藏變化之病五脉之應經絡之實虛皮之柔麤而後取之也

骨繇音搖慓悍上比昭切下侯岸切勇捷貌也陽道奇音箕

○壽夭剛柔第六法律

黃帝問於少師曰余聞人之生也有剛有柔有弱有強有短有長有陰有陽願聞其方少師荅曰陰中有陰陽中有陽審知陰陽刺之有方得病所始刺之有理謹度病端與時相應内合于五藏六府外合于筋骨皮膚是故内有陰陽外亦有陰陽在内者五藏爲陰六

府爲陽在外者筋骨爲陰皮膚爲陽故曰病
在陰之陰者刺陰之滎輸病在陽之陽者刺
陽之合病在陽之陰者刺陰之經病在陰之
陽者刺絡脉故曰病在陽者命曰風病在陰
者命曰痺病陰陽俱病命曰風痺病有形而不
痛者陽之類也無形而痛者陰之類也無形
而痛者其陽完而陰傷之也急治其陰無攻
其陽有形而不痛者其陰完而陽傷之也急

治其陽無攻其陰陰陽俱動乍有形乍無形加以煩心命曰陰勝其陽此謂不表不裏其形不久黄帝問於伯高曰余聞形氣病之先後外内之應柰何伯高荅曰風寒傷形憂恐忿怒傷氣氣傷藏乃病藏寒傷形乃應形風傷筋脉筋脉乃應此形氣外内之相應也黄帝曰刺之柰何伯高荅曰病九日者三刺而已病一月者十刺而已多少遠近以此衰之

久痺不去身者視其血絡盡出其血黃帝曰外內之病難易之治奈何伯高答曰形先病而未入藏者刺之半其日藏先病而形乃應者刺之倍其日此月內難易之應也黃帝問於伯高曰余聞形有緩急氣有盛衰骨有大小肉有堅脆皮有厚薄其以立壽夭奈何伯高答曰形與氣相任則壽不相任則夭皮與肉相果則壽不相果則夭血氣經絡勝形則

壽不勝形則夭黃帝曰何謂形之緩急伯高荅曰形充而皮膚緩者則壽形充而皮膚急者則夭形充而脉堅大者順也形充而脉小以弱者氣衰衰則危矣若形充而顴不起者骨小骨小則夭矣形充而大肉䐃堅而有分者肉堅肉堅則壽矣形充而大肉無分理不堅者肉脆肉脆則夭矣此天之生命所以立形定氣而視壽夭者必明乎此立形定氣而

後以臨病人決死生黃帝曰余聞壽夭無以度之伯高荅曰牆基卑高不及其地者不滿三十而死其有因加疾者不及二十而死也黃帝曰形氣之相勝以立壽夭奈何伯高荅曰平人而氣勝形者壽病而形肉脫氣勝形者死形勝氣者危矣黃帝曰余聞刺有三變何謂三變伯高荅曰有刺營者有刺衛者有刺寒痺之留經者黃帝曰刺三變者奈何伯

高荅曰刺營者出血刺衛者出氣刺寒痺者
內熱黃帝曰營衛寒痺之爲病奈何伯高荅
曰營之生病也寒熱少氣血上下行衛之生
病也氣痛時來時去怫愾賁響風寒客于腸
胃之中寒痺之爲病也留而不去時痛而皮
不仁黃帝曰刺寒痺內熱奈何伯高荅曰刺
布衣者以火焠之刺大人者以藥熨之黃帝
曰藥熨奈何伯高荅曰用淳酒二十升蜀椒

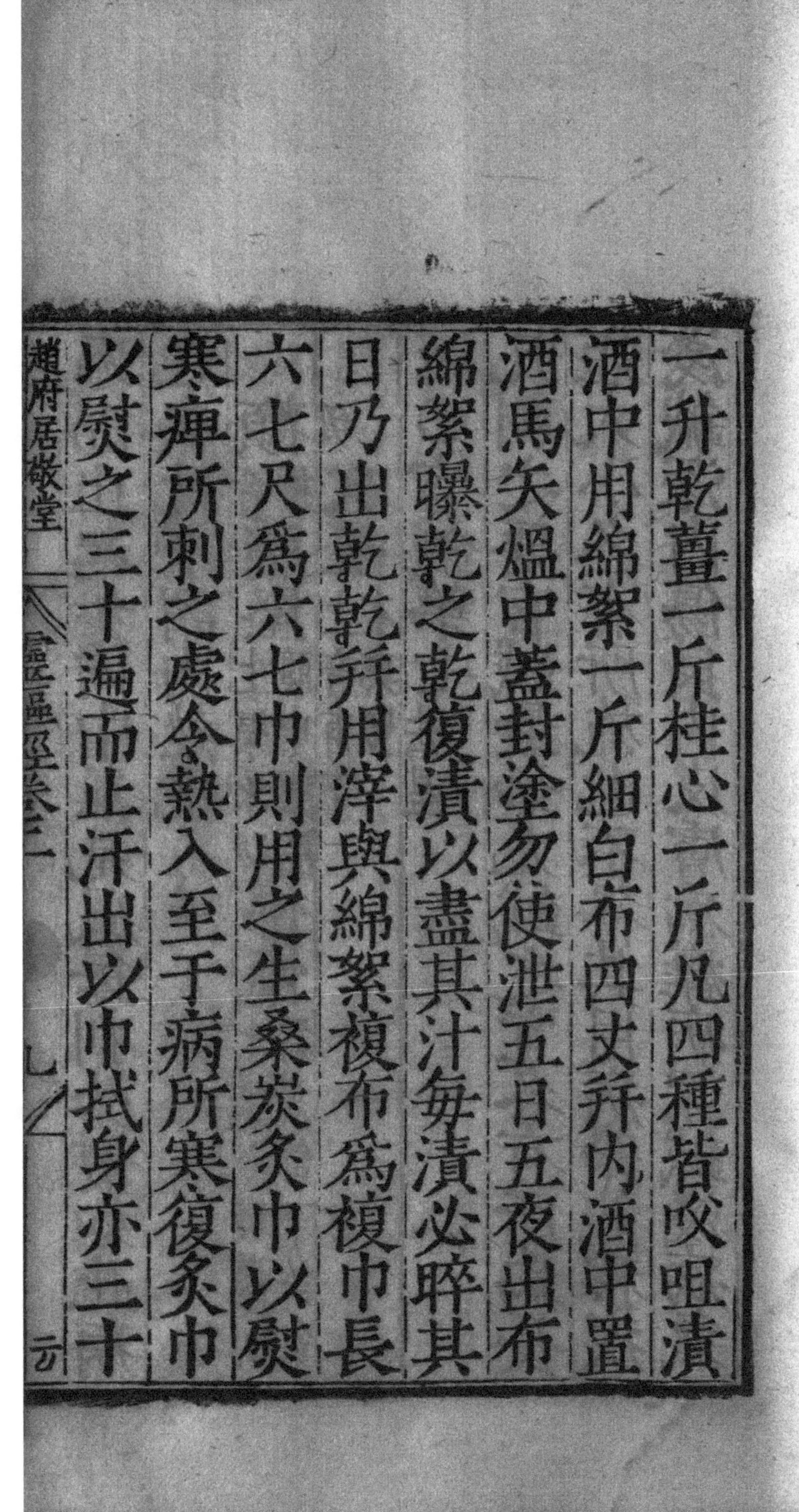

一升乾薑一斤桂心一斤凡四種皆㕮咀漬酒中用綿絮一斤細白布四丈并内酒中置酒馬矢熅中蓋封塗勿使泄五日五夜出布綿絮曝乾之乾復漬以盡其汁每漬必晬其日乃出乾乾并用滓與綿絮複布為複巾長六七尺為六七巾則用之生桑炭炙巾以熨寒痺所刺之處令熱入至于病所寒復炙巾以熨之三十遍而止汗出以巾拭身亦三十

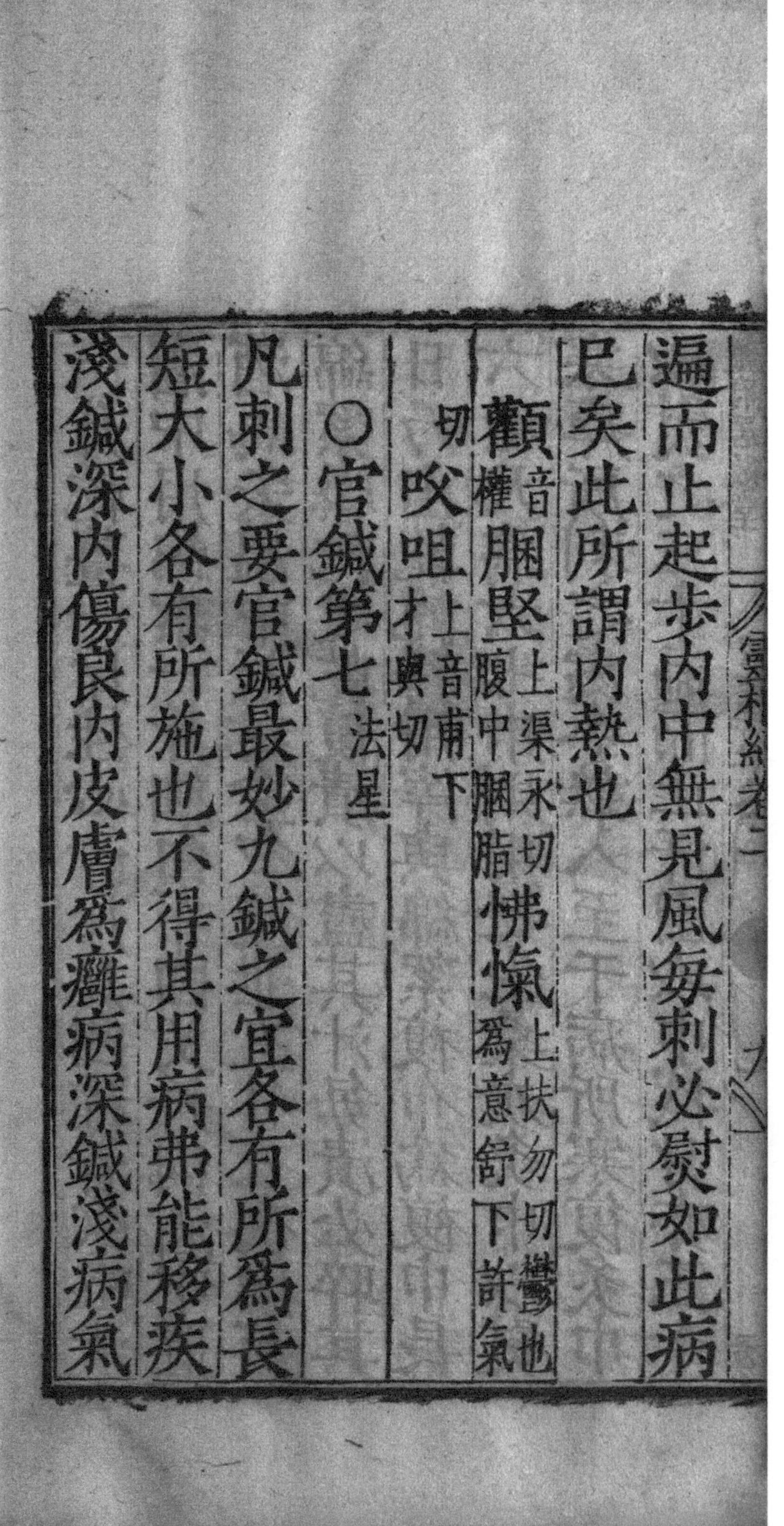

遍而止起步內中無見風每刺必熨如此病已矣此所謂內熱也

顴音權䐃堅上渠永切腹中䐃脂佛愾上扶勿切鬱也為意舒下許氣切㕮咀上音甫下才與切

○官鍼第七　法星

凡刺之要官鍼最妙九鍼之宜各有所為長短大小各有所施也不得其用病弗能移疾淺鍼深內傷良肉皮膚為癰病深鍼淺病氣

不寫支爲大膿病小鍼大氣寫太甚疾必爲
害病大鍼小氣不泄寫亦復爲敗失鍼之宜
大者寫小者不移巳言其過請言其所施病
在皮膚無常處者取以鑱鍼于病所膚白勿
取病在分肉間取以員鍼于病所病在經絡
痼痺者取以鋒鍼病在脉氣少當補之者取
以鍉鍼于井滎分輸病爲大膿者取以鈹鍼
病痺氣暴發者取以員利鍼病痺氣痛而不

去者取以毫鍼病在中者取以長鍼病水腫
不能通關節者取以大鍼病在五藏固居者
取以鋒鍼寫于井滎分輸取以四時凡刺有
九日應九變一曰輸刺輸刺者刺諸經滎輸
藏腧也二曰遠道刺遠道刺者病在上取之
下刺府腧也三曰經刺經刺者刺大經之結
絡經分也四曰絡刺絡刺者刺小絡之血脉
也五曰分刺分刺者刺分肉之間也六曰大

寫刺大寫刺者刺大膿以鈹鍼也七曰毛刺
毛刺者刺浮痺皮膚也八曰巨刺巨刺者左
取右右取左九曰焠刺焠刺者刺燔鍼則取
痺也凡刺有十二節以應十二經一曰偶刺
偶刺者以手直心若背直痛所一刺前一刺
後以治心痺刺此者傍鍼之也二曰報刺報
刺者刺痛無常處也上下行者直內無拔鍼
以左手隨病所按之乃出鍼復刺之也三曰

恢刺恢刺直刺傍之舉之前後恢筋急以治筋痹也四曰齊刺齊刺者直入一傍入二以治寒氣小深者或曰三刺三刺者治痹氣小深者也五曰揚刺揚刺者正内一傍内四而浮之以治寒氣之博大者也六曰直鍼刺直鍼刺者引皮乃刺之以治寒氣之淺者也七曰輸刺輸刺者直入直出稀發鍼而深之以治氣盛而熱者也八曰短刺短刺者刺骨痹

稍搖而深之致鍼骨所以上下摩骨也九曰
浮刺浮刺者傍入而浮之以治肌急而寒者
也十曰陰刺陰刺者左右率刺之以治寒厥
中寒厥足踝後少陰也十一曰傍鍼刺傍鍼
刺者直刺傍刺各一以治留痹久居者也十
二曰贊刺贊刺者直入直出數發鍼而淺之
出血是謂治癰腫也脉之所居深不見者刺
之微内鍼而久留之以致其空脉氣也脉淺

者勿刺按絶其脉乃刺之無令精出獨出其邪氣耳所謂三刺則穀氣出者先淺刺絶皮以出陽邪再刺則陰邪出者少益深絶皮致肌肉未入分肉間也巳入分肉之間則穀氣出故刺法曰始刺淺之以逐邪氣而來血氣後刺深之以致陰氣之邪最後刺極深之以下穀氣此之謂也故用鍼者不知年之所加氣之盛衰虛實之所起不可以爲工也凡刺

有五以應五藏一曰半刺半刺者淺内而疾發鍼無鍼傷肉如拔毛狀以取皮氣此肺之應也二曰豹文刺豹文刺者左右前後鍼之中脉爲故以取經絡之血者此心之應也三曰關刺關刺者直刺左右盡筋上以取筋痺愼無出血此肝之應也或曰淵刺一曰豈刺四曰合谷刺合谷刺者左右雞足鍼于分肉之間以取肌痺此脾之應也五曰輸刺輸刺

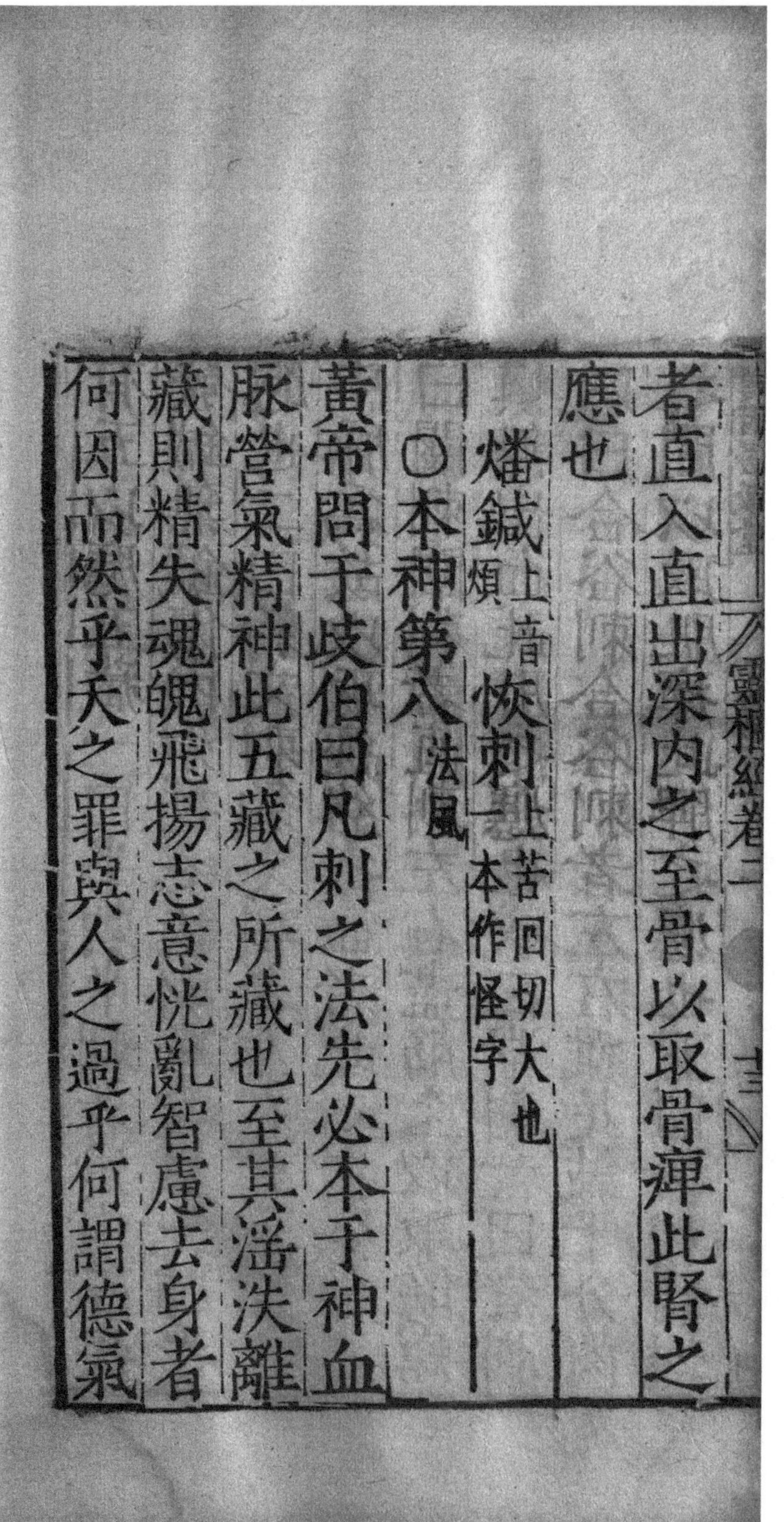

者直入直出深内之至骨以取骨痺此腎之
應也
燔鍼上音煩　恢刺上苦回切大也一本作怪字
〇本神第八法風
黃帝問于岐伯曰凡刺之法先必本于神血
脉營氣精神此五藏之所藏也至其淫泆離
藏則精失魂魄飛揚志意恍亂智慮去身者
何因而然乎天之罪與人之過乎何謂德氣

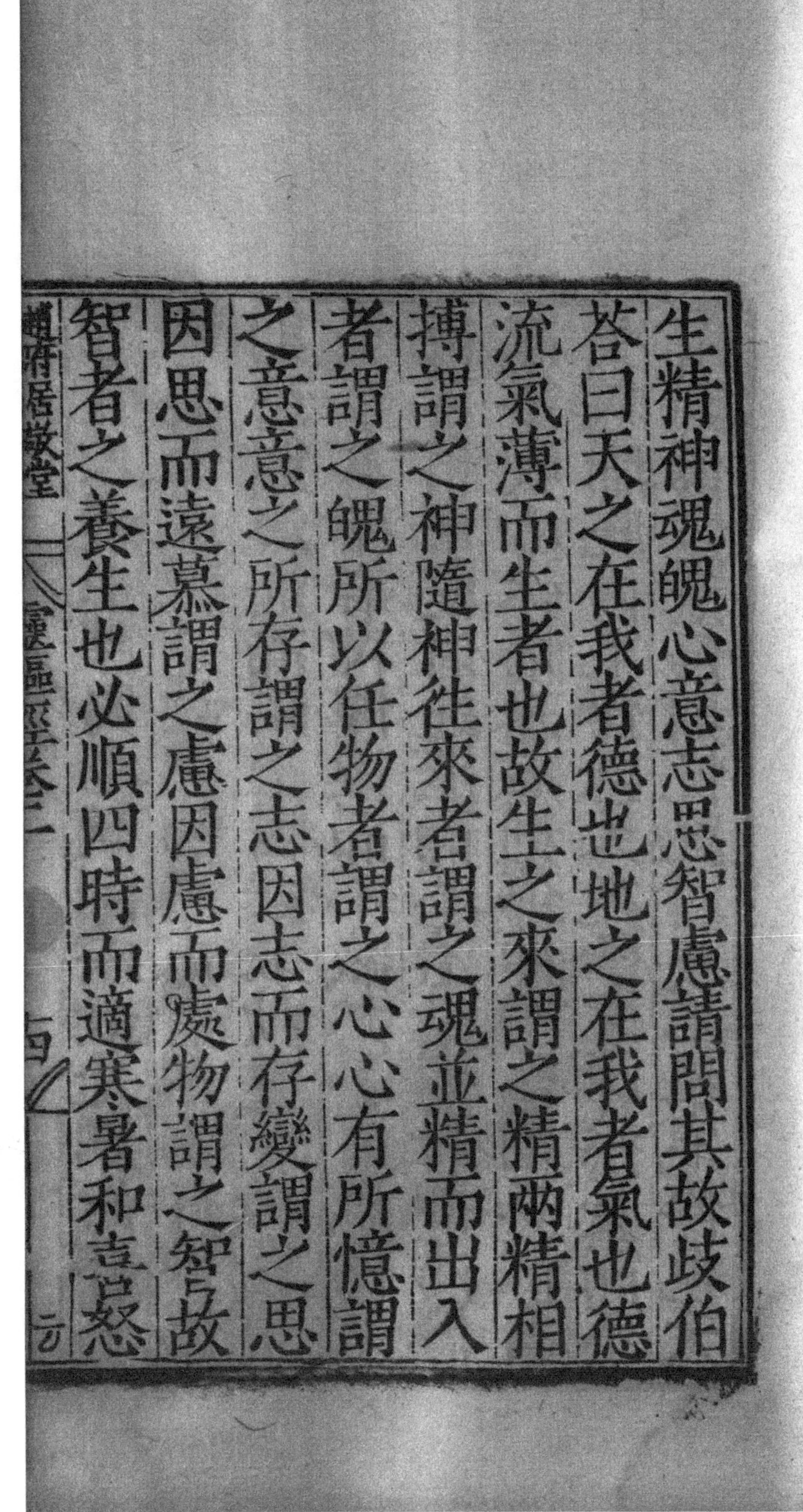

生精神魂魄心意志思智慮請問其故岐伯荅曰天之在我者德也地之在我者氣也德流氣薄而生者也故生之來謂之精兩精相搏謂之神隨神往來者謂之魂並精而出入者謂之魄所以任物者謂之心心有所憶謂之意意之所存謂之志因志而存變謂之思因思而遠慕謂之慮因慮而處物謂之智故智者之養生也必順四時而適寒暑和喜怒

而安居處節陰陽而調剛柔如是則僻邪不至長生久視是故怵惕思慮者則傷神神傷則恐懼流淫而不止因悲哀動中者竭絶而失生喜樂者神憚散而不藏愁憂者氣閉塞而不行盛怒者迷惑而不治恐懼者神蕩憚而不收心怵惕思慮則傷神神傷則恐懼自失破䐃脱肉毛悴色夭死于冬脾愁憂而不解則傷意意傷則悗亂四肢不舉毛悴色夭

死於春肝悲哀動中則傷魂魂傷則狂忘不
精不精則不正當人陰縮而攣筋兩脇骨不
舉毛悴色夭死於秋肺喜樂無極則傷魄魄
傷則狂狂者意不存人皮革焦毛悴色夭死
於夏腎盛怒而不止則傷志志傷則喜忘其
前言腰脊不可以俛仰屈伸毛悴色夭死於
季夏恐懼而不解則傷精精傷則骨痠痿厥
精時自下是故五藏主藏精者也不可傷傷

則失守而陰虛陰虛則無氣無氣則死矣是故用鍼者察觀病人之態以知精神魂魄之存亾得失之意五者以傷鍼不可以治之也肝藏血血舍魂肝氣虛則恐實則怒脾藏營營舍意脾氣虛則四肢不用五藏不安實則腹脹經溲不利心藏脉脉舍神心氣虛則悲實則笑不休肺藏氣氣舍魄肺氣虛則鼻塞不利少氣實則喘喝胷盈仰息腎藏精精舍

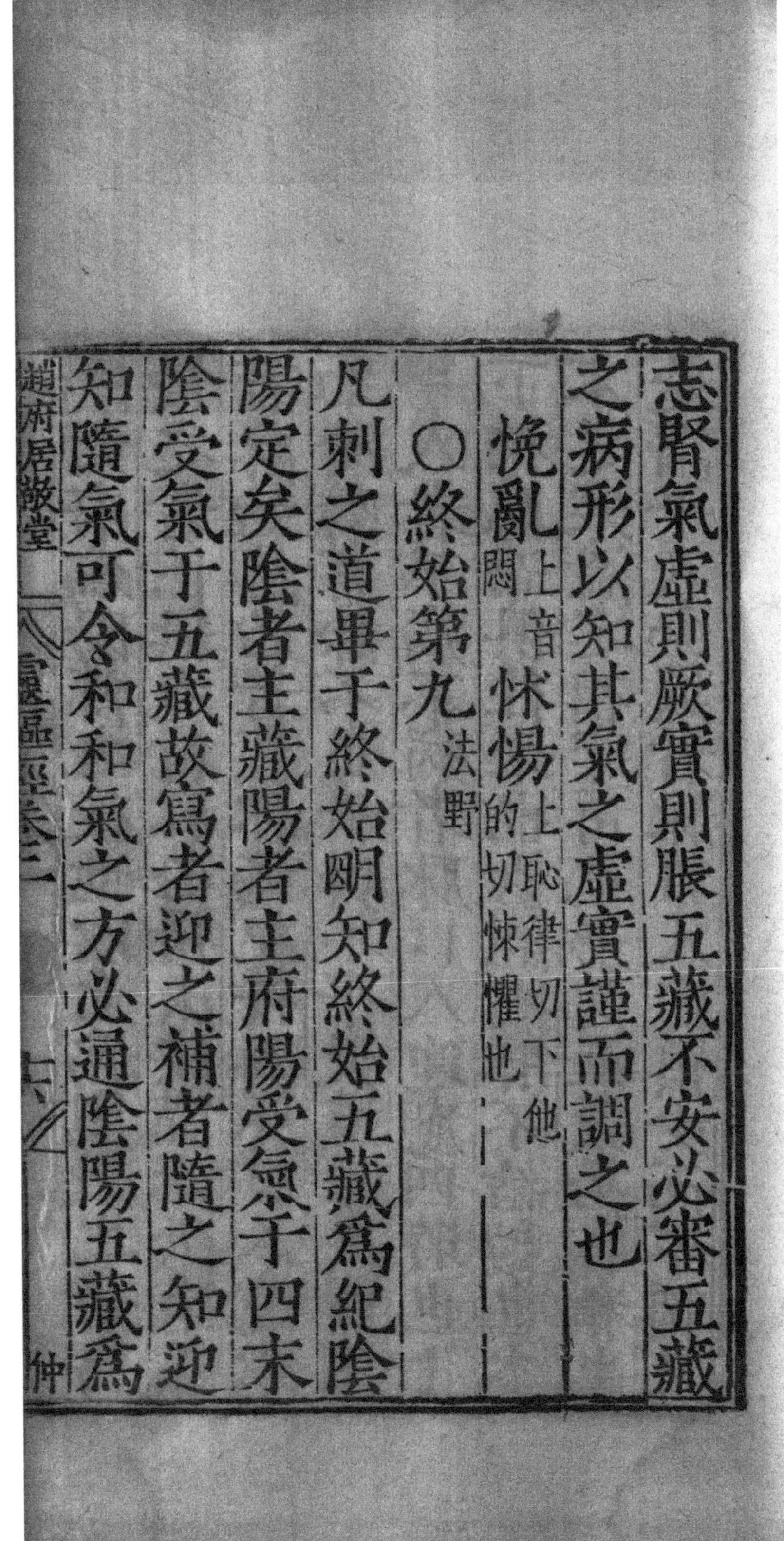

志腎氣虛則厥實則脹五藏不安必審五藏之病形以知其氣之虛實謹而調之也

悗亂上音悶 怵惕上恥律切下他的切悚懼也

○終始第九法野

凡刺之道畢于終始明知終始五藏爲紀陰陽定矣陰者主藏陽者主府陽受氣于四末陰受氣于五藏故寫者迎之補者隨之知迎知隨氣可令和和氣之方必通陰陽五藏爲

陰六府爲陽傳之後世以血爲盟敬之者昌慢之者亡無道行私必得天殃謹奉天道請言終始終始者經脉爲紀持其脉口人迎以知陰陽有餘不足平與不平天道畢矣所謂平人者不病不病者脉口人迎應四時也上下相應而俱往來也六經之脉不結動也本末之寒溫之相守司也形肉血氣必相稱也是謂平人少氣者脉口人迎俱少而不稱尺

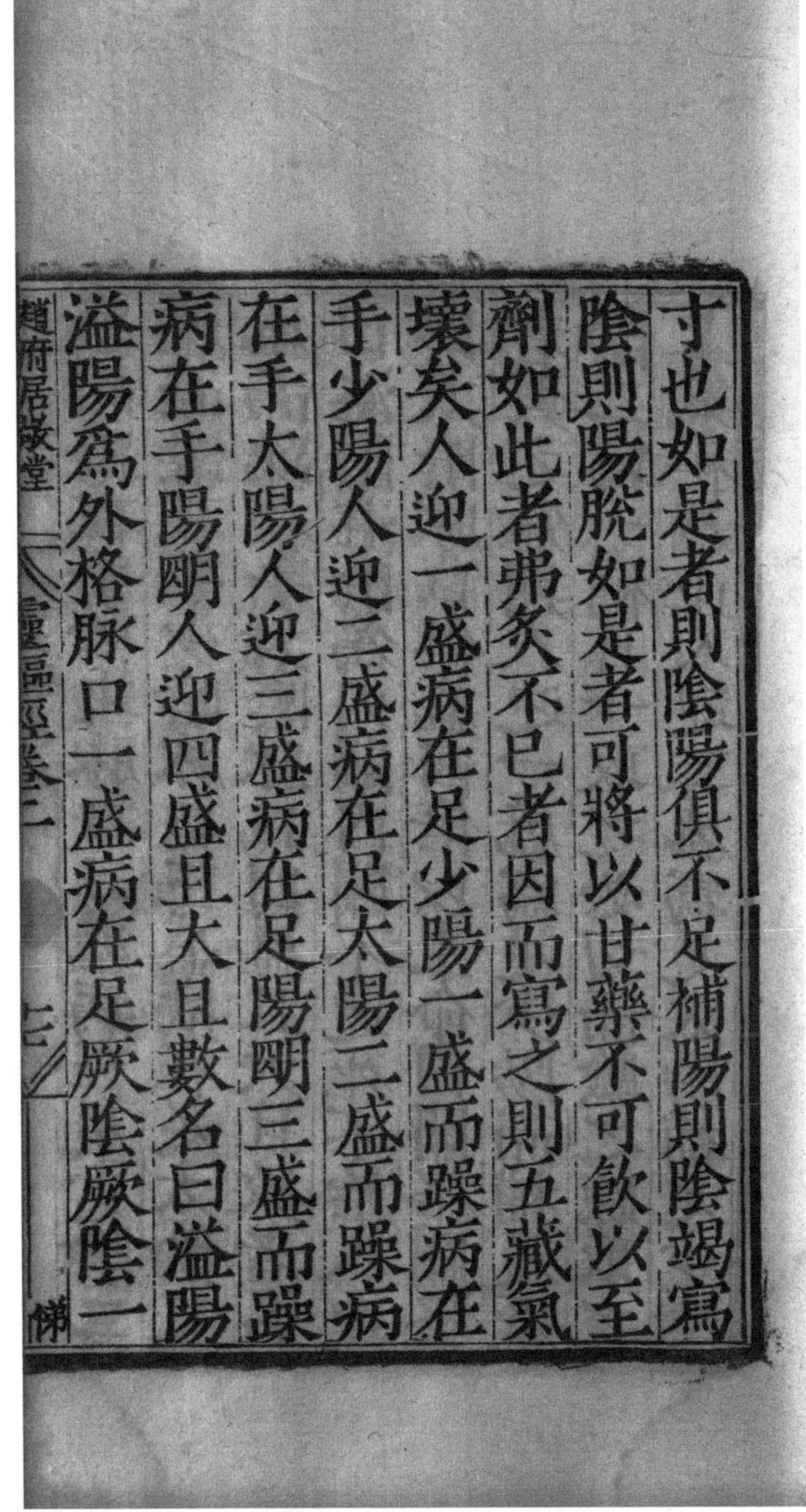

寸也如是者則陰陽俱不足補陽則陰竭寫陰則陽脫如是者可將以甘藥不可飲以至劑如此者弗灸不已者因而寫之則五藏氣壞矣人迎一盛病在足少陽一盛而躁病在手少陽人迎二盛病在足太陽二盛而躁病在手太陽人迎三盛病在足陽明三盛而躁病在手陽明人迎四盛且大且數名曰溢陽溢陽爲外格脉口一盛病在足厥陰厥陰一

盛而躁在手心主脉口二盛病在足少陰二
盛而躁在手少陰脉口三盛病在足太陰三
盛而躁在手太陰脉口四盛且大且數者名
曰溢陰溢陰爲内關内關不通死不治人迎
與太陰脉口俱盛四倍以上命曰關格關格
者與之短期人迎一盛寫足少陽而補足厥
陰二寫一補日一取之必切而驗之踈取之
上氣和乃止人迎二盛寫足太陽補足少陰

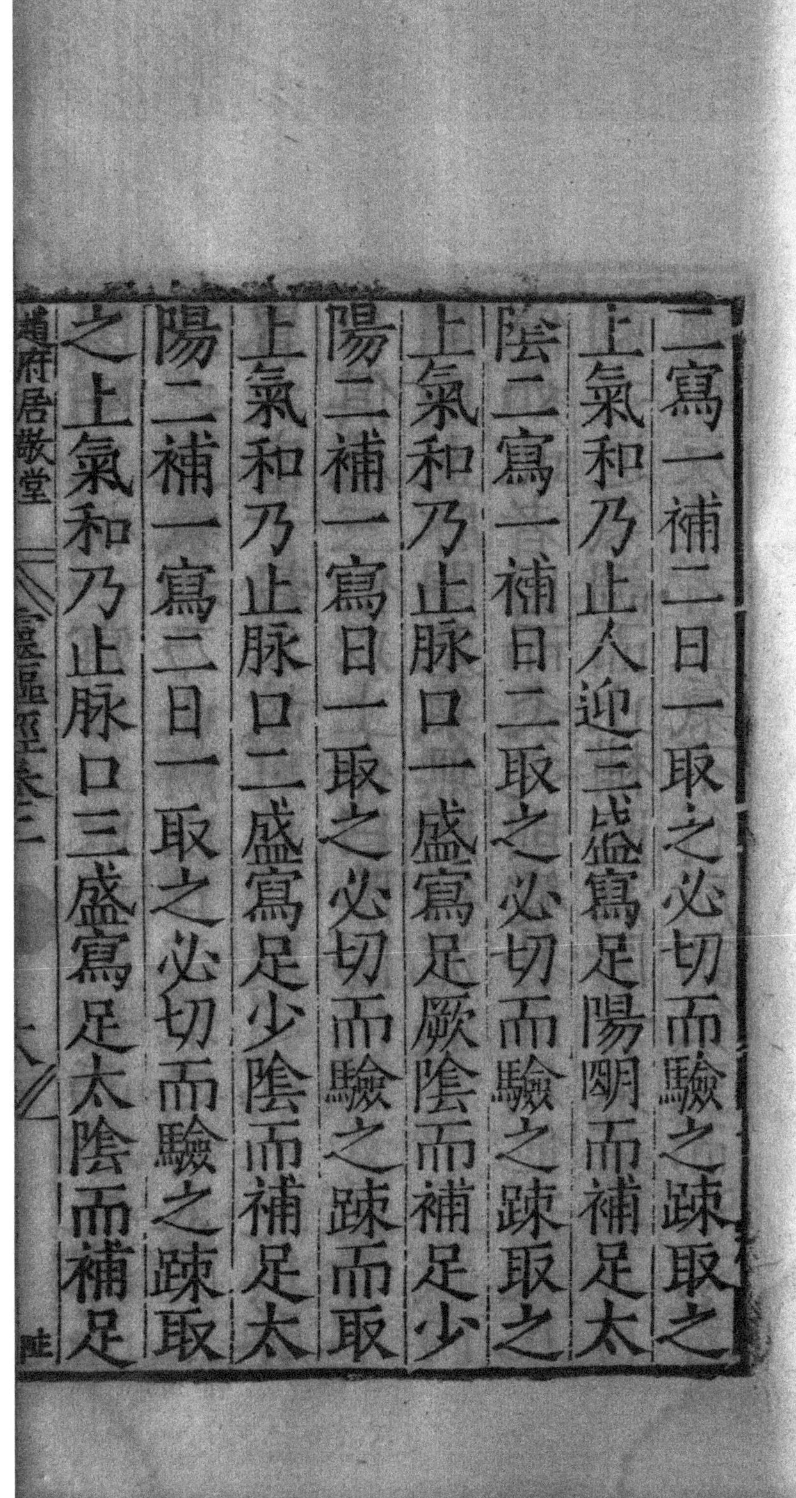

二寫一補二日一取之必切而驗之踈取之
上氣和乃止人迎三盛寫足陽明而補足太
陰二寫一補日二取之必切而驗之踈取之
上氣和乃止脉口一盛寫足厥陰而補足少
陽二補一寫日一取之必切而驗之踈而取
上氣和乃止脉口二盛寫足少陰而補足太
陽二補一寫二日一取之必切而驗之踈取
之上氣和乃止脉口三盛寫足太陰而補足

陽明二補一寫日二取之必切而驗之踈而
取之上氣和乃止所以日二取之者太陽主
胃大富于穀氣故可日二取之也人迎與脉
口俱盛三倍以上命曰陰陽俱溢如是者不
開則血脉閉塞氣無所行流淫于中五藏内
傷如此者因而灸之則變易而爲他病矣凡
刺之道氣調而止補陰寫陽音氣益彰耳目
聰明反此者血氣不行所謂氣至而有効者

瀉則益虛虛者脉大如其故而不堅也堅如其故者適雖言故病未去也補則益實實者脉大如其故而益堅也夫如其故而不堅者適雖言快病未去也故補則實寫則虛痛雖不隨鍼病必衰去必先通十二經脉之所生病而後可得傳于終始矣故陰陽不相移虛實不相傾取之其經凡刺之屬三刺至穀氣邪僻妄合陰陽易居逆順相反沉浮異處四

時不得稽留淫泆須鍼而去故一刺則陽邪
出再刺則陰邪出三刺則穀氣至穀氣至而
止所謂穀氣至者已補而實已寫而虛故以
知穀氣至也邪氣獨去者陰與陽未能調而
病知愈也故曰補則實寫則虛痛雖不隨鍼
病必衰去矣陰盛而陽虛先補其陽後寫其
陰而和之陰虛而陽盛先補其陰後寫其陽
而和之三脉動于足大指之間必審其實虛

虚而寫之是謂重虛重虛病益甚凡刺此者
以指按之脉動而實且疾者疾寫之虛而徐
者則補之反此者病益甚其動也陽明在上
厥陰在中少陰在下膺腧中膺背腧中背肩
髆虛者取之上重舌刺舌柱以鈹鍼也手屈
而不伸者其病在筋伸而不屈者其病在骨
在骨守骨在筋守筋補須一方實深取之稀
按其痏以極出其邪氣一方虛淺刺之以養

其脉疾按其痏無使邪氣得入邪氣來也緊而疾邪氣來也徐而和脉實者深刺之以泄其氣脉虚者淺刺之使精氣無得出以養其脉獨出其邪氣刺諸痛者其脉皆實故曰從腰以上者手太陰陽明皆主之從腰以下者足太陰陽明皆主之病在上者下取之病在下者高取之病在頭者取之足病在足者取之膕病生於頭者頭重生於手者臂重生於

足者足重治病者先刺其病所從生者也春
氣在毛夏氣在皮膚秋氣在分肉冬氣在筋
骨刺此病者各以其時爲齊故刺肥人者秋
冬之齊刺瘦人者以春夏之齊病痛者陰也
痛而以手按之不得者陰也深刺之病在上
者陽也病在下者陰也癢者陽也淺刺之病
先起陰者先治其陰而後治其陽病先起陽
者先治其陽而後治其陰刺熱厥者留鍼反

爲寒刺寒厥者留鍼反爲熱刺熱厥者二陰
一陽刺寒厥者二陽一陰所謂二陰者二刺
陰也一陽者一刺陽也久病者邪氣入深刺
此病者深内而久留之間日而復刺之必先
調其左右去其血脉刺道畢矣凡刺之法必
察其形氣形肉未脱少氣而脉又躁躁厥者
必爲繆刺之散氣可收聚氣可布深居靜處
占神往來閉戶塞牖魂魄不散專意一神精

氣之分毋聞人聲以收其精必一其神令志在鍼淺而留之微而浮之以移其神氣至乃休男內女外堅拒勿出謹守勿內是謂得氣

凡刺之禁

新內勿刺　新刺勿內　已醉勿刺
已刺勿醉　新怒勿刺　已刺勿怒
新勞勿刺　已刺勿勞　已飽勿刺
已刺勿飽　已饑勿刺　已刺勿饑

已渴勿刺　已刺勿渴　大驚大恐必定其氣乃刺之乘車來者臥而休之如食頃乃刺之出行來者坐而休之如行十里頃乃刺之凡此十二禁者其脉亂氣散逆其營衛經氣不次因而刺之則陽病入於陰陰病出爲陽則邪氣復生麤工勿察是謂伐身形體淫泆乃消腦髓津液不化脫其五味是謂失氣也太陽之脉其終也戴眼反折瘛瘲其色白

絶皮乃絶汗絶汗則終矣少陽終者耳聾百節盡縱目系絶目系絶一日半則死矣其死也色青白乃死陽明終者口目動作喜驚妄言色黄其上下之經盛而不行則終矣少陰終者面黑齒長而垢腹脹閉塞上下不通而終矣厥陰終者中熱嗌乾喜溺心煩甚則舌卷卵上縮而終矣太陰終者腹脹閉不得息氣噫善嘔嘔則逆逆則面赤不逆則上下不

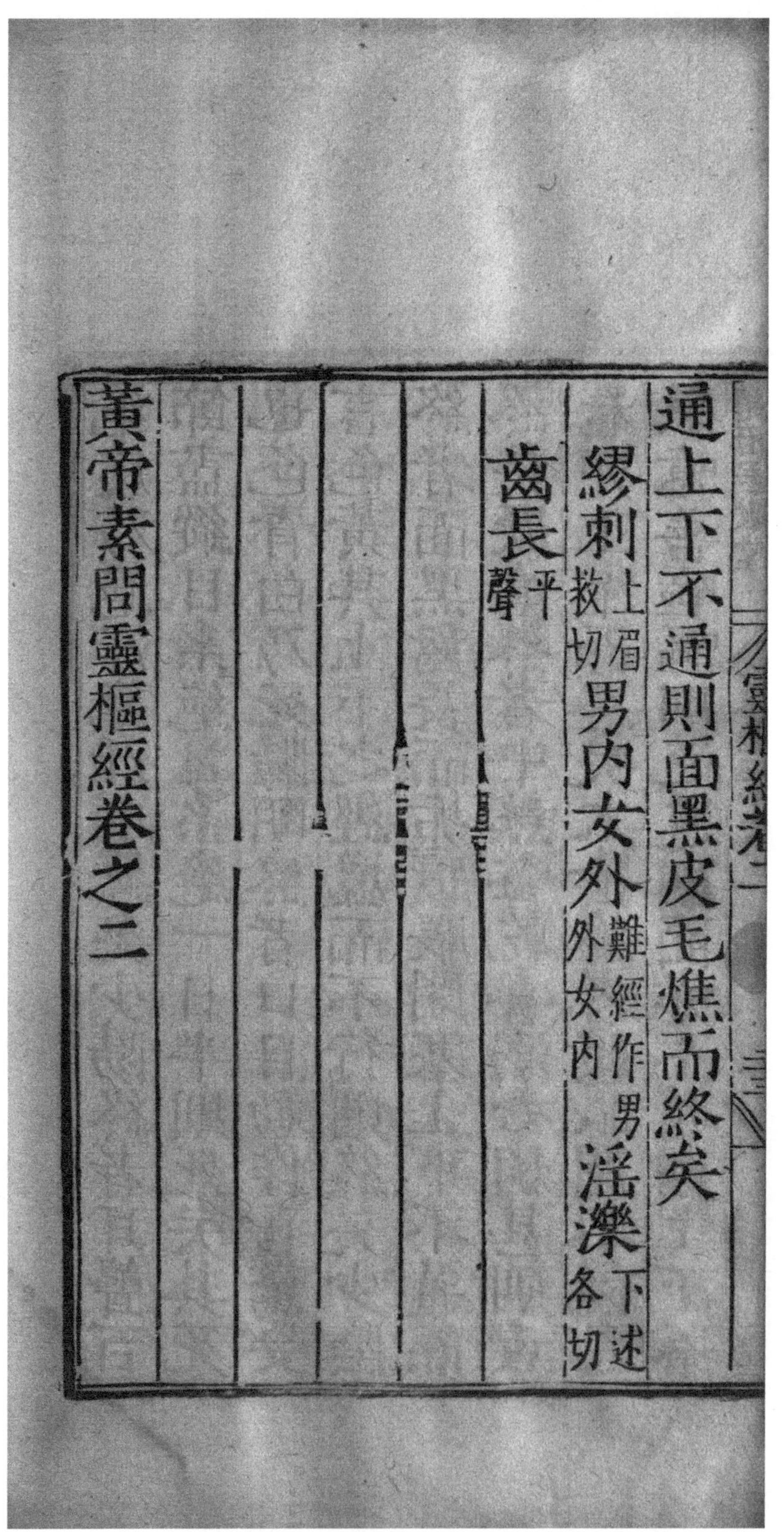
通上下不通則面黑皮毛燋而終矣

繆刺上眉救切男内女外難經作男外女内滛濼下述各切

齒長平聲

黄帝素問靈樞經卷之二

黄帝素問靈樞經卷之三

○經脉第十

雷公問於黄帝曰禁脉之言凡刺之理經脉爲始營其所行制其度量内次五藏外别六府願盡聞其道黄帝曰人始生先成精精成而腦髓生骨爲幹脉爲營筋爲剛肉爲牆皮膚堅而毛髮長穀入于胃脉道以通血氣乃行雷公曰願卒聞經脉之始生黄帝曰經脉

者所以能决死生處百病調虚實不可不通
○肺手太陰之脉起于中焦下絡大腸還循
胃口上膈屬肺從肺系橫出腋下下循臑内
行少陰心主之前下肘中循臂内上骨下廉
入寸口上魚循魚際出大指之端其支者從
腕後直出次指内廉出其端是動則病肺脹
滿膨膨而喘欬缺盆中痛甚則交兩手而瞀
此爲臂厥是主肺所生病者欬上氣喘渴煩

心胷滿臑臂內前廉痛厥掌中熱氣盛有餘則肩背痛風寒汗出中風小便數而欠氣虛則肩背痛寒少氣不足以息溺色變爲此諸病盛則寫之虛則補之熱則疾之寒則留之陷下則灸之不盛不虛以經取之盛者寸口大三倍于人迎虛者則寸口反小于人迎也

○大腸手陽明之脉起于大指次指之端循指上廉出合谷兩骨之間上入兩筋之中循

臂上廉入肘外廉上臑外前廉上肩出髃骨之前廉上出于柱骨之會上下入缺盆絡肺下膈屬大腸其支者從缺盆上頸貫頰入下齒中還出挾口交人中左之右右之左上挾鼻孔是動則病齒痛頸腫是主津液所生病者目黃口乾鼽衄喉痺肩前臑痛大指次指痛不用氣有餘則當脉所過者熱腫虛則寒慄不復爲此諸病盛則寫之虛則補之熱則

疾之寒則留之陷下則灸之不盛不虚以經取之盛者人迎大三倍于寸口虚者人迎反小於寸口也○胃足陽明之脉起於鼻之交頞中旁納一本作約字太陽之脉下循鼻外入上齒中還出挾口環脣下交承漿却循頤後下廉出大迎循頰車上耳前過客主人循髮際至額顱其支者從大迎前下人迎循喉嚨入缺盆下膈屬胃絡脾其直者從缺盆下乳内

廉下挾臍入氣街中其支者起于胃口下循腹裏下至氣街中而合以下髀關抵伏兎下膝臏中下循脛外廉下足跗入中指内間其支者下廉三寸而别下入中指外間其支者别跗上入大指間出其端是動則病洒洒振寒善呻數欠顔黑病至則惡人與火聞木聲則惕然而驚心欲動獨閉戶塞牖而處甚則欲上高而歌棄衣而走賁響腹脹是爲骭厥

是主血所生病者狂瘧溫淫汗出鼽衄口喎脣胗頸腫喉痺大腹水腫膝臏腫痛循膺乳氣街股伏兎骭外廉足跗上皆痛中指不用氣盛則身以前皆熱其有餘于胃則消穀善饑溺色黃氣不足則身以前皆寒慄胃中寒則脹滿爲此諸病盛則寫之虛則補之熱則疾之寒則留之陷下則灸之不盛不虛以經取之盛者人迎大三倍于寸口虛者人迎反

小于寸口也○脾足太陰之脉起于大指之端循指内側白肉際過核骨後上内踝前廉上踹内循脛骨後交出厥陰之前上膝股内前廉入腹屬脾絡胃上膈挾咽連舌本散舌下其支者復從胃别上膈注心中是動則病舌本強食則嘔胃脘痛腹脹善噫得後與氣則快然如衰身體皆重是主脾所生病者舌本痛體不能動揺食不下煩心心下急痛溏

瘕泄水閉黄疸不能卧强立股膝内腫厥足大指不用爲此諸病盛則寫之虛則補之熱則疾之寒則留之陷下則灸之不盛不虛以經取之盛者寸口大三倍于人迎虛者寸口反小于人迎○心手少陰之脉起于心中出屬心系下膈絡小腸其支者從心系上挾咽繫目系其直者復從心系却上肺下出腋下下循臑内後廉行太陰心主之後下肘内循

臂内後廉抵掌後脫骨之端入掌内後廉循小指之内出其端是動則病嗌乾心痛渴而欲飲是爲臂厥是主心所生病者目黃脇痛臑臂内後廉痛厥掌中熱痛爲此諸病盛則寫之虛則補之熱則疾之寒則留之陷下則灸之不盛不虛以經取之盛者寸口大再倍於人迎虛者寸口反小于人迎也〇小腸手太陽之脉起于小指之端循手外側上腕出

踝中直上循臂骨下廉出肘內側兩筋之間上循臑外後廉出肩解繞肩胛交肩上入缺盆絡心循咽下膈抵胃屬小腸其支者從缺盆循頸上頰至目銳眥却入耳中其支者别頰上䪼抵鼻至目內眥斜絡于顴是動則病嗌痛頷腫不可以顧肩似拔臑似折是主液所生病者耳聾目黃頰腫頸頷肩臑肘臂外後廉痛爲此諸病盛則寫之虛則補之熱則

疾之寒則留之陷下則灸之不盛不虛以經
取之盛者人迎大再倍于寸口虛者人迎反
小于寸口也〇膀胱足太陽之脉起于目内
眥上額交巔其支者從巔至耳上循其直者
從巔入絡腦還出别下項循肩髆内挾脊抵
腰中入循膂絡腎屬膀胱其支者從腰中下
挾脊貫臀入膕中其支者從髆内左右别下
貫胛挾脊内過髀樞循髀外從後廉下合膕

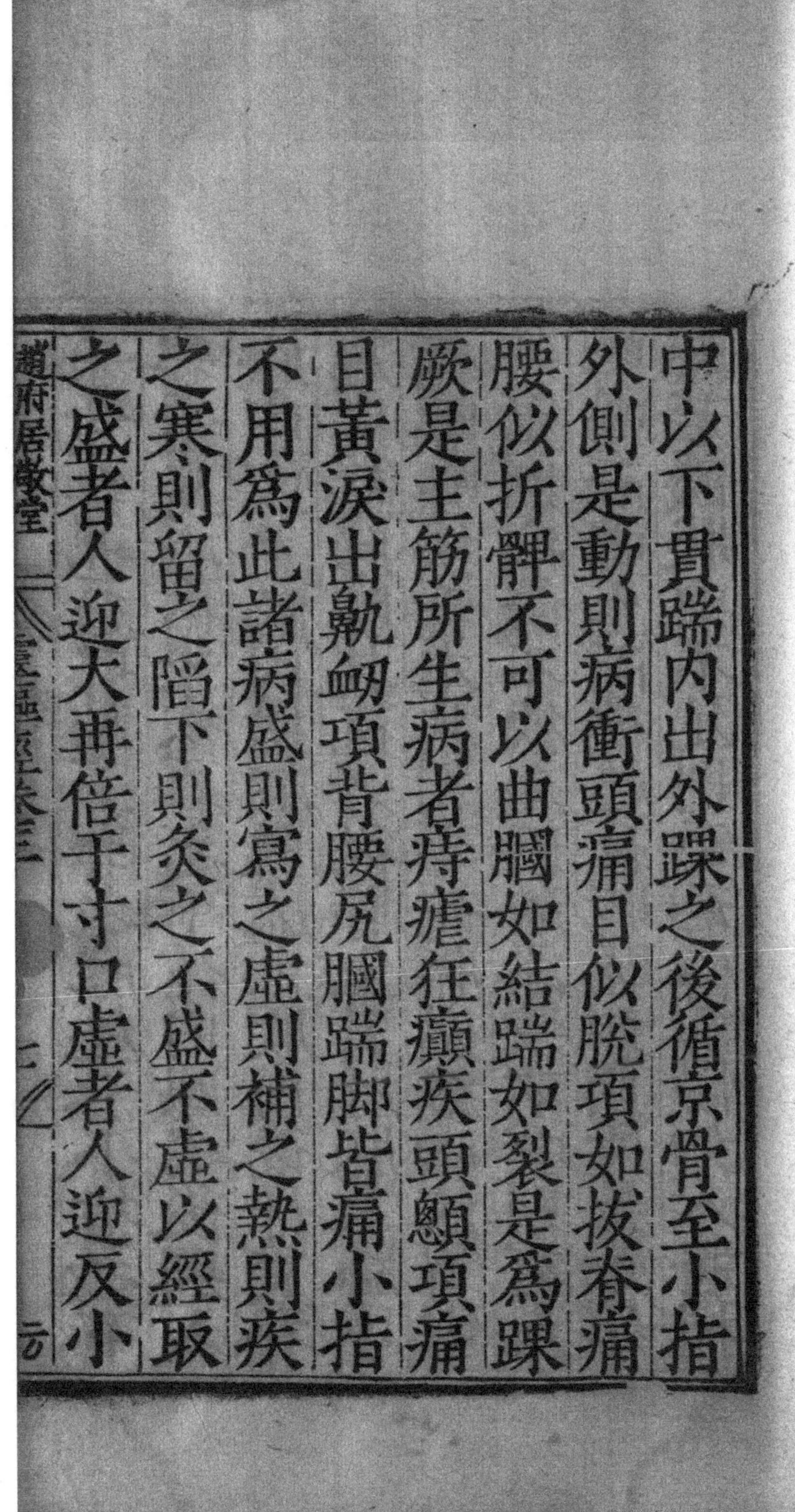

中以下貫踹內出外踝之後循京骨至小指外側是動則病衝頭痛目似脫項如拔脊痛腰似折髀不可以曲膕如結踹如裂是爲踝厥是主筋所生病者痔瘧狂癲疾頭顖項痛目黃淚出鼽衄項背腰尻膕踹脚皆痛小指不用爲此諸病盛則寫之虛則補之熱則疾之寒則留之陷下則灸之不盛不虛以經取之盛者人迎大再倍于寸口虛者人迎反小

于寸口也○腎足少陰之脉起于小指之下
邪走足心出于然谷之下循内踝之後别入
跟中以上踹内出膕内廉上股内後廉貫脊
屬腎絡膀胱其直者從腎上貫肝膈入肺中
循喉嚨挾舌本其支者從肺出絡心注胷中
是動則病饑不欲食面如漆柴欬唾則有血
喝喝而喘坐而欲起目䀮䀮如無所見心如
懸若饑狀氣不足則善恐心惕惕如人將捕

之是爲骨厥是主腎所生病者口熱舌乾咽
腫上氣嗌乾及痛煩心心痛黄疸腸澼脊股
内後廉痛痿厥嗜卧足下熱而痛爲此諸病
盛則寫之虚則補之熱則疾之寒則留之陷
下則灸之不盛不虚以經取之灸則强食生
肉緩帶披髮大杖重履而步盛者寸口大再
倍于人迎虚者寸口反小于人迎也○心主
手厥陰心包絡之脉起于胷中出屬心包絡

下膈歷絡三焦其支者循胷出脇下腋三寸上抵腋下循臑内行太陰少陰之間入肘中下臂行兩筋之間入掌中循中指出其端其支者別掌中循小指次指出其端是動則病手心熱臂肘攣急腋腫甚則胷脇支滿心中憺憺火動面赤目黄喜笑不休是主脉所生病者煩心心痛掌中熱爲此諸病盛則寫之虛則補之熱則疾之寒則留之陷下則灸之

不盛不虚以經取之盛者寸口大一倍于人迎虚者寸口反小于人迎也○三焦手少陽之脉起于小指次指之端上出兩指之間循手表腕出臂外兩骨之間上貫肘循臑外上肩而交出足少陽之後入缺盆布膻中散落心包下膈循屬三焦其支者從膻中上出缺盆上項繫耳後直上出耳上角以屈下頰至𩑶其支者從耳後入耳中出走耳前過客主

人前交頰至目銳眥是動則病耳聾渾渾焞焞嗌腫喉痺是主氣所生病者汗出目銳眥痛頰痛耳後肩臑肘臂外皆痛小指次指不用爲此諸病盛則寫之虛則補之熱則疾之寒則留之陷下則灸之不盛不虛以經取之盛者人迎大一倍于寸口虛者人迎反小于寸口也○膽足少陽之脉起于目銳眥上抵頭角下耳後循頸行手少陽之前至肩上却

交出手少陽之後入缺盆其支者從耳後入耳中出走耳前至目鋭眥後其支者别鋭眥下大迎合于手少陽抵于䪼下加頰車下頸合缺盆以下胷中貫膈絡肝屬膽循脇裏出氣街繞毛際横入髀厭中其直者從缺盆下腋循胷過季脇下合髀厭中以下循髀陽出膝外廉下外輔骨之前直下抵絶骨之端下出外踝之前循足跗上入小指次指之間其

支者别跗上入大指之間循大指歧骨内出
其端還貫爪甲出三毛是動則病口苦善太
息心脇痛不能轉側甚則面微有塵體無膏
澤足外反熱是爲陽厥是主骨所生病者頭
痛頷痛目鋭眥痛缺盆中腫痛腋下腫馬刀
俠癭汗出振寒瘧胷脇肋髀膝外至胻絶骨
外髁前及諸節皆痛小指次指不用爲此諸
病盛則寫之虚則補之熱則疾之寒則留之

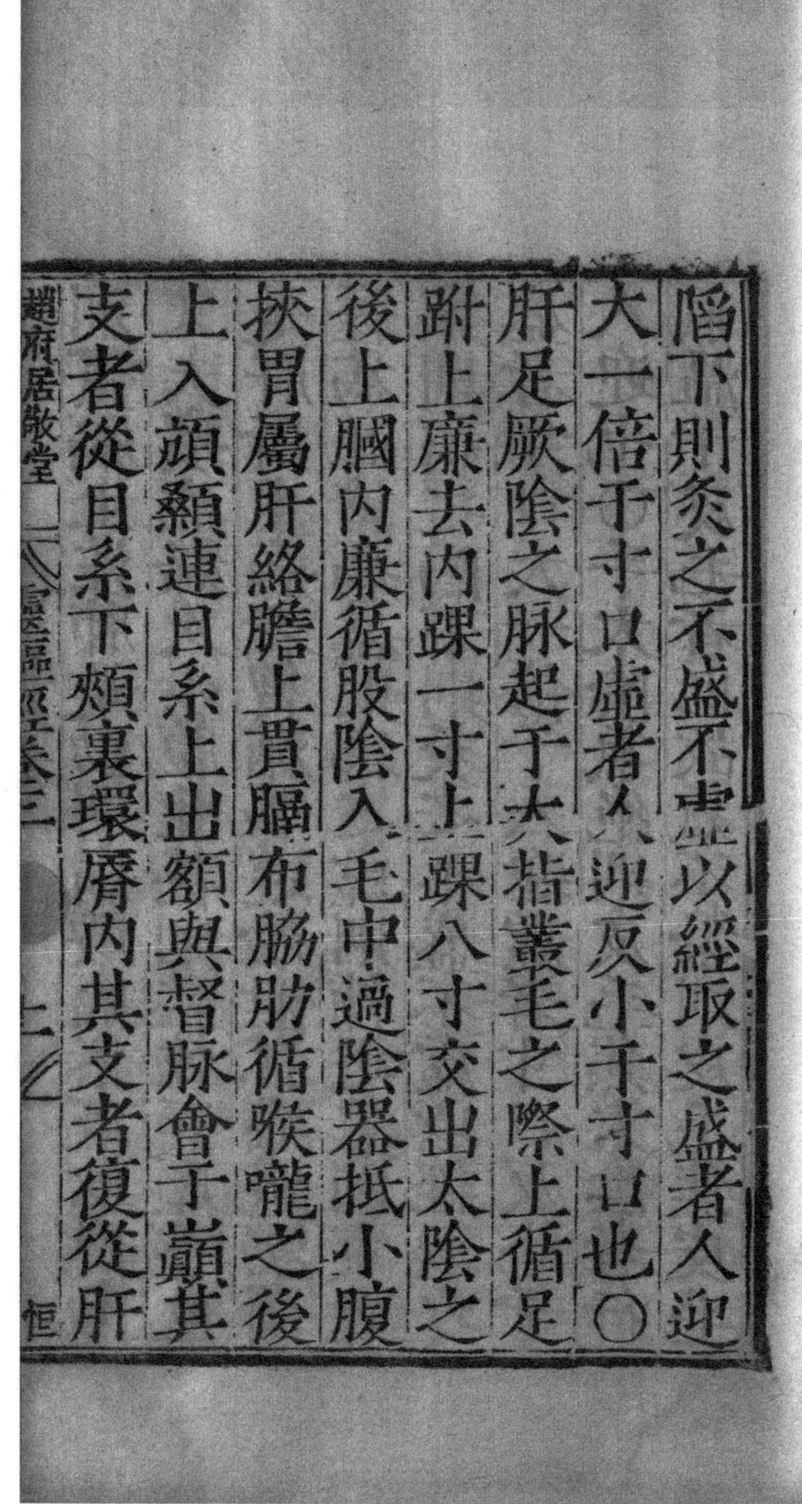

陷下則灸之不盛不虛以經取之盛者人迎大一倍于寸口虛者人迎反小于寸口也○肝足厥陰之脉起于大指叢毛之際上循足跗上廉去内踝一寸上踝八寸交出太陰之後上膕内廉循股陰入毛中過陰器抵小腹挾胃屬肝絡膽上貫膈布脇肋循喉嚨之後上入頏顙連目系上出額與督脉會于巔其支者從目系下頰裏環脣内其支者復從肝

別貫膈上注肺是動則病腰痛不可以俛仰丈夫㿉疝婦人少腹腫甚則嗌乾面塵脫色是肝所生病者胷滿嘔逆飧泄狐疝遺溺閉癃爲此諸病盛則寫之虛則補之熱則疾之寒則留之陷下則灸之不盛不虛以經取之盛者寸口大一倍于人迎虛者寸口反小于人迎也〇手太陰氣絶則皮毛焦太陰者行氣溫于皮毛者也故氣不榮則皮毛焦皮毛

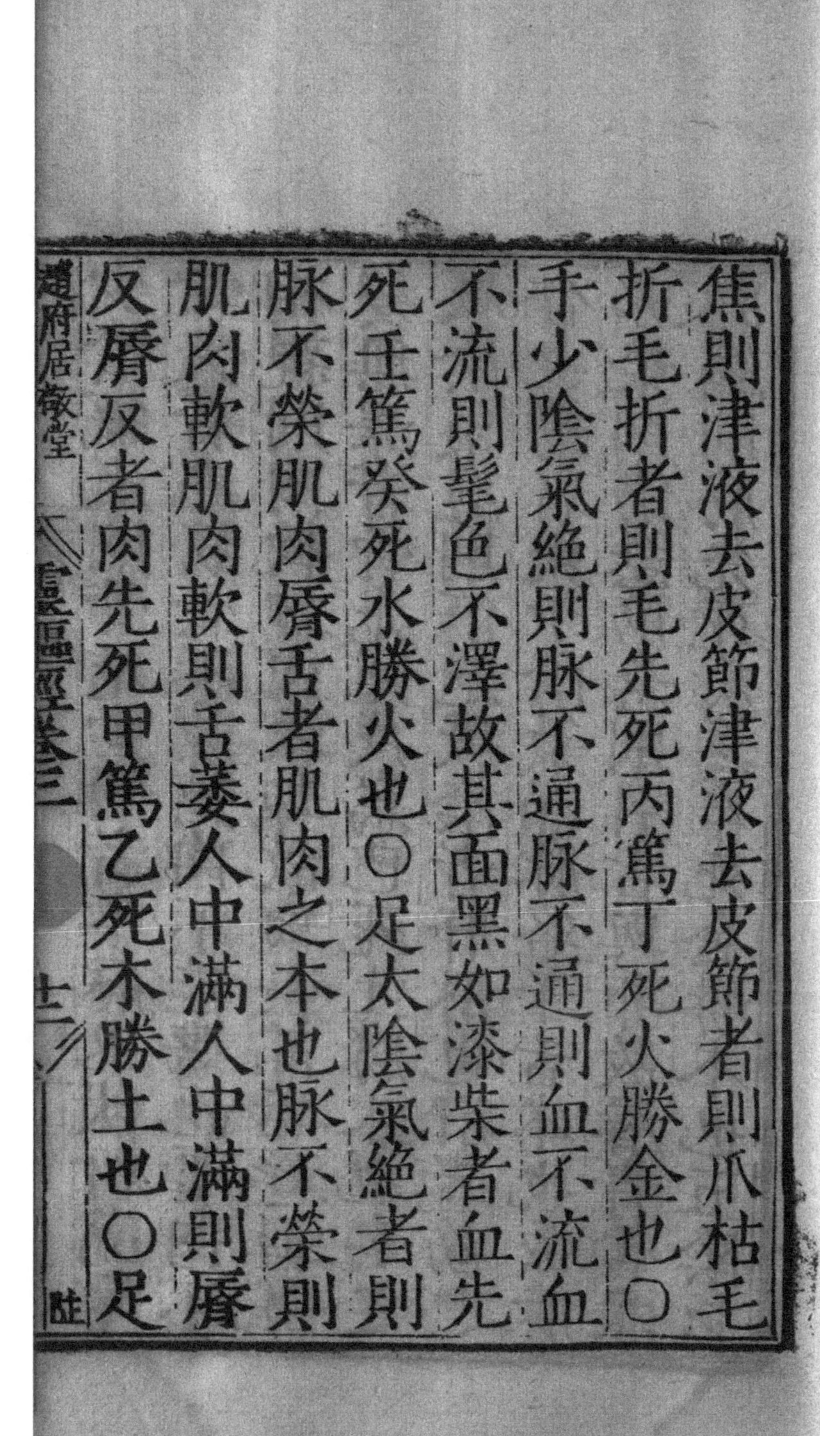
焦則津液去皮節津液去皮節者則爪枯毛折毛折者則毛先死丙篤丁死火勝金也○手少陰氣絶則脉不通脉不通則血不流血不流則髦色不澤故其面黑如漆柴者血先死壬篤癸死水勝火也○足太陰氣絶者則脉不榮肌肉脣舌者肌肉之本也脉不榮則肌肉軟肌肉軟則舌萎人中滿人中滿則脣反脣反者肉先死甲篤乙死木勝土也○足

少陰氣絶則骨枯少陰者冬脉也伏行而濡骨髓者也故骨不濡則肉不能著也骨肉不相親則肉軟却肉軟却故齒長而垢髮無澤髮無澤者骨先死戊篤已死土勝水也〇足厥陰氣絶則筋絶厥陰者肝脉也肝者筋之合也筋者聚于陰氣而脉絡于舌本也故脉弗榮則筋急筋急則引舌與卵故脣青舌卷卵縮則筋先死庚篤辛死金勝木也五陰氣

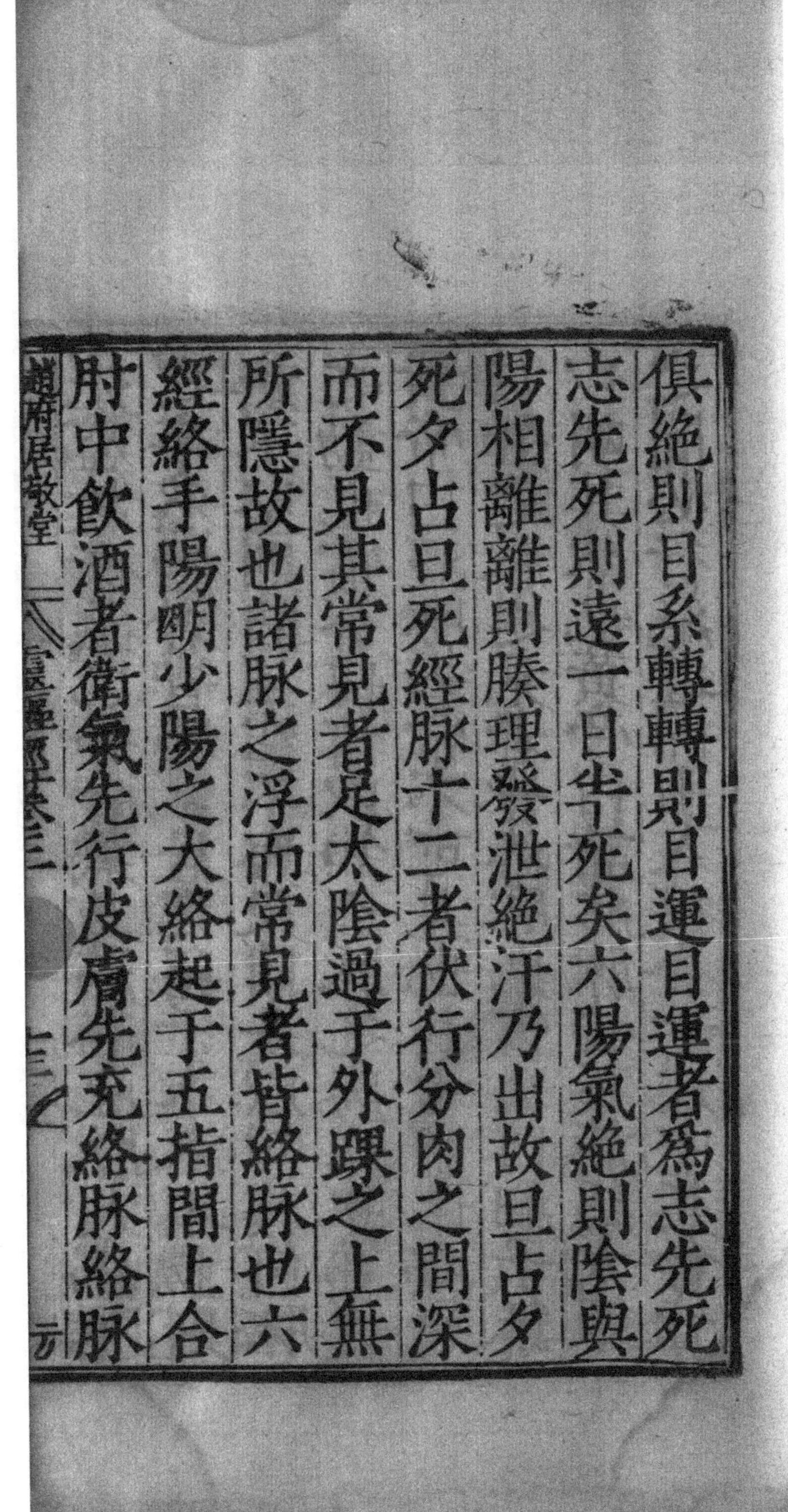

俱絶則目系轉轉則目運目運者爲志先死志先死則遠一日半死矣六陽氣絶則陰與陽相離離則腠理發泄絶汗乃出故旦占夕死夕占旦死經脉十二者伏行分肉之間深而不見其常見者足太陰過于外踝之上無所隱故也諸脉之浮而常見者皆絡脉也六經絡手陽明少陽之大絡起于五指間上合肘中飲酒者衛氣先行皮膚先充絡脉絡脉

先盛故衛氣已平營氣乃滿而經脉大盛脉之卒然動者皆邪氣居之留于本末不動則熱不堅則陷且空不與衆同是以知其何脉之動也雷公曰何以知經脉之與絡脉異也黃帝曰經脉者常不可見也其虛實也以氣口知之脉之見者皆絡脉也雷公曰細子無以明其然也黃帝曰諸絡脉皆不能經大節之間必行絶道而出入復合于皮中其會皆

見于外故諸刺絡脉者必刺其結上甚血者
雖無結急取之以寫其邪而出其血留之發
爲痺也凡診絡脉脉色青則寒且痛赤則有
熱胃中寒手魚之絡多青矣胃中有熱魚際
絡赤其暴黑者留久痺也其有赤有黑有青
者寒熱氣也其青短者少氣也凡刺寒熱者
皆多血絡必間日而一取之血盡而止乃調
其虛實其小而短者少氣甚者寫之則悶悶

甚則仆不得言悶則急坐之也○手太陰之别名曰列缺起于腕上分間並太陰之經直入掌中散入于魚際其病實則手鋭掌熱虚則欠㰦小便遺數取之去腕半寸别走陽明也○手少陰之别名曰通里去腕一寸半别而上行循經入于心中繫舌本屬目系其實則支膈虚則不能言取之掌後一寸别走太陽也手心主之别々名曰内關去腕二寸出于

兩筋之間循經以上繫于心包絡心系實則心痛虛則爲頭強取之兩筋間也○手太陽之別名曰支正上腕五寸內注少陰其別者上走肘絡肩髃實則節弛肘廢虛則生肬小者如指痂疥取之所別也○手陽明之別名曰偏歷去腕三寸別入太陰其別者上循臂乘肩髃上曲頰偏齒其別者入耳合于宗脉實則齲聾虛則齒寒痺隔取之所別也○手

少陽之别名曰外關去腕二寸外遶臂注胷中合心主病實則肘攣虚則不收取之所别也○足太陽之别名曰飛陽去踝七寸别走少陰實則鼽窒頭背痛虚則鼽衄取之所别也○足少陽之别名曰光明去踝五寸别走厥陰下絡足跗實則厥虚則痿躄坐不能起取之所别也○足陽明之别名曰豐隆去踝八寸别走太陰其别者循脛骨外廉上絡頭

項合諸經之氣下絡喉嗌其病氣逆則喉痺瘁瘖實則狂巔虛則足不收脛枯取之所別也○足太陰之別名曰公孫去本節之後一寸別走陽明其別者入絡腸胃厥氣上逆則霍亂實則腸中切痛虛則鼓脹取之所別也○足少陰之別名曰大鍾當踝後繞跟別走太陽其別者并經上走于心包下外貫腰脊其病氣逆則煩悶實則閉癃虛則腰痛取之

所别者也○足厥隂之别名曰蠡溝去内踝五寸别走少陽其别者經脛上睪結于莖其病氣逆則睪腫卒疝實則挺長虛則暴癢取之所别也○任脉之别名曰尾翳下鳩尾散于腹實則腹皮痛虛則癢搔取之所别也○督脉之别名曰長强挾膂上項散頭上下當肩胛左右别走太陽入貫膂實則脊强虛則頭重高摇之挾脊之有過者取之所别也○

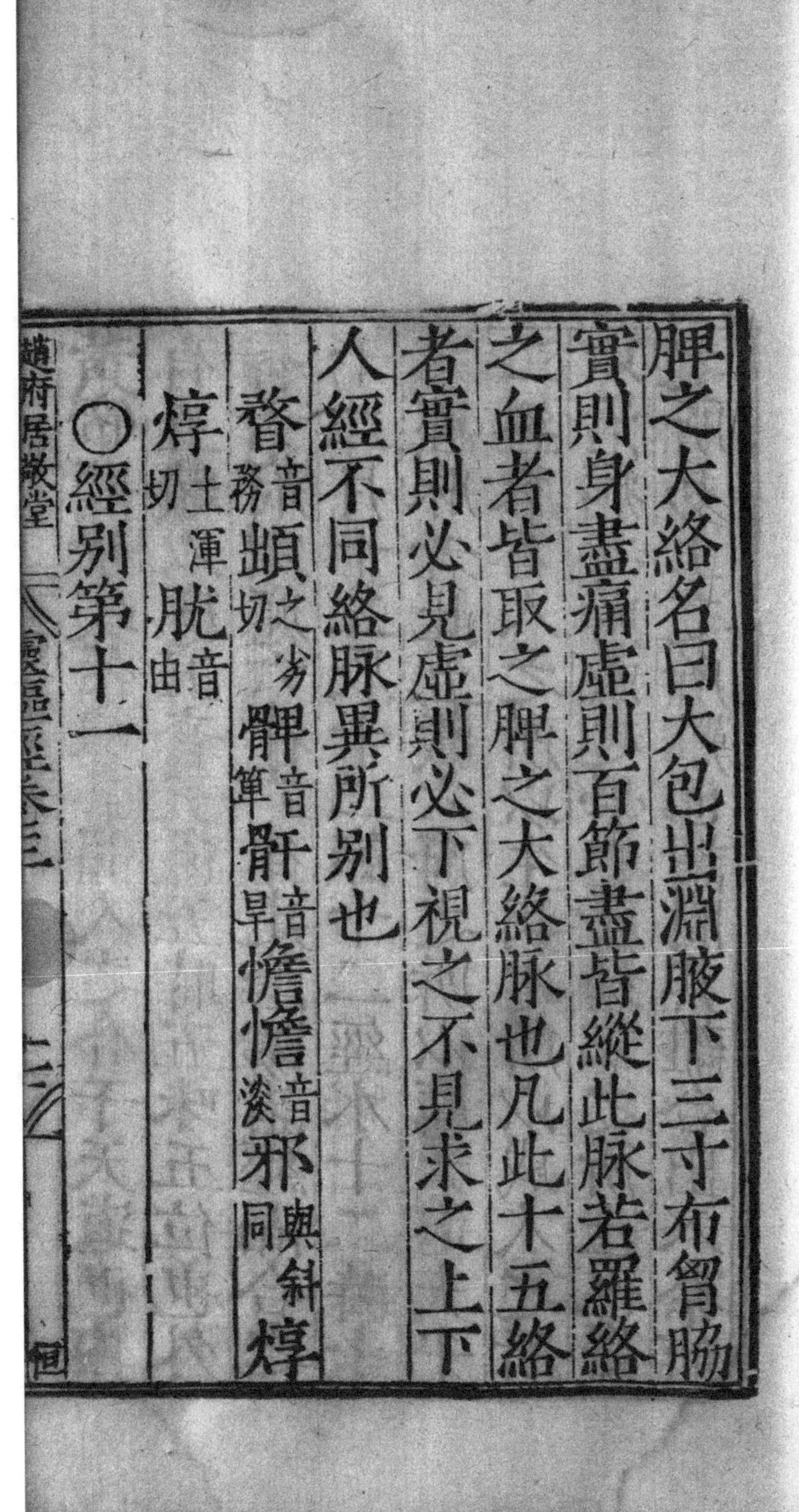

脾之大絡名曰大包出淵腋下三寸布胸脇實則身盡痛虛則百節盡皆縱此脉若羅絡之血者皆取之脾之大絡脉也凡此十五絡者實則必見虛則必下視之不見求之上下人經不同絡脉異所別也

瞀音務 䪼之劣切 髀音箄 骭音旱 憺憺音淡 邪與斜同 焞土渾切 肬音由

○經別第十一

黃帝問于岐伯曰余聞人之合于天道也内有五藏以應五音五色五時五味五位也外有六府以應六律六律建陰陽諸經而合之十二月十二辰十二節十二經水十二時十二經脉者此五藏六府之所以應天道夫十二經脉者人之所以生病之所以成人之所以治病之所以起學之所始工之所止也麤之所易上之所難也請問其離合出入奈何

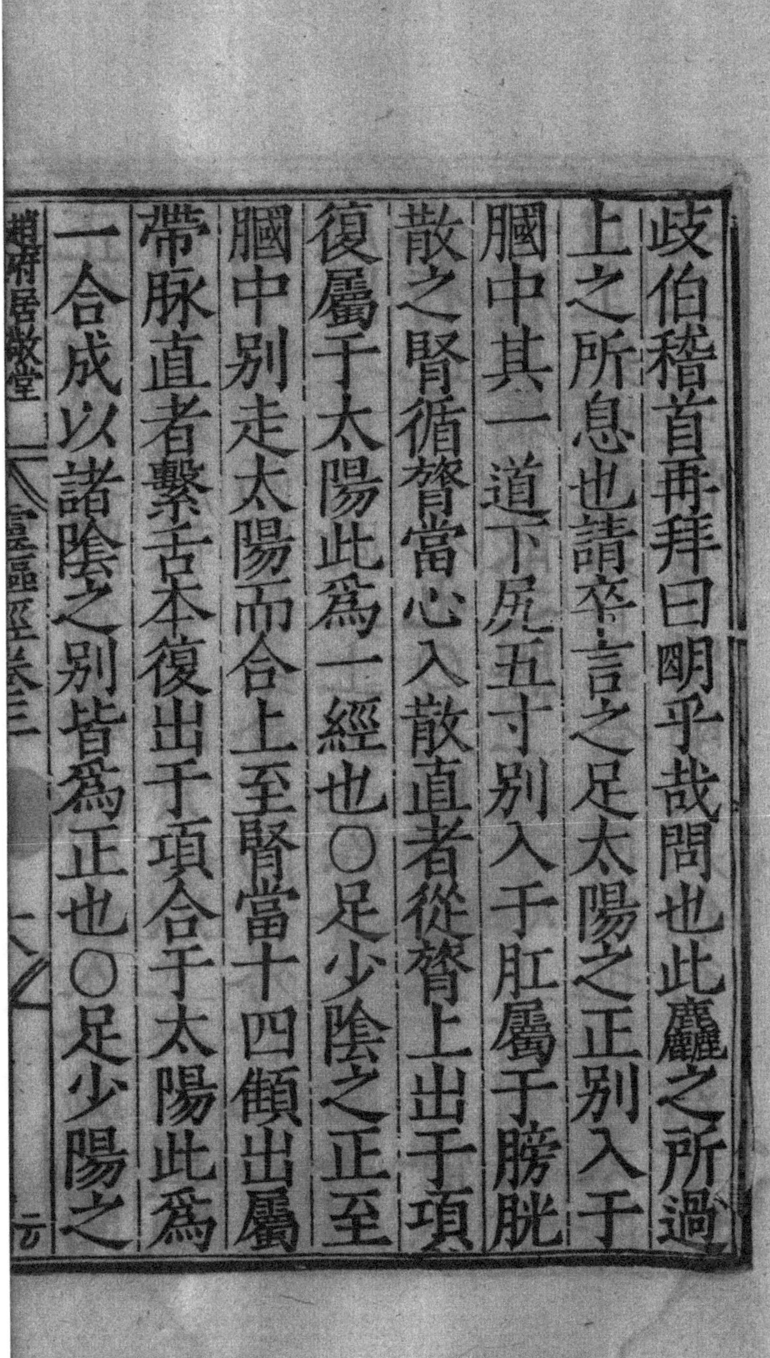

歧伯稽首再拜曰明乎哉問也此麤之所過上之所息也請卒言之足太陽之正別入于膕中其一道下尻五寸別入于肛屬于膀胱散之腎循膂當心入散直者從膂上出于項復屬于太陽此爲一經也○足少陰之正至膕中別走太陽而合上至腎當十四顀出屬帶脉直者繫舌本復出于項合于太陽此爲一合成以諸陰之別皆爲正也○足少陽之

正繞髀入毛際合于厥陰别者入季脇之間
循胷裏屬膽散之上肝貫心以上挾咽出頤
頷中散于面繫目系合少陽于外眥也○足
厥陰之正别跗上上至毛際合于少陽與别
俱行此爲一合也○足陽明之正上至髀入
于腹裏屬胃散之脾上通于心上循咽出于
口上頞䪼還繫目系合于陽明也○足太陰
之正上至髀合于陽明與别俱行上結于咽

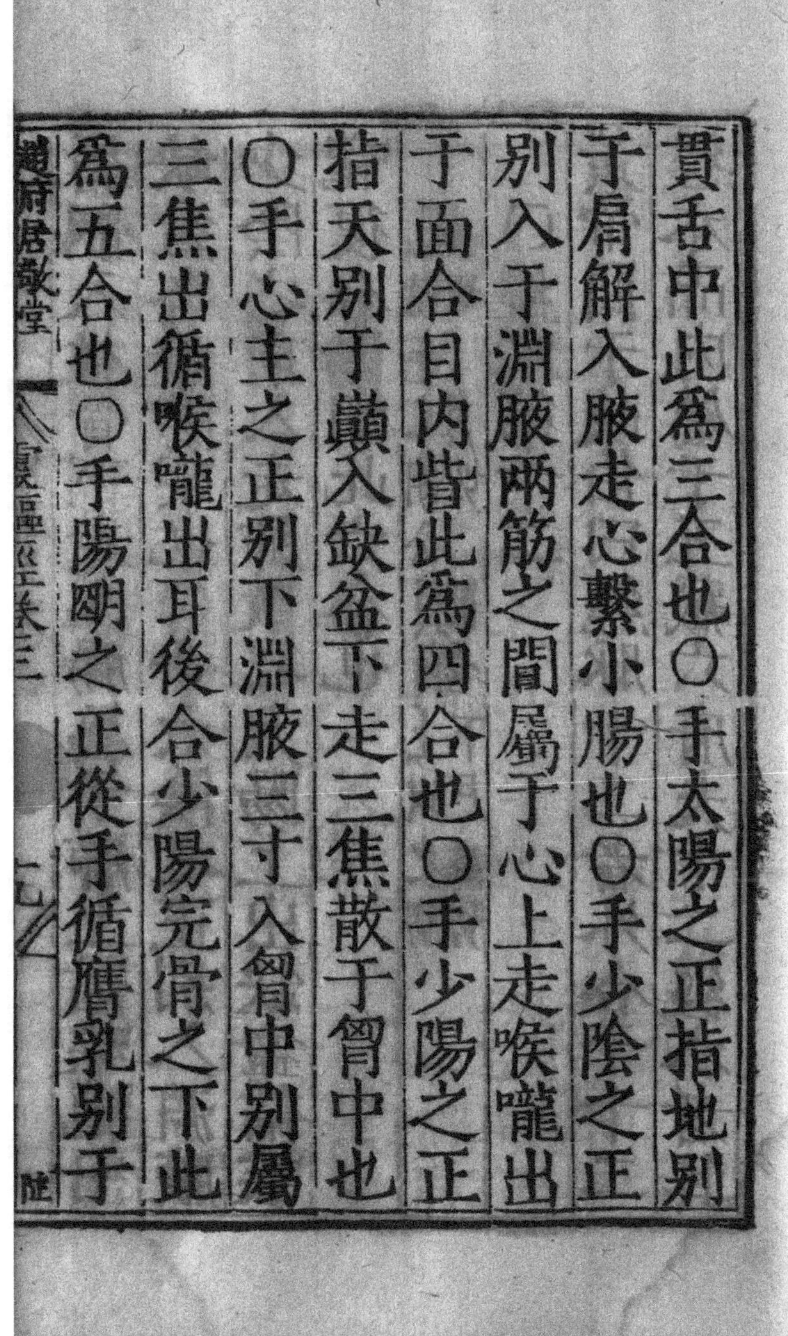

貫舌中此爲三合也〇手太陽之正指地別于肩解入腋走心繫小腸也〇手少陰之正別入于淵腋兩筋之閒屬于心上走喉嚨出于面合目內眥此爲四合也〇手少陽之正指天別于巔入缺盆下走三焦散于胷中也〇手心主之正別下淵腋三寸入胷中別屬三焦出循喉嚨出耳後合少陽完骨之下此爲五合也〇手陽明之正從手循膺乳別于

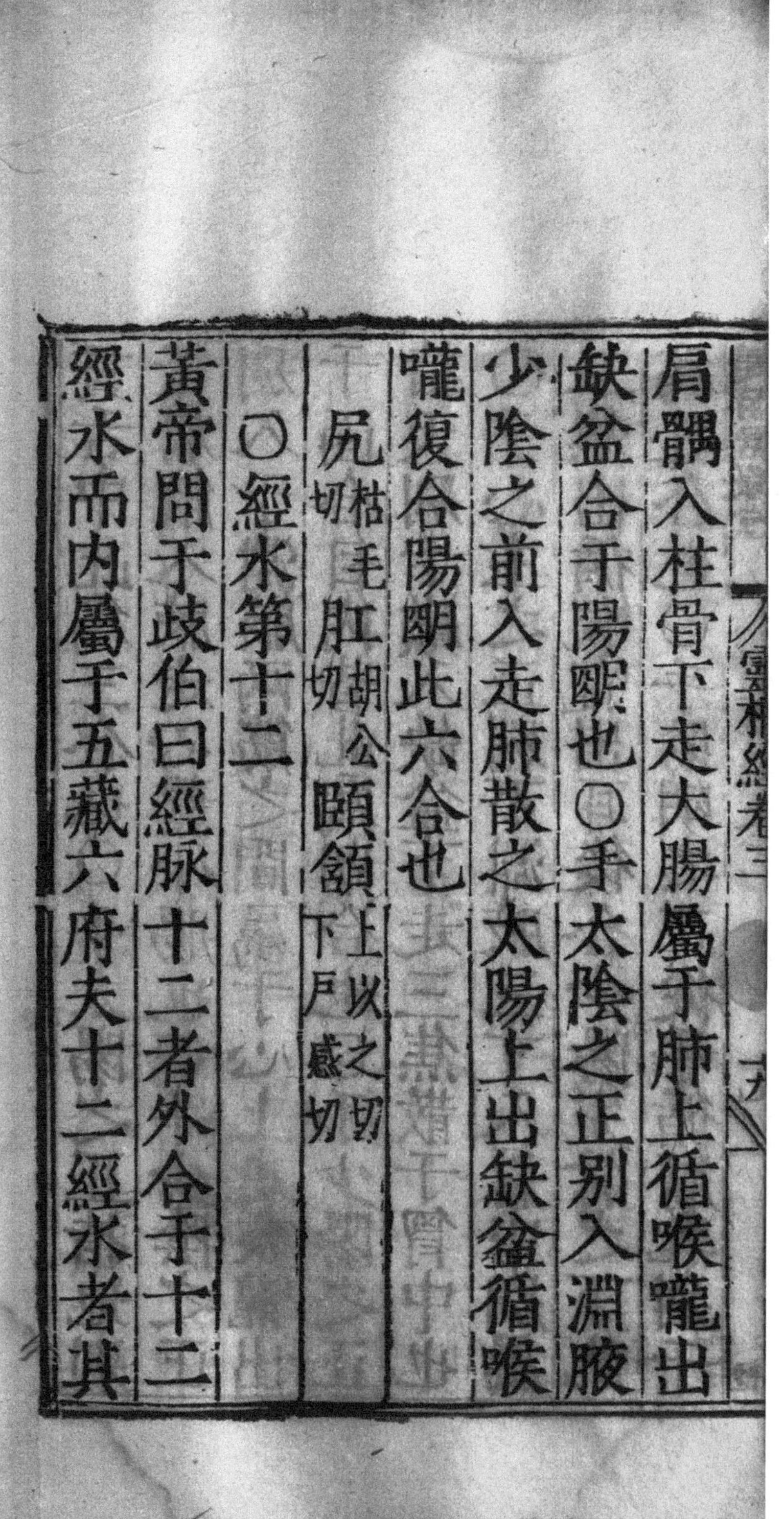

肩髃入柱骨下走大腸屬于肺上循喉嚨出缺盆合于陽明也〇手太陰之正別入淵腋少陰之前入走肺散之太陽上出缺盆循喉嚨復合陽明此六合也

尻枯毛切　肛胡公切　頤頷上以之切下戶感切

〇經水第十二

黃帝問于岐伯曰經脉十二者外合于十二經水而内屬于五藏六府夫十二經水者其

有大小深淺廣狹遠近各不同五藏六府之
高下小大受穀之多少亦不等相應奈何夫
經水者受水而行之五藏者合神氣魂魄而
藏之六府者受穀而行之受氣而揚之經脉
者受血而營之合而以治奈何刺之深淺灸
之壯數可得聞乎岐伯荅曰善哉問也天至
高不可度地至廣不可量此之謂也且夫人
生于天地之間六合之内此天之高地之廣

也非人力之所能度量而至也若夫八尺之士皮肉在此外可度量切循而得之其死可解剖而視之其藏之堅脆府之大小穀之多少脉之長短血之清濁氣之多少十二經之多血少氣與其少血多氣與其皆多血氣與其皆少血氣皆有大數其治以鍼艾各調其經氣固其常有合乎黃帝曰余聞之快于耳不解于心願卒聞之岐伯荅曰此人之所以

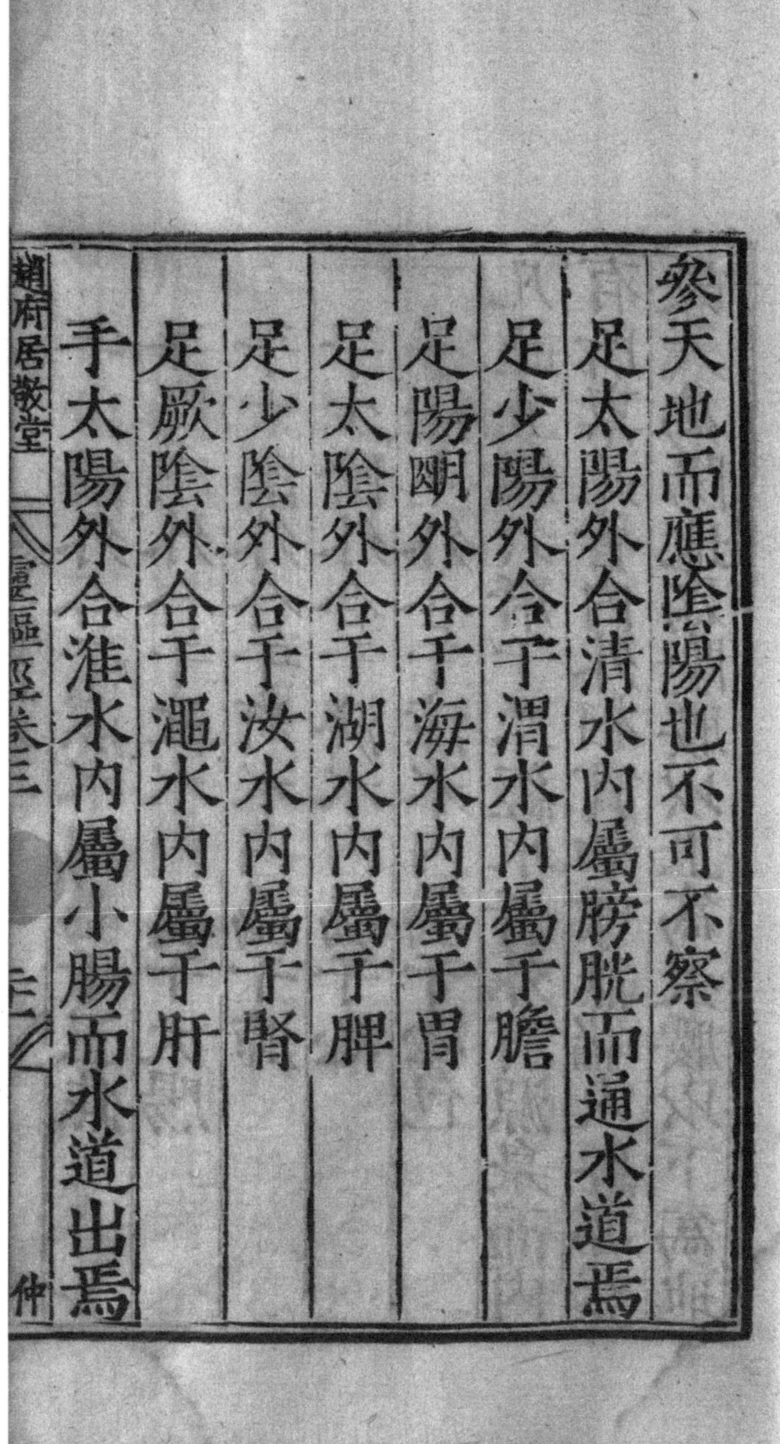

參天地而應陰陽也不可不察
足太陽外合清水内屬膀胱而通水道焉
足少陽外合于渭水内屬于膽
足陽明外合于海水内屬于胃
足太陰外合于湖水内屬于脾
足少陰外合于汝水内屬于腎
足厥陰外合于澠水内屬于肝
手太陽外合淮水内屬小腸而水道出焉

手少陽外合于漯水内屬于三焦
手陽明外合于江水内屬于大腸
手太陰外合于河水内屬于肺
手少陰外合于濟水内屬于心
手心主外合于漳水内屬于心包
凡此五藏六府十二經水者外有源泉而内有所稟此皆内外相貫如環無端人經亦然
故天爲陽地爲陰腰以上爲天腰以下爲地

故海以北者爲陰湖以北者爲陰中之陰漳以南者爲陽河以北至漳者爲陽中之陰漯以南至江者爲陽中之太陽此一隅之陰陽也所以人與天地相參也黄帝曰夫經水之應經脉也其遠近淺深水血之多少各不同合而以刺之奈何岐伯荅曰足陽明五藏六府之海也其脉大血多氣盛熱壯刺此者不深弗散不留不寫也足陽明刺深六分留十

呼足太陽深五分留七呼足少陽深四分留
五呼足太陰深三分留四呼足少陰深二分
留三呼足厥陰深一分留二呼手之陰陽其
受氣之道近其氣之來疾其刺深者皆無過
二分其留皆無過一呼其少長大小肥瘦以
心撩之命曰法天之常灸之亦然灸而過此
者得惡火則骨枯脉濇刺而過此者則脱氣
黄帝曰夫經脉之小大血之多少膚之厚薄

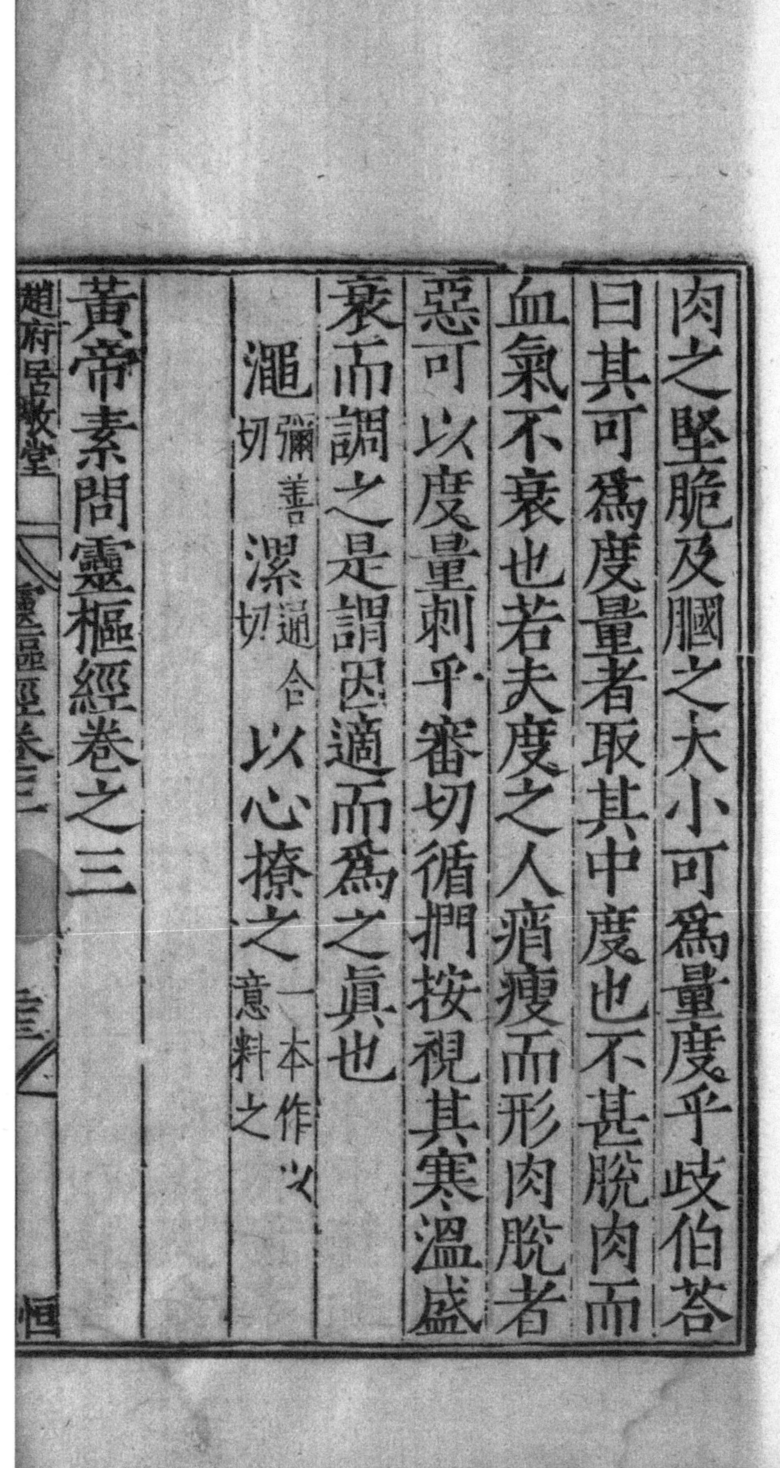

肉之堅脆及膕之大小可爲量度乎岐伯荅曰其可爲度量者取其中度也不甚脱肉而血氣不衰也若夫度之人痟瘦而形肉脱者惡可以度量刺乎審切循捫按視其寒溫盛衰而調之是謂因適而爲之眞也

灑彌善切 漯通合切 以心撩之一本作料 意料之

黄帝素問靈樞經卷之三

黄帝素問靈樞經卷之四

〇經筋第十三

足太陽之筋起于足小指上結于踝邪上結于膝其下循足外踝結于踵上循跟結於膕其别者結于踹外上膕中内廉與膕中并上結于臀上挾脊上項其支者别入結於舌本其直者結于枕骨上頭下顔結于鼻其支者爲目上網下結于頄其支者從腋後外廉結

趙府居敬堂　靈樞經卷四　一

于肩髃其支者入腋下上出缺盆上結于完骨其支者出缺盆邪上出于頄其病小指支跟腫痛膕攣脊反折項筋急肩不舉腋支缺盆中紐痛不可左右摇治在燔鍼劫刺以知爲數以痛爲輸名曰仲春痹○足少陽之筋起于小指次指上結外踝上循脛外廉結于膝外廉其支者别起外輔骨上走髀前者結于伏兔之上後者結于尻其直者上乘𦙍季

脇上走腋前廉繫于膺乳結于缺盆直者上
出腋貫缺盆出太陽之前循耳後上額角交
巔上下走頷上結于頄支者結于目眥爲外
維其病小指次指支轉筋引膝外轉筋膝不
可屈伸膕筋急前引髀後引尻即上乘䏚季
脇痛上引缺盆膺乳頸維筋急從左之右右
目不開上過右角並蹻脉而行左絡于右故
傷左角右足不用命曰維筋相交治在燔鍼

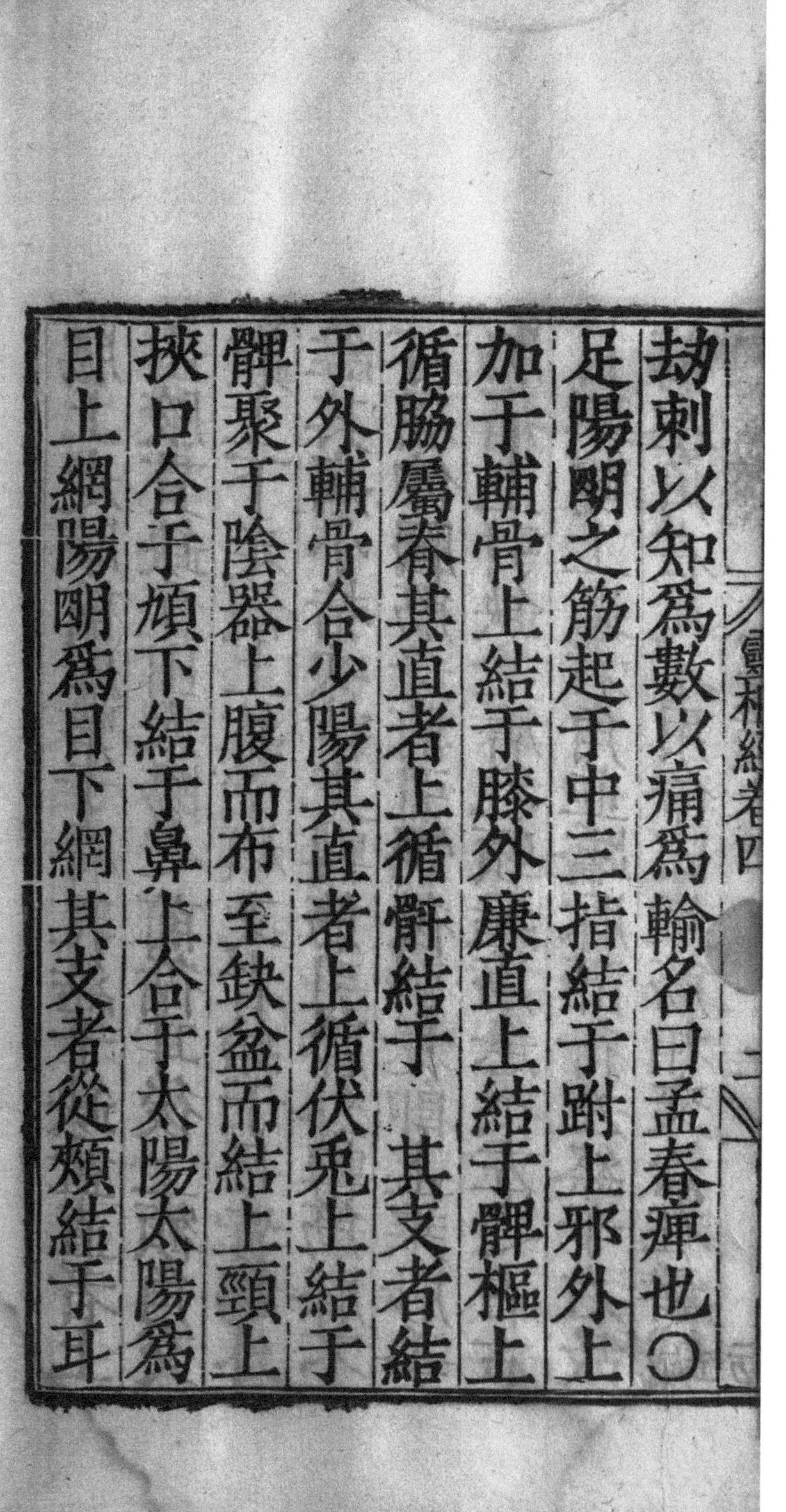

刦刺以知爲數以痛爲輸名曰孟春痹也○
足陽明之筋起于中三指結于跗上邪外上
加于輔骨上結于膝外廉直上結于髀樞上
循脇屬脊其直者上循骭結于　其支者結
于外輔骨合少陽其直者上循伏兎上結于
髀聚于陰器上腹而布至缺盆而結上頸上
挾口合于頄下結于鼻上合于太陽太陽爲
目上網陽明爲目下網　其支者從頰結于耳

前其病足中指支脛轉筋脚跳堅伏兔轉筋
髀前腫㿉疝腹筋急引缺盆及頬卒口僻急
者目不合熱則筋縱目不開頬筋有寒則急
引頬移口有熱則筋弛縱緩不勝收故僻治
之以馬膏膏其急者以白酒和桂以塗其緩
者以桑鈎鈎之即以生桑灰置之坎中高下
以坐等以膏熨急頬且飲美酒噉美炙肉不
飲酒者自強也爲之三拊而已治在燔鍼刼

刺以知爲數以痛爲輸名曰季春痺也○足
太陰之筋起于大指之端内側上結于内踝
其直者絡于膝内輔骨上循陰股結于髀聚
于陰器上腹結于臍循腹裏結于肋散于胷
中其内者著于脊其病足大指支内踝痛轉
筋痛膝内輔骨痛陰股引髀而痛陰器紐痛
下引臍兩脇痛引膺中脊内痛治在燔鍼刼
刺以知爲數以痛爲輸命曰孟秋痺也○足

少陰之筋起于小指之下並足太陰之筋邪走内踝之下結于踵與太陽之筋合而上結于内輔之下並太陰之筋而上循陰股結于陰器循脊内挾膂上至項結于枕骨與足太陽之筋合其病足下轉筋及所過而結者皆痛及轉筋病在此者主癇瘈及痓在外者不能俛在内者不能仰故陽病者腰反折不能俛陰病者不能仰治在燔鍼刼刺以知爲數

以痛爲輸在内者熨引飲藥此筋折紐紐發數甚者死不治名曰仲秋痹也○足厥陰之筋起于大指之上上結于内踝之前上循脛上結内輔之下上循陰股結于陰器絡諸筋其病足大指支内踝之前痛内輔痛陰股痛轉筋陰器不用傷於内則不起傷於寒則陰縮入傷於熱則縱挺不收治在行水清陰氣其病轉筋者治在燔鍼劫刺以知爲數以痛

爲輸命曰季秋痺也○手太陽之筋起于小指之上結于腕上循臂內廉結于肘內銳骨之後彈之應小指之上入結于腋下其支者後走腋後廉上繞肩胛循脛出走太陽之前結于耳後完骨其支者入耳中直者出耳上下結于頷上屬目外眥其病小指支肘內銳骨後廉痛循臂陰入腋下腋下痛腋後廉痛繞肩胛引頸而痛應耳中鳴痛引頷目瞑良

久乃得視頸筋急則爲筋瘻頸腫寒熱在頸者治在燔鍼刼刺之以知爲數以痛爲輸其爲腫者復而銳之本支者上曲牙循耳前屬目外眥上頷結于角其痛當所過者支轉筋治在燔鍼刼刺以知爲數以痛爲輸名曰仲夏痺也〇手少陽之筋起于小指次指之端結于腕中循臂結于肘上繞臑外廉上肩走頸合手太陽其支者當曲頰入繫舌本其支

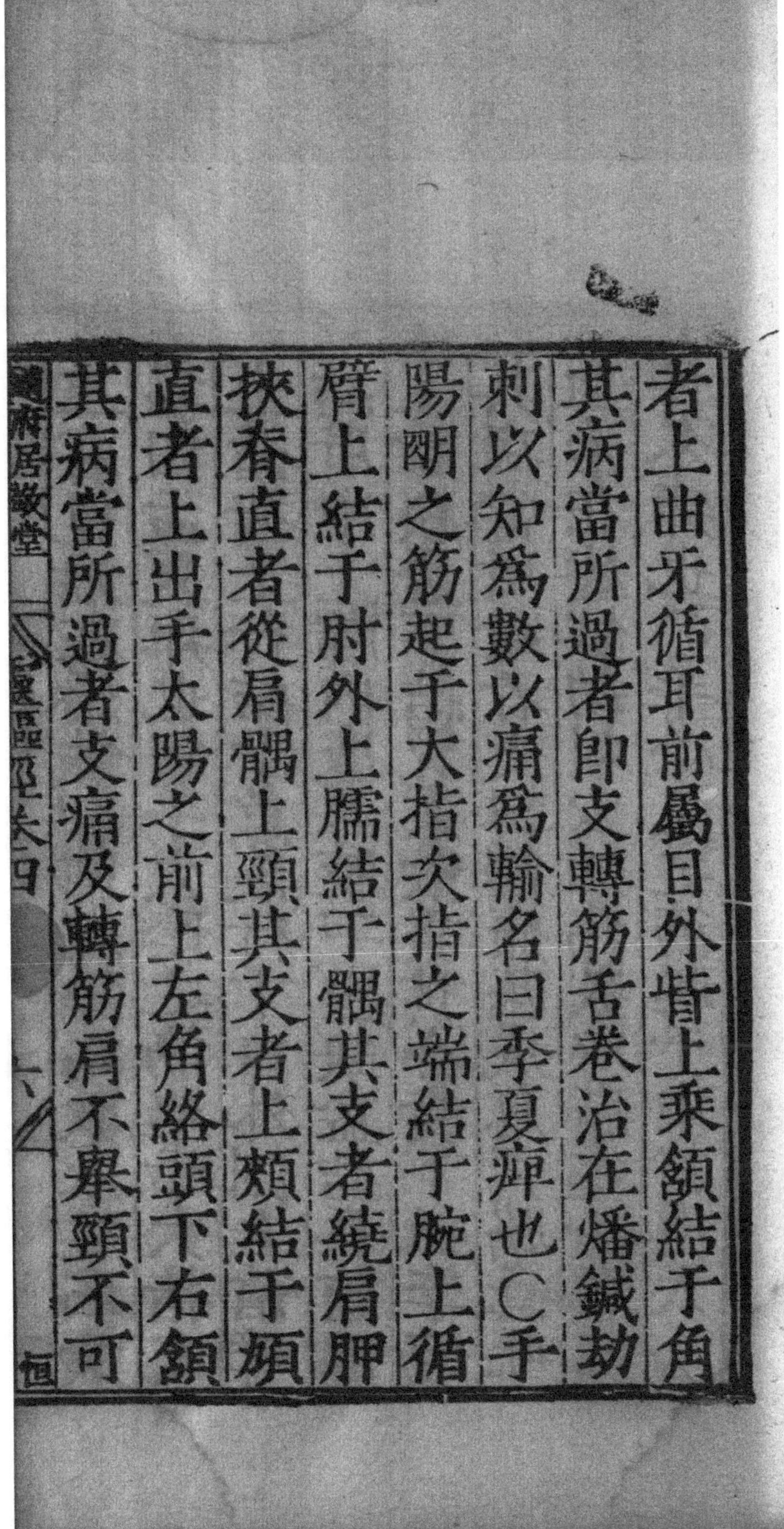
者上曲牙循耳前屬目外眥上乘頷結于角其病當所過者卽支轉筋舌卷治在燔鍼刦刺以知爲數以痛爲輸名曰季夏痺也○手陽明之筋起于大指次指之端結于腕上循臂上結于肘外上臑結于髃其支者繞肩胛挾脊直者從肩髃上頸其支者上頰結于頄直者上出手太陽之前上左角絡頭下右頷其病當所過者支痛及轉筋肩不舉頸不可

左右視治在燔鍼劫刺以知爲數以痛爲輸
名曰孟夏痺也○手太陰之筋起于大指之
上循指上行結于魚後行寸口外側上循臂
結肘中上臑內廉入腋下出缺盆結肩前髃
上結缺盆下結胷裏散貫賁合賁下抵季脇
其病當所過者支轉筋痛甚成息賁脇急吐
血治在燔鍼劫刺以知爲數以痛爲輸名曰
仲冬痺也○手心主之筋起于中指與太陰

之筋並行結于肘内廉上臂陰結腋下下散前後挾脇其支者入腋散胷中結于臂其病當所過者支轉筋前及胷痛息賁治在燔鍼劫刺以知爲數以痛爲輸名曰孟冬痹也○手少陰之筋起于小指之内側結于銳骨上結肘内廉上入腋交太陰挾乳裏結于胷中循臂下繫于臍其病内急心承伏梁下爲肘網其病當所過者支轉筋筋痛治在燔鍼劫

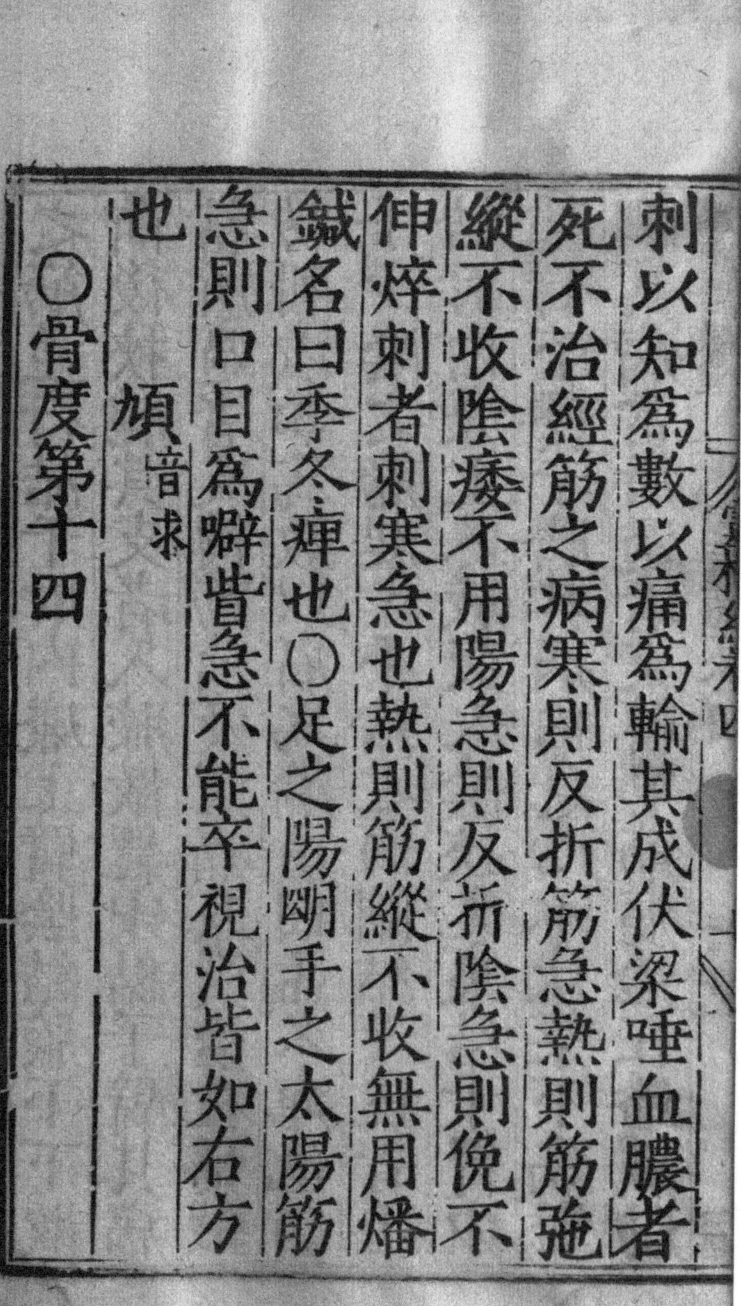

刺以知爲數以痛爲輸其成伏梁唾血膿者死不治經筋之病寒則反折筋急熱則筋弛縱不收陰痿不用陽急則反折陰急則俛不伸焠刺者刺寒急也熱則筋縱不收無用燔鍼名曰季冬痺也○足之陽明手之太陽筋急則口目爲噼眥急不能卒視治皆如右方也 頄音求

○骨度第十四

黃帝問于伯高曰脉度言經脉之長短何以立之伯高曰先度其骨節之大小廣狹長短而脉度定矣黃帝曰願聞衆人之度人長七尺五寸者其骨節之大小長短各幾何伯高曰頭之大骨圍二尺六寸胷圍四尺五寸腰圍四尺二寸髮所覆者顱至項尺二寸髮以下至頤長一尺君子終折結喉以下至缺盆中長四寸缺盆以下至𩩲骬長九寸過則肺

大不滿則肺小髑骬以下至天樞長八寸過
則胃大不及則胃小天樞以下至橫骨長六
寸半過則廻腸廣長不滿則狹短橫骨長六
寸半橫骨上廉以下至内輔之上廉長一尺
八寸内輔之上廉以下至下廉長三寸半内
輔下廉下至内踝長一尺三寸内踝以下至
地長三寸膝膕以下至跗屬長一尺六寸跗
屬以下至地長三寸故骨圍大則大過小則

不及角以下至柱骨長一尺行腋中不見者長四寸腋以下至季脇長一尺二寸季脇以下至髀樞長六寸髀樞以下至膝中長一尺九寸膝以下至外踝長一尺六寸外踝以下至京骨長三寸京骨以下至地長一寸耳後當完骨者廣九寸耳前當耳門者廣一尺三寸兩顴之間相去七寸兩乳之間廣九寸半兩髀之間廣六寸半足長一尺二寸廣四寸

半肩至肘長一尺七寸肘至腕長一尺二寸半腕至中指本節長四寸本節至其末長四寸半項髮以下至背骨長二寸半膂骨以下至尾骶二十一節長三尺上節長一寸四分分之一奇分在下故上七節至于膂骨九寸八分分之七此衆人骨之度也所以立經脉之長短也是故視其經脉之在于身也其見浮而堅其見明而大者多血細而沉者多氣

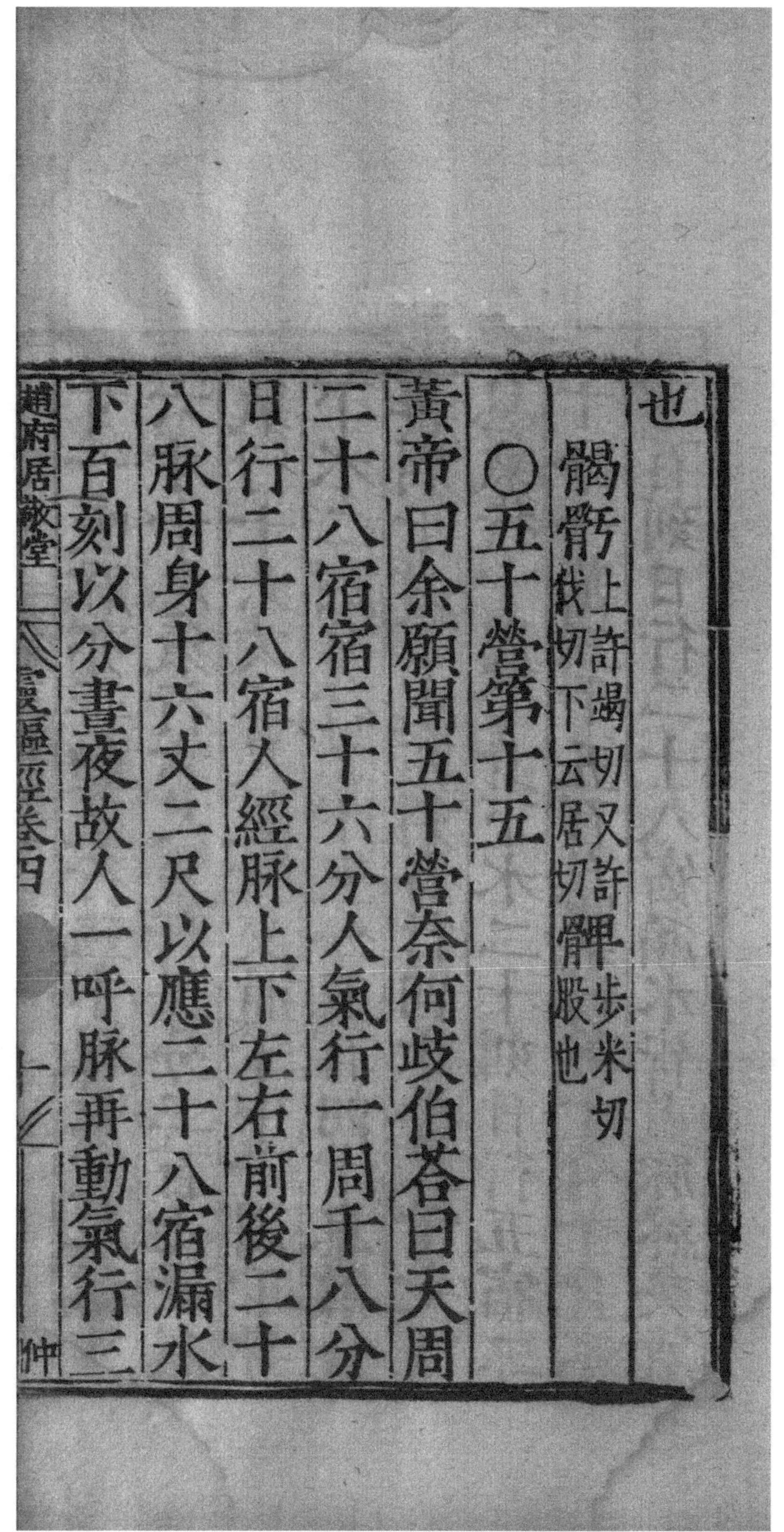

也

髃骬上許竭切又許栈切下云居切髀步米切股也

○五十營第十五

黄帝曰余願聞五十營奈何岐伯荅曰天周二十八宿宿三十六分人氣行一周千八分日行二十八宿人經脉上下左右前後二十八脉周身十六丈二尺以應二十八宿漏水下百刻以分晝夜故人一呼脉再動氣行三

寸一吸脉亦再動氣行三寸呼吸定息氣行
六寸十息氣行六尺日行二分二百七十息
氣行十六丈二尺氣行交通于中一周于身
下水二刻日行二十五分五百四十息氣行
再周于身下水四刻日行四十分二千七百
息氣行十周于身下水二十刻日行五宿二
十分一萬三千五百息氣行五十營于身水
下百刻日行二十八宿漏水皆盡脉終矣所

謂交通者并行一數也故五十營備得盡天
地之壽矣凡行八百一十丈也

○營氣第十六

黃帝曰營氣之道内穀爲寶穀入于胃乃傳
之肺流溢于中布散于外精專者行于經隧
常營無已終而復始是謂天地之紀故氣從
太陰出注手陽明上行注足陽明下行至跗
上注大指間與太陰合上行抵髀從脾注心

中循手少陰出腋下臂注小指合手太陽上行乘腋出䪼内注目内眥上巔下項合足太陽循脊下尻下行注小指之端循足心注足少陰上行注腎從腎注心外散于胸中循心主脉出腋下臂出兩筋之間入掌中出中指之端還注小指次指之端合手少陽上行注膻中散于三焦從三焦注膽出脇注足少陽下行至跗上復從跗注大指間合足厥陰上

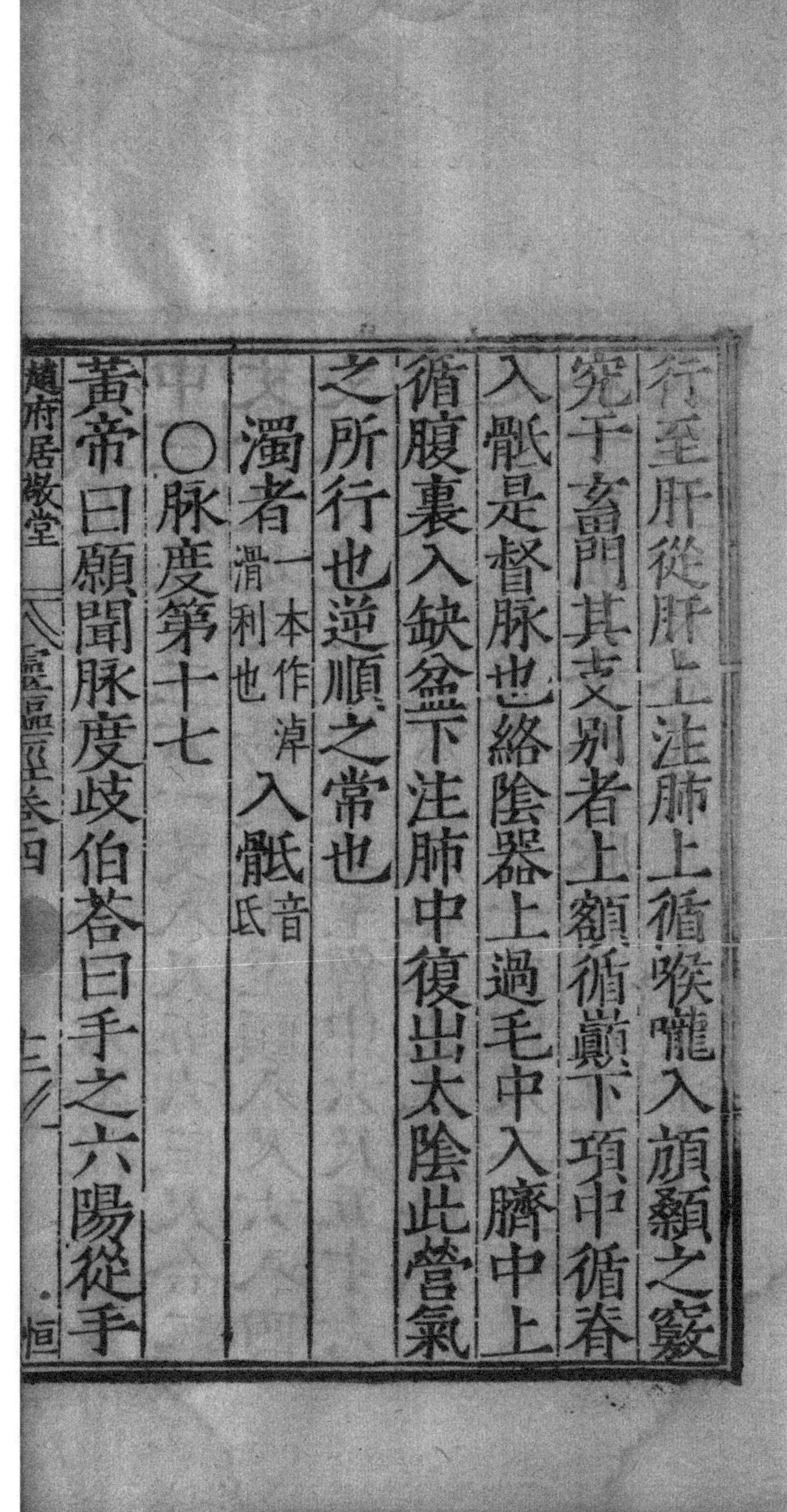

行至肝從肝上注肺上循喉嚨入頏顙之竅究于畜門其支別者上額循巔下項中循脊入骶是督脉也絡陰器上過毛中入臍中上循腹裏入缺盆下注肺中復出太陰此營氣之所行也逆順之常也

濁者一本作淖滑利也入骶音氐

○脉度第十七

黃帝曰願聞脉度歧伯荅曰手之六陽從手

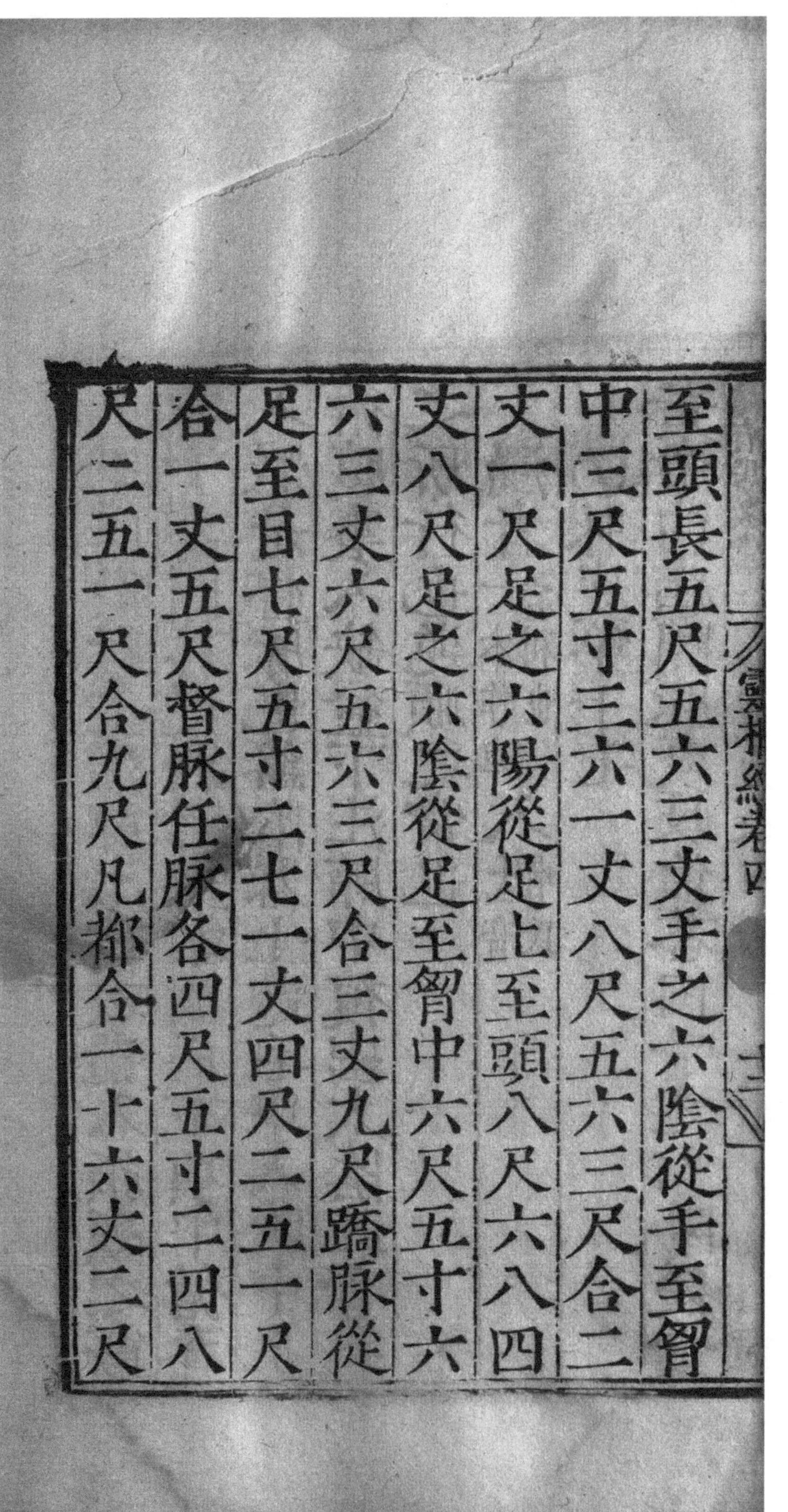

靈樞經卷四

至頭長五尺五六三丈手之六陰從手至胷中三尺五寸三六一丈八尺五六三尺合二丈一尺足之六陽從足上至頭八尺六八四丈八尺足之六陰從足至胷中六尺五寸六六三丈六尺五六三尺合三丈九尺蹻脉從足至目七尺五寸二七一丈四尺二五一尺合一丈五尺督脉任脉各四尺五寸二四八尺二五一尺合九尺凡都合一十六丈二尺

此氣之大經隧也經脉爲裏支而横者爲絡絡之别者爲孫盛而血者疾誅之盛者寫之虚者飲藥以補之五藏常内閲于上七竅也故肺氣通於鼻肺和則鼻能知臭香矣心氣通于舌心和則舌能知五味矣肝氣通于目肝和則目能辨五色矣脾氣通于口脾和則口能知五穀矣腎氣通于耳腎和則耳能聞五音矣五藏不和則七竅不通六府不和則

留爲癰故邪在府則陽脉不和陽脉不和則氣留之氣留之則陽氣盛矣陽氣太盛則陰不利陰脉不利則血留之血留之則陰氣盛矣陰氣太盛則陽氣不能榮也故曰關陽氣太盛則陰氣弗能榮也故曰格陰陽俱盛不得相榮故曰關格關格者不得盡期而死也

黄帝曰蹻脉安起安止何氣榮水岐伯荅曰蹻脉者少陰之别起于然骨之後上内踝之

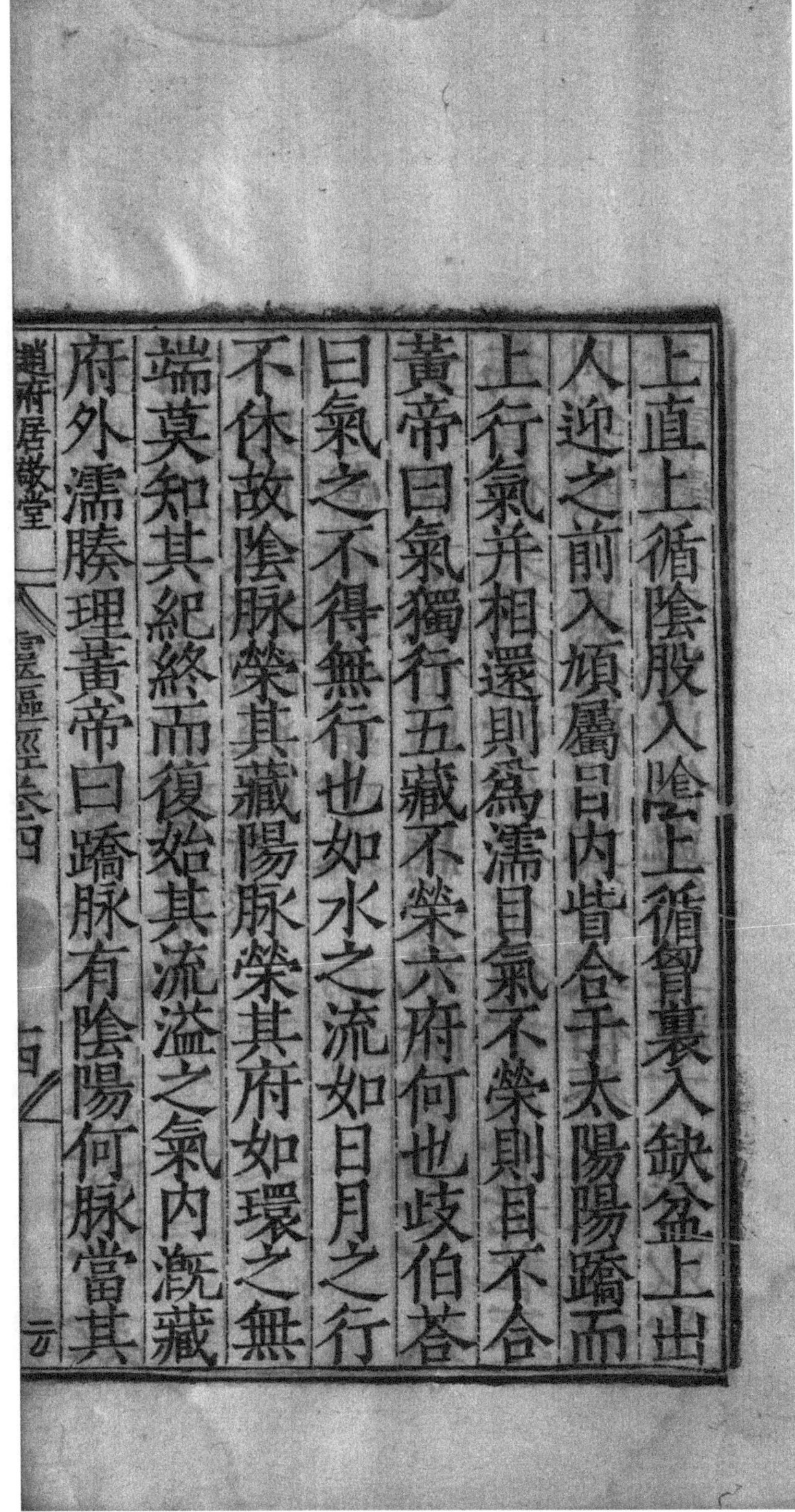

上直上循陰股入陰上循胷裏入缺盆上出人迎之前入頄屬目内眥合于太陽陽蹻而上行氣并相還則爲濡目氣不榮則目不合

黃帝曰氣獨行五藏不榮六府何也岐伯荅曰氣之不得無行也如水之流如日月之行不休故陰脉榮其藏陽脉榮其府如環之無端莫知其紀終而復始其流溢之氣内溉藏府外濡腠理黃帝曰蹻脉有陰陽何脉當其

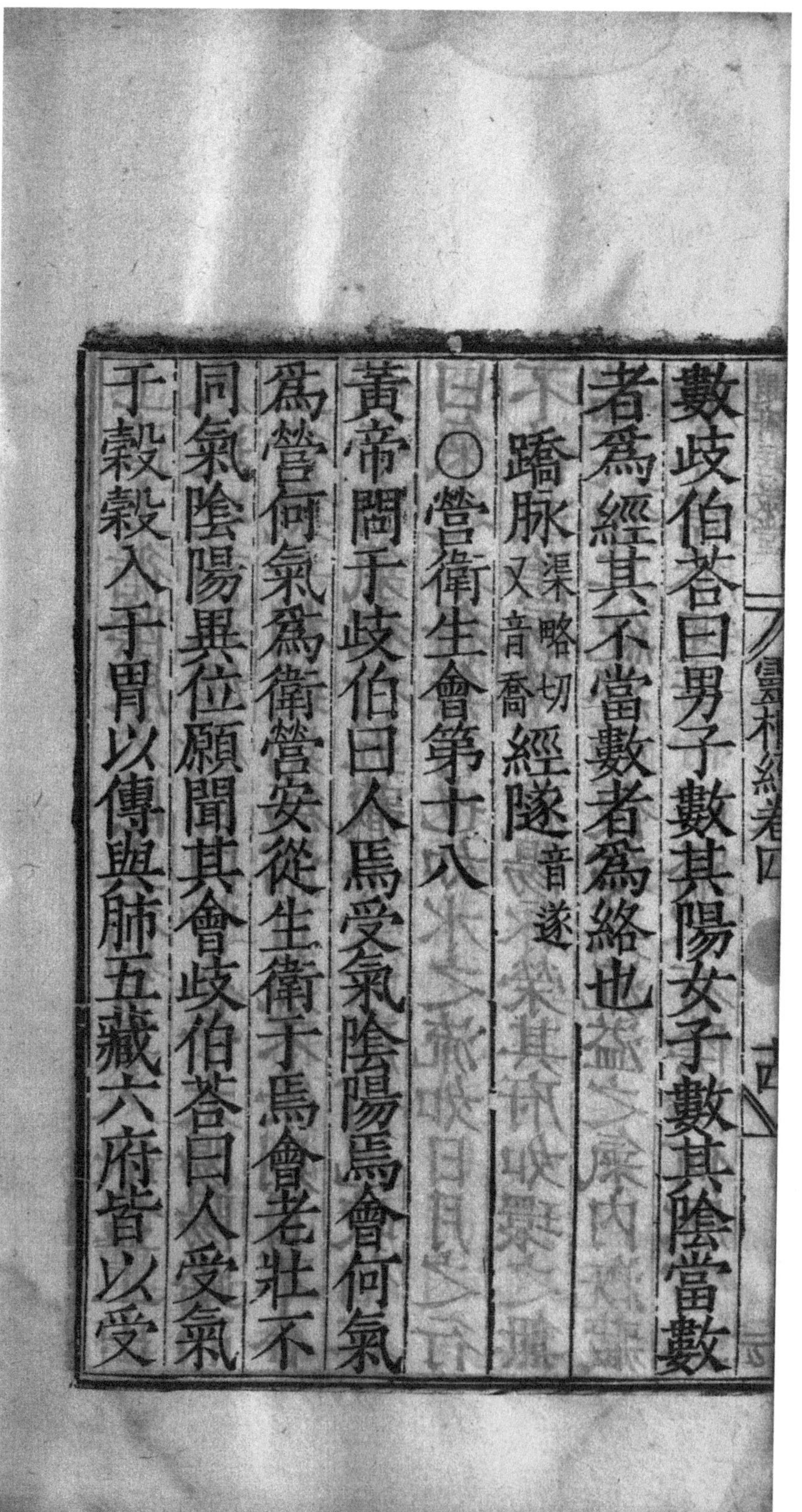

數岐伯荅曰男子數其陽女子數其陰當數者爲經其不當數者爲絡也

蹻脈渠略切又音喬經隧音遂

○營衛生會第十八

黃帝問于岐伯曰人焉受氣陰陽焉會何氣爲營何氣爲衛營安從生衛于焉會老壯不同氣陰陽異位願聞其會岐伯荅曰人受氣于穀穀入于胃以傳與肺五藏六府皆以受

氣其清者爲營濁者爲衛營在脉中衛在脉
外營周不休五十而復大會陰陽相貫如環
無端衛氣行于陰二十五度行于陽二十五
度分爲晝夜故氣至陽而起至陰而止故曰
日中而陽隴爲重陽夜半而陰隴爲重陰故
太陰主内太陽主外各行二十五度分爲晝
夜夜半爲陰隴夜半後而爲陰衰平旦陰盡
而陽受氣矣日中爲陽隴日西而陽衰日入

陽盡而陰受氣矣夜半而大會萬民皆臥命曰合陰平旦陰盡而陽受氣如是無已與天地同紀黃帝曰老人之不夜瞑者何氣使然少壯之人不晝瞑者何氣使然歧伯荅曰壯者之氣血盛其肌肉滑氣道通營衛之行不失其常故晝精而夜瞑老者之氣血衰其肌肉枯氣道澀五藏之氣相搏其營氣衰少而衛氣內伐故晝不精夜不瞑黃帝曰願聞營

衛之所行皆何道從來歧伯荅曰營出于中焦衛出于下焦黄帝曰願聞三焦之所出歧伯荅曰上焦出于胃上口並咽以上貫膈而布胷中走腋循太陰之分而行還至陽明上至舌下足陽明常與營俱行于陽二十五度行于陰亦二十五度一周也故五十度而復太會于手太陰矣黄帝曰人有熱飲食下胃其氣未定汗則出或出于面或出于背或出

于身半其不循衛氣之道而出何也岐伯曰此外傷于風内開腠理毛蒸理泄衛氣走之固不得循其道此氣慓悍滑疾見開而出故不得從其道故命曰漏泄黄帝曰願聞中焦之所出岐伯荅曰中焦亦並胃中出上焦之後此所受氣者泌糟粕蒸津液化其精微上注于肺脉乃化而爲血以奉生身莫貴于此故獨得行于經隧命曰營氣黄帝曰夫血之

與氣異名同類何謂也岐伯荅曰營衛者精氣也血者神氣也故血之與氣異名同類焉故奪血者無汗奪汗者無血故人生有兩死而無兩生黃帝曰願聞下焦之所出岐伯荅曰下焦者别迴腸注于膀胱而滲入焉故水穀者常幷居于胃中成糟粕而俱下于大腸而成下焦滲而俱下濟泌别汁循下焦而滲入膀胱焉黃帝曰人飲酒酒亦入胃穀未熟

而小便獨先下何也岐伯荅曰酒者熟穀之液也其氣悍以清故後穀而入先穀而液出焉黄帝曰善余聞上焦如霧中焦如漚下焦如瀆此之謂也

○四時氣第十九

黄帝問于岐伯曰夫四時之氣各不同形百病之起皆有所生灸刺之道何者爲定一本作寶岐伯荅曰四時之氣各有所在灸刺之道得

氣穴爲定故春取經血脉分肉之間甚者深
刺之間者淺刺之夏取盛經孫絡取分間絶
皮膚秋取經腧邪在府取之合冬取井滎必
深以留之温瘧汗不出爲五十九痏風㽷膚
脹爲五十七痏取皮膚之血者盡取之飧泄
補三陰之上補陰陵泉皆久留之熱行乃止
轉筋于陽治其陽轉筋于陰治其陰皆卒刺
之徒㽷先取環谷下三寸以鈹鍼鍼之已刺

而筩之而内之入而復之以盡其痳必堅來
緩則煩悗來急則安靜間日一刺之痳盡乃
止飲閉藥方刺之時徒飲之方飲無食方食
無飲無食他食百三十五日著痹不去久寒
不已卒取其三里骨爲幹腸中不便取三里
盛寫之虛補之癘風者素刺其腫上已刺以
銳鍼鍼其處按出其惡氣腫盡乃止常食方
食無食他食腹中常鳴氣上衝胷喘不能久

立邪在大腸刺肓之原巨虚上廉三里小腹
控睪引腰脊上衝心邪在小腸者連睪系屬
于脊貫肝肺絡心系氣盛則厥逆上衝腸胃
燻肝散于肓結于臍故取之肓原以散之刺
太陰以予之取厥陰以下之取巨虚下廉以
去之按其所過之經以調之善嘔嘔有苦長
太息心中憺憺恐人將捕之邪在膽逆在胃
膽液泄則口苦胃氣逆則嘔苦故曰嘔膽取

三里以下胃氣逆則刺少陽血絡以閉膽逆
却調其虛實以去其邪飲食不下膈塞不通
邪在胃脘在上脘則刺抑而下之在下脘則
散而去之小腹痛腫不得小便邪在三焦約
取之太陽大絡視其絡脉與厥陰小絡結而
血者腫上及胃脘取三里覩其色察其以知
其散復者視其目色以知病之存亡也一其
形聽其動靜者持氣口人迎以視其脉堅且

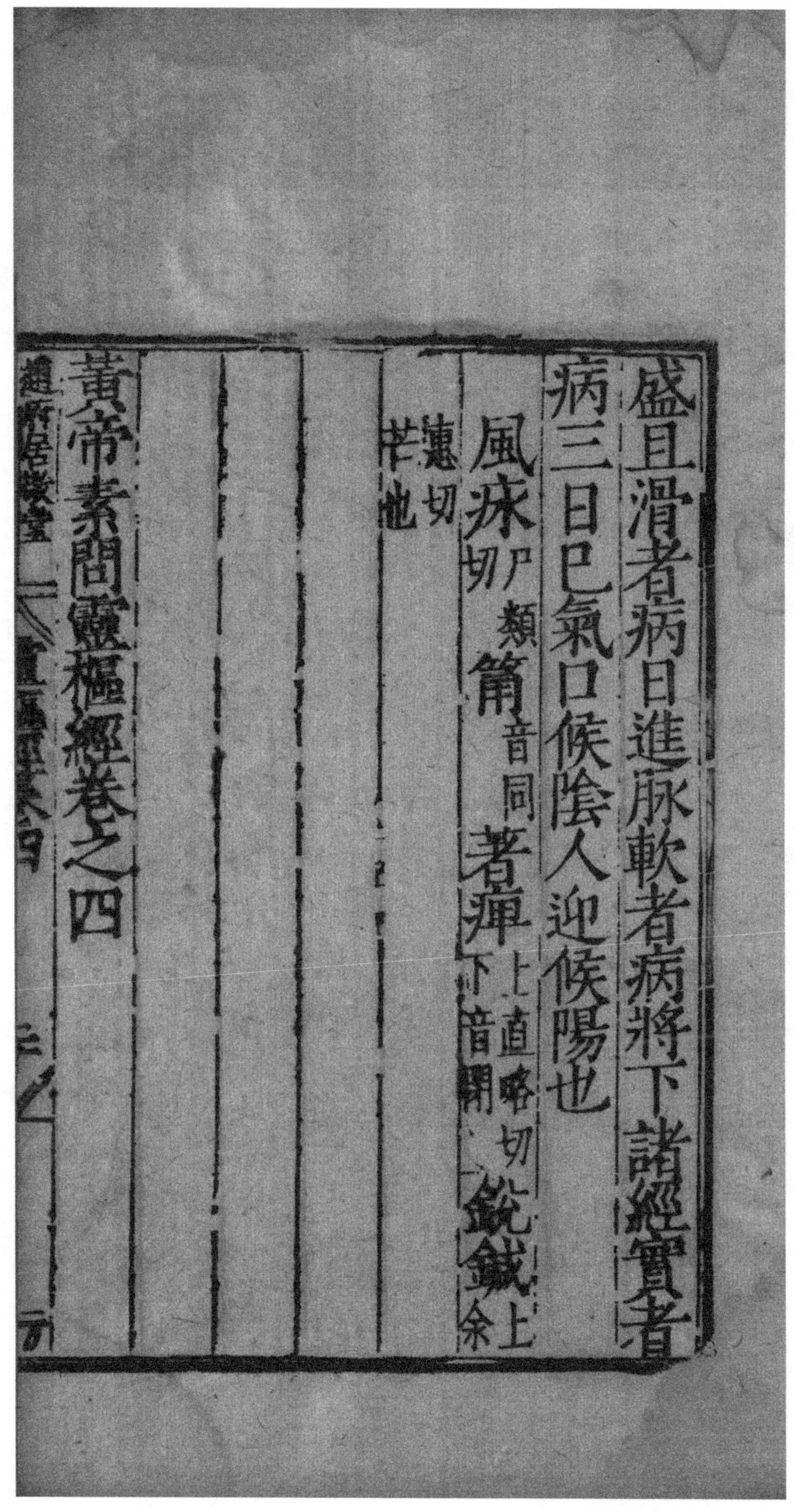

盛且滑者病日進脈軟者病將下諸經實者病三日已氣口候陰人迎候陽也

風㾓尸類切　筩音同　著痺上直略切下音閉　鍉鍼上余遞切芒也

黃帝素問靈樞經卷之四

趙府居敬堂　靈樞經卷四　三

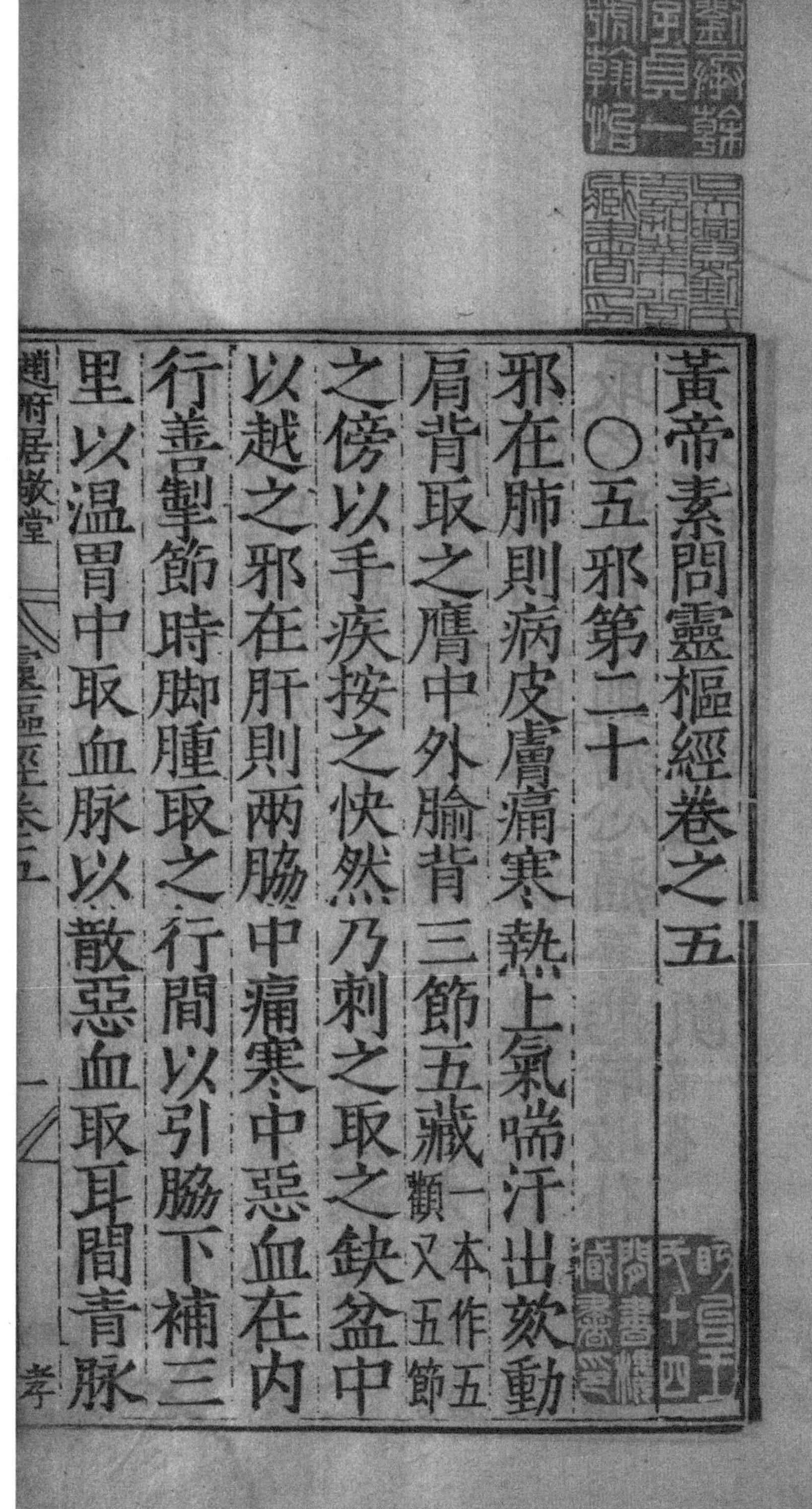

黃帝素問靈樞經卷之五

○五邪第二十

邪在肺則病皮膚痛寒熱上氣喘汗出欬動肩背取之膺中外腧背三節五藏一本作五顀又五節之傍以手疾按之快然乃刺之取之缺盆中以越之邪在肝則兩脇中痛寒中惡血在內行善掣節時脚腫取之行間以引脇下補三里以溫胃中取血脉以散惡血取耳間青脉

以去其掣邪在脾胃則病肌肉痛陽氣有餘陰氣不足則熱中善饑陽氣不足陰氣有餘則寒中腸鳴腹痛陰陽俱有餘若俱不足則有寒有熱皆調于三里邪在腎則病骨痛陰痺陰痺者按之而不得腹脹腰痛大便難肩背頸項痛時眩取之湧泉崑崙視有血者盡取之邪在心則病心痛喜悲時眩仆視有餘不足而調之其輸也　顀音椎

○寒熱病第二十一

皮寒熱者不可附席毛髮焦鼻槁腊不得汗取三陽之絡以補手太陰肌寒熱者肌痛毛髮焦而脣槁腊不得汗取三陽于下以去其血者補足太陰以出其汗骨寒熱者病無所安汗注不休齒未槁取其少陰于陰股之絡齒已槁死不治骨厥亦然骨痹舉節不用而痛汗注煩心取三陰（一本作三陽）之經補之身有

所傷血出多及中風寒若有所墮墜四支懈惰不收名曰體惰取其小腹臍下三結交三結交者陽明大陰也臍下三寸關元也厥痺者厥氣上及腹取陰陽之絡視主病也寫陽補陰經也頸側之動脉人迎人迎足陽明也在嬰筋之前嬰筋之後手陽明也名曰扶突次脉足少陽脉也名曰天牖次脉足太陽也名曰天柱腋下動脉臂太陰也名曰天府陽

迎頭痛胷滿不得息取之人迎暴瘖氣鞕取
扶突與舌本出血暴聾氣蒙耳目不明取天
牖暴攣癇眩足不任身取天柱暴癉内逆肝
肺相搏血溢鼻口取天府此爲天牖五部臂
陽明有入頄徧齒者名曰大迎下齒齲取之
臂惡寒補之不惡寒寫之足太陽有入頄徧
齒者名曰角孫上齒齲取之在鼻與頄前方
病之時其脉盛盛則寫之虚則補之一曰取

之出鼻外足陽明有挾鼻入于面者名曰懸
顱屬口對入繫目本視有過者取之損有餘
益不足反者益其足太陽有通項入于腦者
正屬目本名曰眼系頭目苦痛取之在項中
兩筋間入腦乃別陰蹻陽蹻陰陽相交陽入
陰陰出陽交于目銳眥陽氣盛則瞋目陰氣
盛則瞋目熱厥取足太陰少陽皆留之寒厥
取足陽明少陰于足皆留之舌縱涎下煩悗

取足少陰振寒洒洒鼓頷不得汗出腹脹煩
悗取手太陰刺虛者刺其去也刺實者刺其
來也春取絡脉夏取分腠秋取氣口冬取經
輸凡此四時各以時爲齊絡脉治皮膚分腠
治肌肉氣口治筋脉經輸治骨髓五藏身有
五部伏兔一腓二腓者腨也背三五藏之腧
四項五此五部有癰疽者死病始手臂者先
取手陽明太陰而汗出病始頭首者先取項

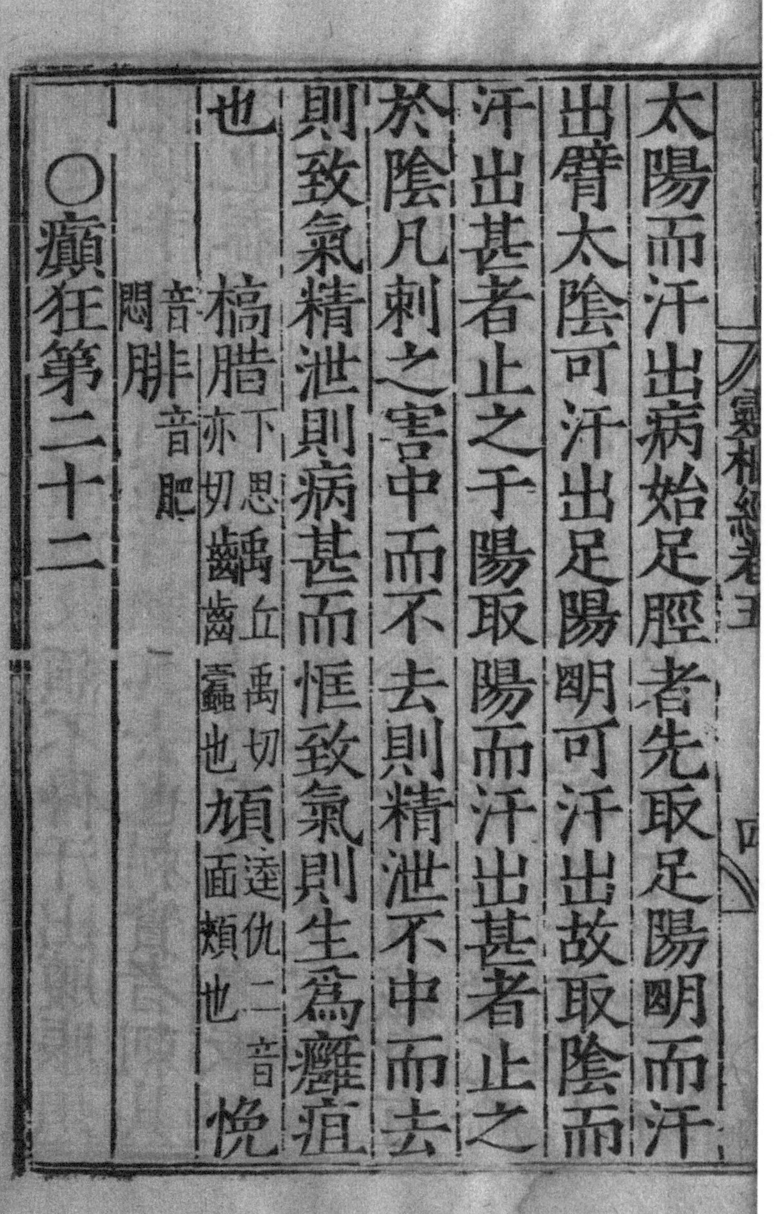

太陽而汗出病始足脛者先取足陽明而汗出臂太陰可汗出足陽明可汗出故取陰而汗出甚者止之于陽取陽而汗出甚者止之於陰凡刺之害中而不去則精泄不中而去則致氣精泄則病甚而恇致氣則生爲癰疽也

槁腊下思亦切 齵丘禺切齒齻也 頄逵仇二音面顴也 悗音悶 腓音肥

○癲狂第二十二

目眥外決于面者爲銳眥在內近鼻者爲內眥上爲外眥下爲內眥癲疾始生先不樂頭重痛視舉目赤甚作極已而煩心候之于顏取手太陽陽明太陰血變而止癲疾始作而引口啼呼喘悸者候之手陽明太陽左強者攻其右右強者攻其左血變而止癲疾始作先反僵因而脊痛候之足太陽陽明太陰手太陽血變而止治癲疾者常與之居察其所

當取之處病至視之有過者寫之置其血于瓠壺之中至其發時血獨動矣不動灸窮骨二十壯窮骨者骶骨也骨癲疾者顑齒諸腧分肉皆滿而骨居汗出煩悗嘔多沃沫氣下泄不治筋癲疾者身倦攣急大刺項大經之大杼脉嘔多沃沫氣下泄不治脉癲疾者暴仆四肢之脉皆脹而縱脉滿盡刺之出血不滿灸之挾項太陽灸帶脉于腰相去三寸諸

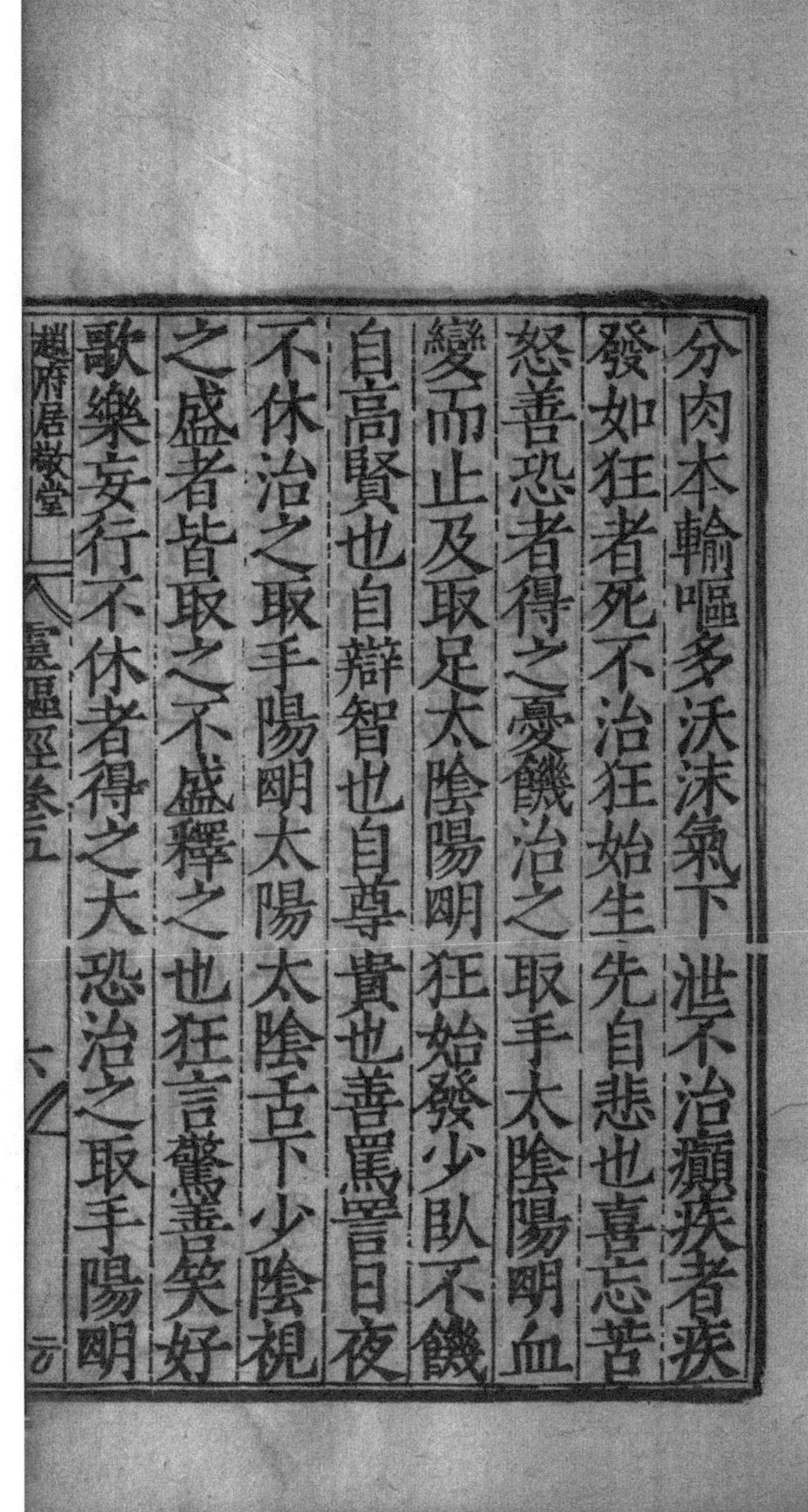

分肉本輸嘔多沃沫氣下泄不治癲疾者疾
發如狂者死不治狂始生先自悲也喜忘苦
怒善恐者得之憂饑治之取手太陰陽明血
變而止及取足太陰陽明狂始發少臥不饑
自高賢也自辯智也自尊貴也善罵詈日夜
不休治之取手陽明太陽太陰舌下少陰視
之盛者皆取之不盛釋之也狂言驚善笑好
歌樂妄行不休者得之大恐治之取手陽明

太陽太陰狂目妄見耳妄聞善呼者少氣之所生也治之取手太陽太陰陽明足太陰頭兩顑狂者多食善見鬼神善笑而不發于外者得之有所大喜治之取足太陰太陽陽明後取手太陰太陽陽明狂而新發未應如此者先取曲泉左右動脉及盛者見血有頃已不已以法取之灸骨骶二十壯風逆暴四肢腫身漯漯唏然時寒饑則煩飽則善變取手

太陰表裏足少陰陽明之經肉清取滎骨清取井經也厥逆爲病也足暴清胷若將裂腸若將以刀切之煩而不能食脉大小皆濇煖取足少陰清取足陽明清則補之温則寫之厥逆腹脹滿腸鳴胷滿不得息取之下胷二脇欬而動手者與背腧以手按之立快者是也内閉不得溲刺足少陰太陽與骶上以長鍼氣逆則取其太陰陽明厥陰甚取少陰陽

眀動者之經也少氣身漯漯也言吸吸也骨痠體重懈惰不能動補足少陰短氣息短不屬動作氣索補足少陰去血絡也

倦攣上音權顑口感切面黃起行唏許几切笑也

○熱病第二十三

偏枯身偏不用而痛言不變志不亂病在分腠之間巨鍼取之益其不足損其有餘乃可復也痱之爲病也身無痛者四肢不收智亂

不甚其言微知可治甚則不能言不可治也病先起于陽後入于陰者先取其陽後取其陰浮而取之熱病三日而氣口靜人迎躁者取之諸陽五十九刺以寫其熱而出其汗實其陰以補其不足者身熱甚陰陽皆靜者勿刺也其可刺者急取之不汗出則泄所謂勿刺者有死徵也熱病七日八日脉口動喘而短一本作弦者急刺之汗且自出淺刺手大指間

熱病七日八日脉微小病者溲血口中乾一日半而死脉代者一日死熱病巳得汗出而脉尚躁喘且復熱勿刺膚喘甚者死熱病七日八日脉不躁躁不散數後三日中有汗三日不汗四日死未曾汗者勿腠刺之熱病先膚痛窒鼻充面取之皮以第一鍼五十九苛軫鼻索皮于肺不得索之火火者心也熱病先身濇倚而熱煩悗乾脣口嗌取之皮以第

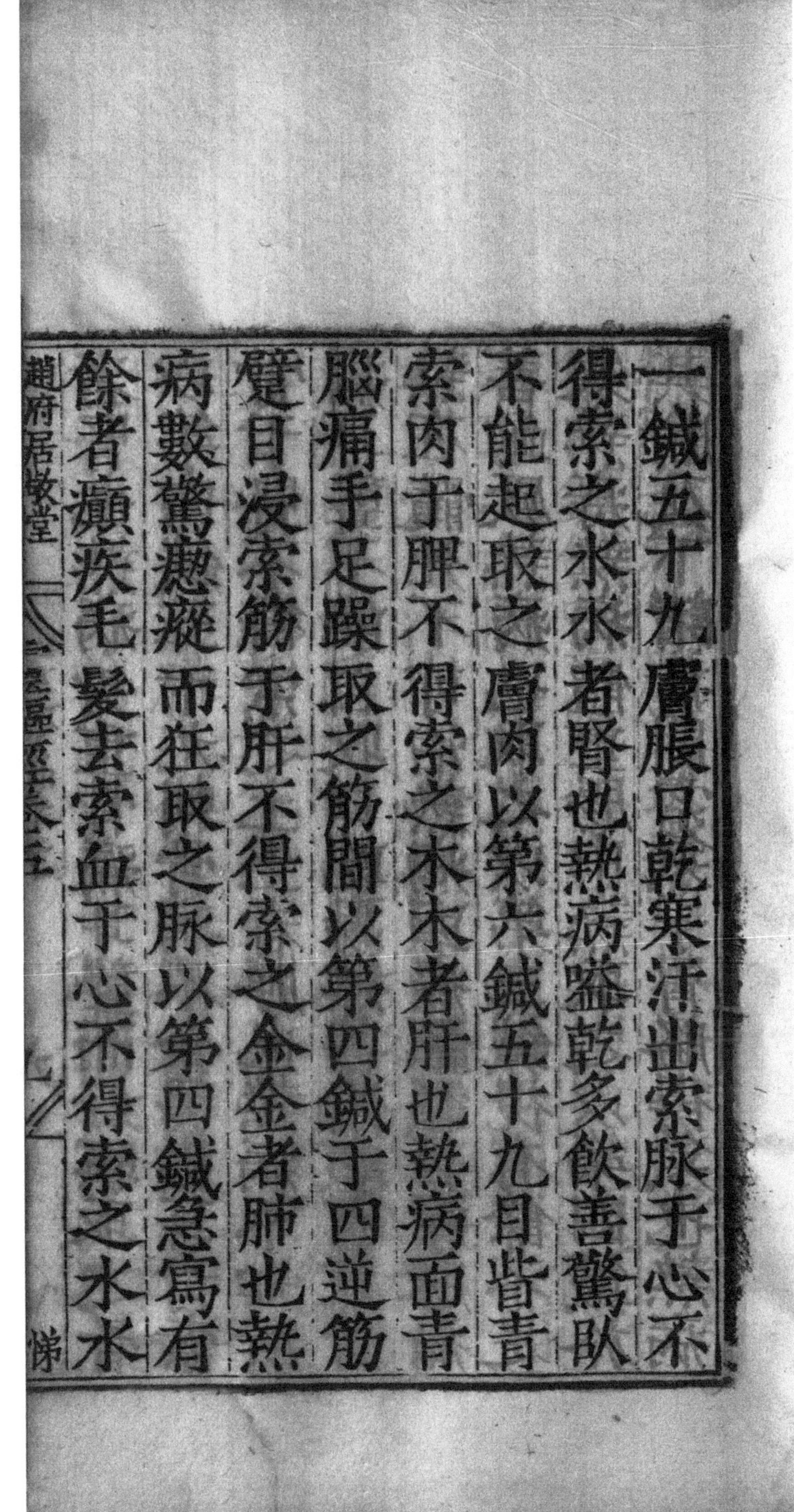

一鍼五十九膚脹口乾寒汗出索脉于心不得索之水水者腎也熱病嗌乾多飲善驚臥不能起取之膚肉以第六鍼五十九目眥青索肉于脾不得索之木木者肝也熱病面青腦痛手足躁取之筋間以第四鍼于四逆筋躄目浸索筋于肝不得索之金金者肺也熱病數驚瘛瘲而狂取之脉以第四鍼急寫有餘者癲疾毛髮去索血于心不得索之水水

者腎也熱病身重骨痛耳聾而好瞑取之骨
以第四鍼五十九刺骨病不食齧齒耳青索
骨于腎不得索之土土者脾也熱病不知所
痛耳聾不能自收口乾陽熱甚陰頗有寒者
熱在髓死不可治熱病頭痛顳顬目瘈脉痛
善衄厥熱病也取之以第三鍼視有餘不足
寒熱痔熱病體重腸中熱取之以第四鍼於
其腧及下諸指間索氣于胃胳得氣也熱病

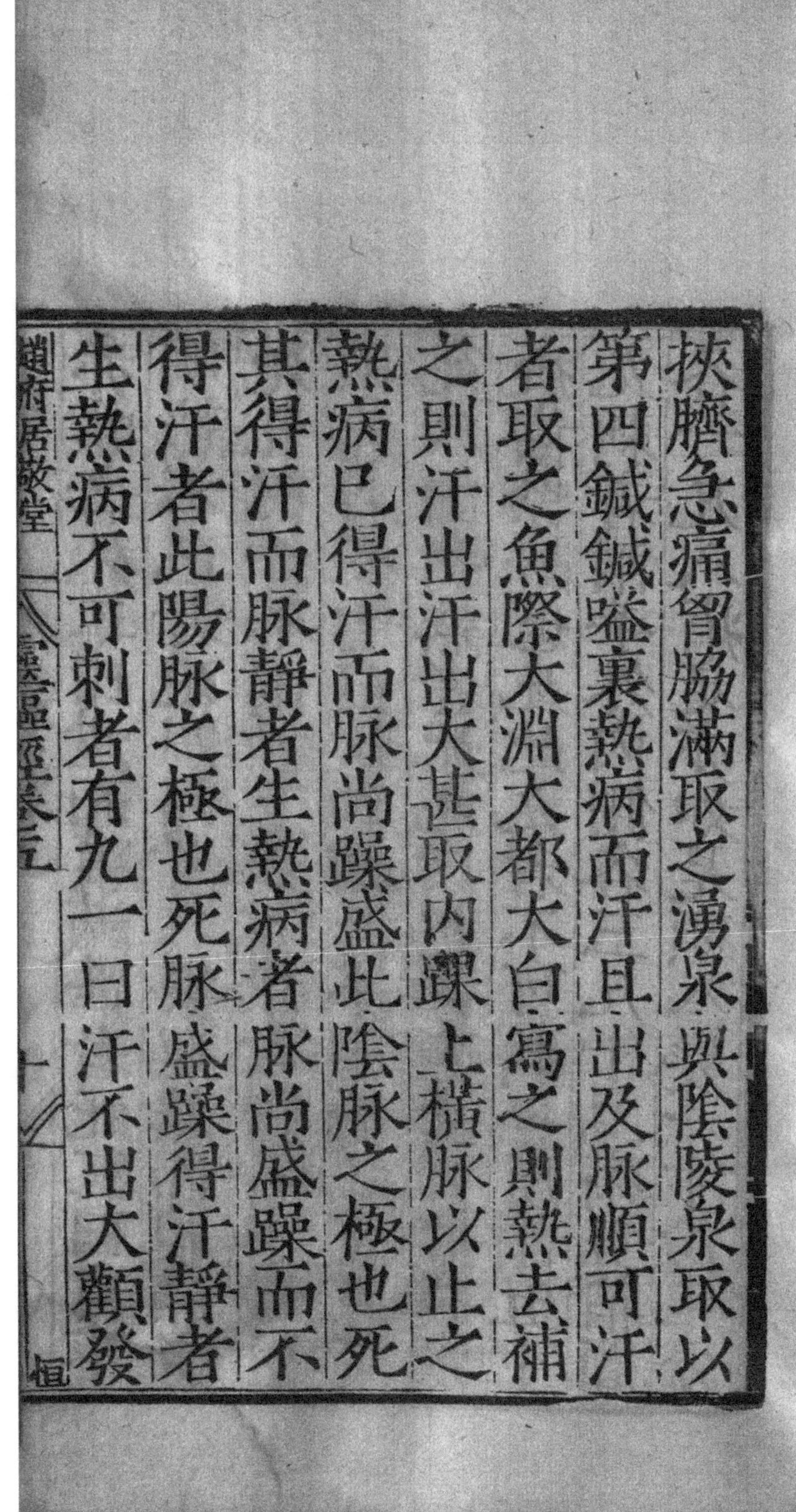

挾臍急痛胷脇滿取之湧泉與陰陵泉取以第四鍼鍼嗌裏熱病而汗且出及脉順可汗者取之魚際大淵大都大白寫之則熱去補之則汗出汗出大甚取內踝上横脉以止之熱病已得汗而脉尚躁盛此陰脉之極也死其得汗而脉靜者生熱病者脉尚盛躁而不得汗者此陽脉之極也死脉盛躁得汗靜者生熱病不可刺者有九一曰汗不出大顴發

赤噦者死二曰泄而腹滿甚者死三曰目不
明熱不已者死四曰老人嬰兒熱而腹滿者
死五曰汗不出嘔下血者死六曰舌本爛熱
不已者死七曰欬而衄汗不出出不至足者
死八曰髓熱者死九曰熱而痙者死腰折瘈
瘲齒噤齘也凡此九者不可刺也所謂五十
九刺者兩手外內側各三凡十二痏五指間
各一凡八痏足亦如是頭入髮一寸傍三分

各三凡六痏更入髮三寸邊五凡十痏耳前後口下者各一項中一凡六痏巔上一顖會一髮際一廉泉一風池二天柱二氣滿胷中喘息取足太陰大指之端去爪甲如薤葉寒則留之熱則疾之氣下乃止心疝暴痛取足太陰厥陰盡刺去其血絡喉痺舌卷口中乾煩心心痛臂內廉痛不可及頭取手小指次指爪甲下去端如韭葉目中赤痛從內眥始

取之陰蹻風痓身及折先取足太陽及膕中及血絡出血中有寒取三里癃取之陰蹻及三毛上及血絡出血男子如蠱女子如怚身體腰脊如解不欲飲食先取湧泉見血視跗上盛者盡見血也

痱音肥 痓巨井切 噤巨禁切 齘音介

○厥病第二十四

厥頭痛面若腫起而煩心取之足陽明太陰

厥頭痛頭脉痛心悲善泣視頭動脉反盛者刺盡去血後調足厥陰厥頭痛貞貞頭重而痛寫頭上五行行五先取手少陰後取足少陰厥頭痛意善忘按之不得取頭面左右動脉後取足太陰厥頭痛項先痛腰脊爲應先取天柱後取足太陽厥頭痛頭痛甚耳前後脉湧有熱一本云有動脉寫出其血後取足少陽眞頭痛頭痛甚腦盡痛手足寒至節死不治頭

痛不可取于腧者有所擊墮惡血在于内若
肉傷痛未已可則刺不可遠取也頭痛不可
刺者大痺爲惡日作者可令少愈不可已頭
半寒痛先取手少陽陽明後取足少陽陽明
厥心痛與背相控善瘛如從後觸其心傴僂
者腎心痛也先取京骨崑崙發狂不已取然
谷厥心痛腹脹胷滿心尤痛甚胃心痛也取
之大都大白厥心痛痛如以錐鍼刺其心心

痛甚者脾心痛也取之然谷大谿厥心痛色蒼蒼如死狀終日不得太息肝心痛也取之行間大衝厥心痛臥若徒居心痛間動作痛益甚色不變肺心痛也取之魚際大淵眞心痛手足清至節心痛甚旦發夕死夕發旦死心痛不可刺者中有盛聚不可取于腧腸中有蟲瘕及蛟蛕皆不可取以小鍼心腸痛憹作痛腫聚往來上下行痛有休止腹熱喜渴

涎出者是蛟蛕也以手聚按而堅持之無令得移以大鍼刺之久持之蟲不動乃出鍼也恚腹憹痛形中上者耳聾無聞取耳中耳鳴取耳前動脉耳痛不可刺者耳中有膿若有乾耵聹耳無聞也耳聾取手小指次指爪甲上與肉交者先取手後取足耳鳴取手中指爪甲上左取右右取左先取手後取足足髀不可舉側而取之在樞合中以員利鍼大鍼

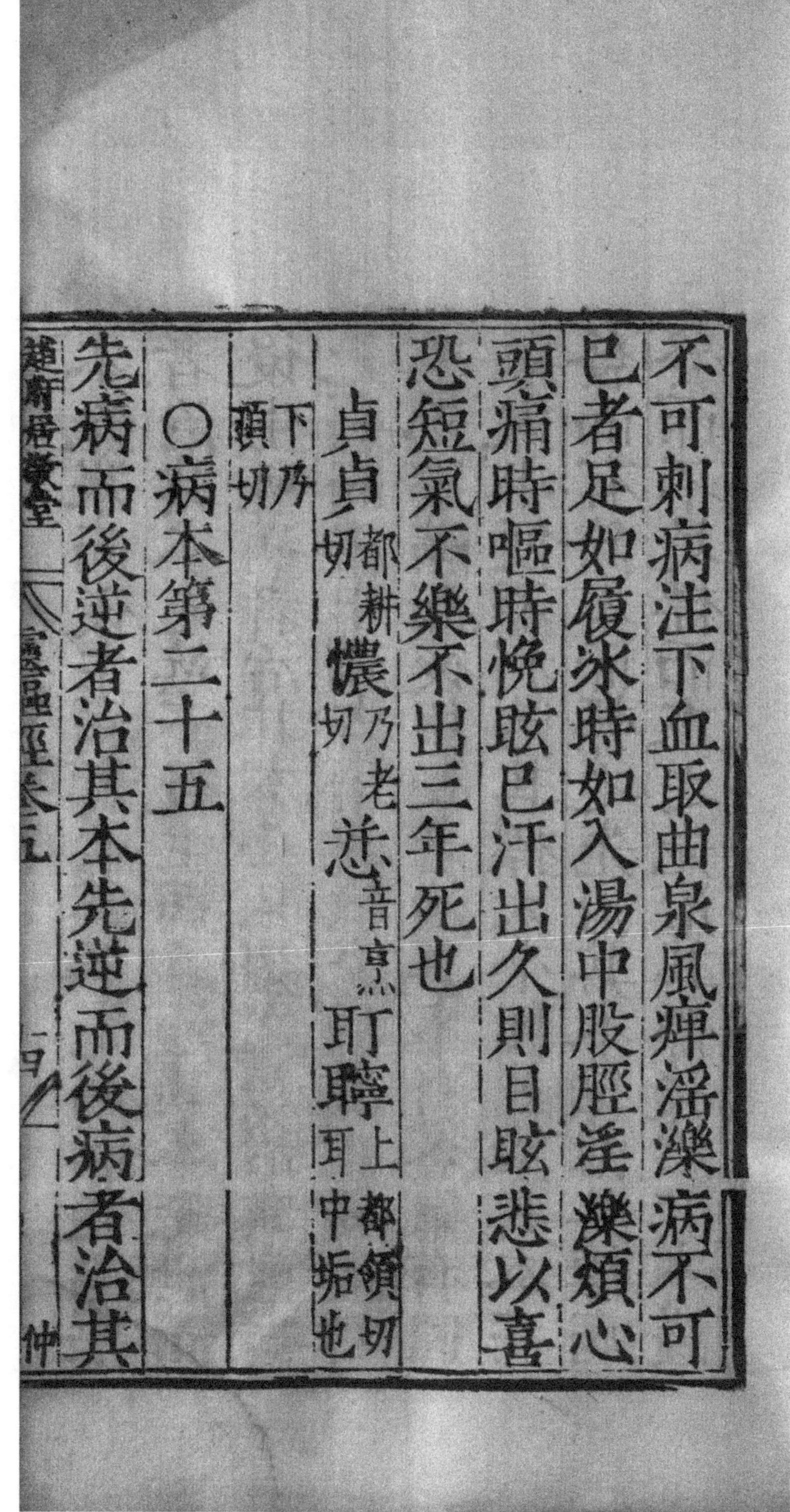

不可刺病注下血取曲泉風痺淫濼病不可已者足如履冰時如入湯中股脛淫濼煩心頭痛時嘔時悗眩已汗出久則目眩悲以喜恐短氣不樂不出三年死也

貞貞都耕切 憹乃老切 恙音烹 耵聹上都領切耳中垢也下乃頂切

○病本第二十五

先病而後逆者治其本先逆而後病者治其

本先寒而後生病者治其本先病而後生寒者治其本先熱而後生病者治其本先泄而後生他病者治其本必且調之乃治其他病先病而後中滿者治其標先病後泄者治其本先中滿而後煩心者治其本有客氣有同氣大小便不利治其標大小便利治其本病發而有餘本而標之先治其本後治其標病發而不足標而本之先治其標後治其本謹

詳察間甚以意調之間者并行甚爲獨行先小大便不利而後生他病者治其本也

○雜病第二十六

厥挾脊而痛者至頂頭沈沈然目䀮䀮然腰脊強取足太陽膕中血絡厥胷滿面腫脣漯漯然暴言難甚則不能言取足陽明厥氣走喉而不能言手足清大便不利取足少陰厥而腹嚮嚮然多寒氣腹中穀穀便溲難取足

太陰嗌乾口中熱如膠取足少陰膝中痛取犢鼻以員利鍼發而間之鍼大如氂刺膝無疑喉痺不能言取足陽明能言取手陽明瘧不渴間日而作取足陽明渴而日作取手陽明齒痛不惡清飲取足陽明惡清飲取手陽明聾而不痛者取足少陽聾而痛者取手陽明衄而不止衃血流取足太陽衃血取手太陽不已刺宛骨下不已刺膕中出血腰痛痛

上寒取足太陽陽明痛上熱取足厥陰不可以俛仰取足少陽中熱而喘取足少陰膕中血絡喜怒而不欲食言益小刺足太陰怒而多言刺足少陽顑痛刺手陽明與顑之盛脉出血項痛不可俛仰刺足太陽不可以顧刺手太陽也小腹滿大上走胃至心淅淅身時寒熱小便不利取足厥陰腹滿大便不利腹大亦上走胷嗌喘息喝喝然取足少陰腹滿

食不化腹嚮嚮然不能大便取足太陰心痛引腰脊欲嘔取足少陰心痛腹脹嗇嗇然大便不利取足太陰心痛引背不得息刺足少陰不已取手少陽心痛引小腹滿上下無常處便溲難刺足厥陰心痛但短氣不足以息刺手太陰心痛當九節刺之按已刺按之立已不已上下求之得之立已顑痛刺足陽明曲周動脉見血立已不已按人迎于經立已

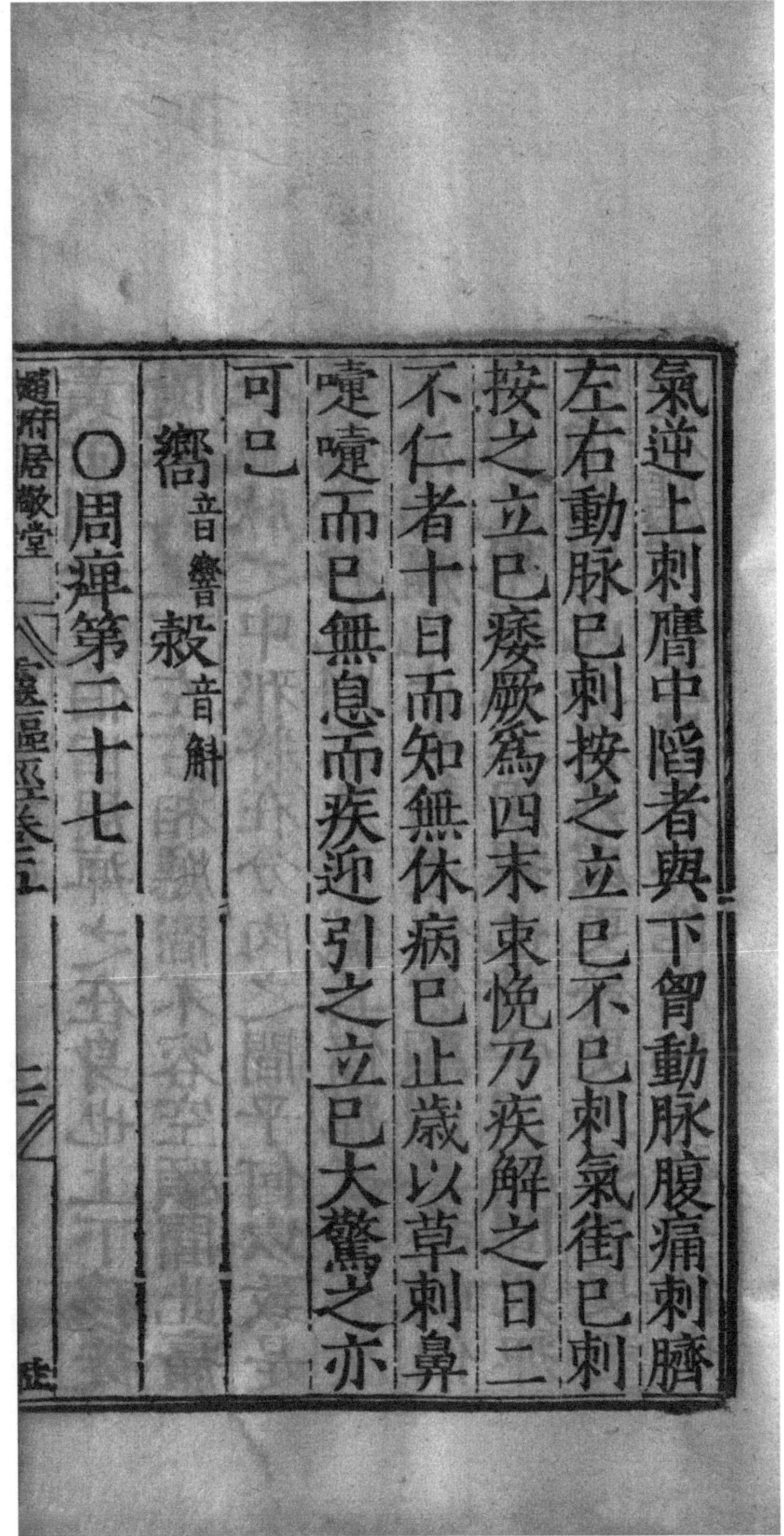

氣逆上刺膺中陷者與下胷動脉腹痛刺臍左右動脉已刺按之立已不已刺氣街已刺按之立已痿厥爲四末束悗乃疾解之日二不仁者十日而知無休病已止歲以草刺鼻嚔嚔而已無息而疾迎引之立已大驚之亦可已

嚮音響 觳音斛

○周痺第二十七

黄帝問于岐伯曰周痺之在身也上下移徙
隨脉其上下左右相應間不容空願聞此痛
在血脉之中邪將在分肉之間乎何以致是
其痛之移也間不及下鍼其慉痛之時不及
定治而痛已止矣何道使然願聞其故岐伯
荅曰此衆痺也非周痺也黄帝曰願聞衆痺
岐伯對曰此各在其處更發更止更居更起
以右應左以左應右非能周也更發更休也

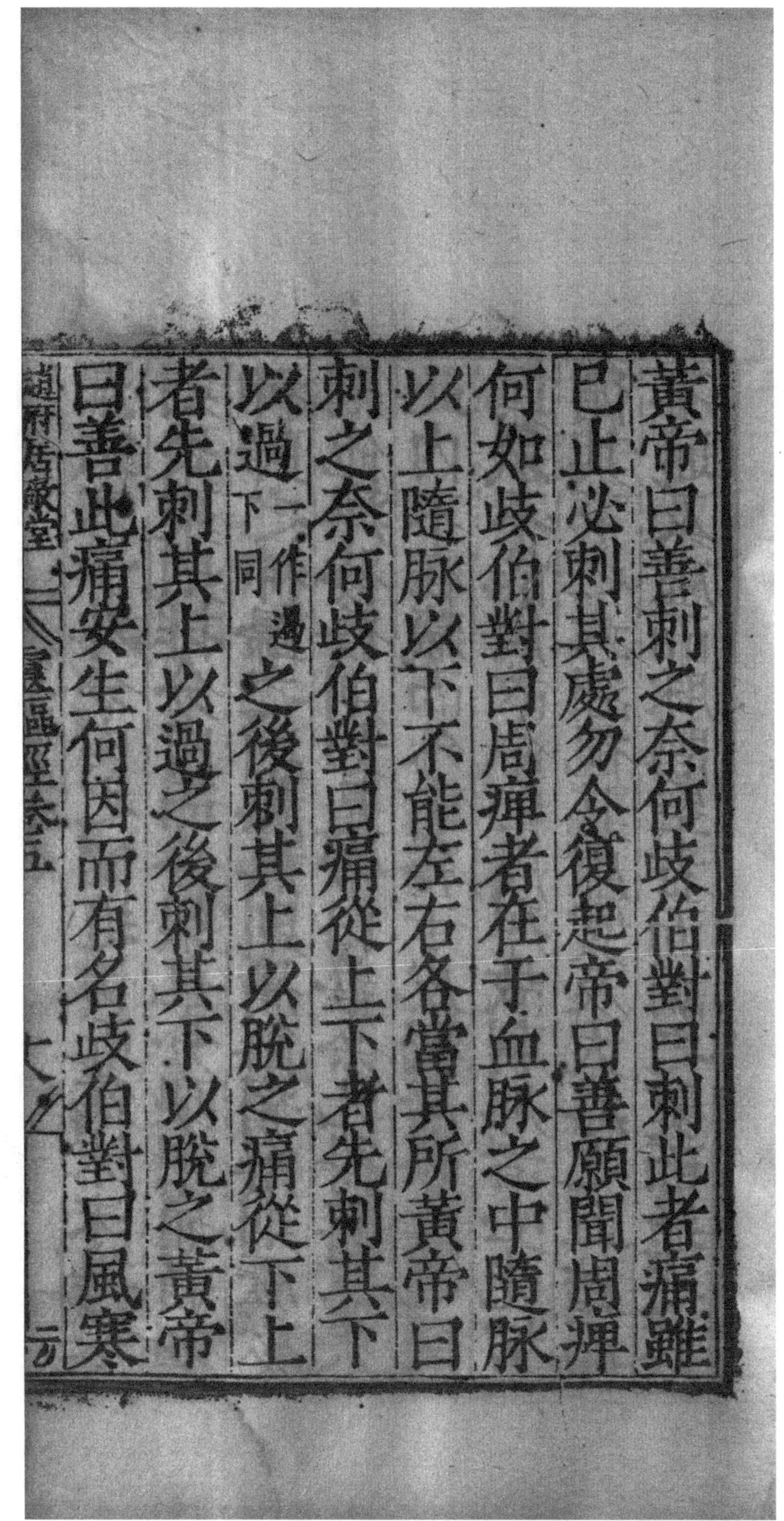

黃帝曰善刺之奈何岐伯對曰刺此者痛雖已止必刺其處勿令復起帝曰善願聞周痺何如岐伯對曰周痺者在于血脉之中隨脉以上隨脉以下不能左右各當其所黃帝曰刺之奈何岐伯對曰痛從上下者先刺其下以過（一作遏下同）之後刺其上以脫之痛從下上者先刺其上以過之後刺其下以脫之黃帝曰善此痛安生何因而有名岐伯對曰風寒

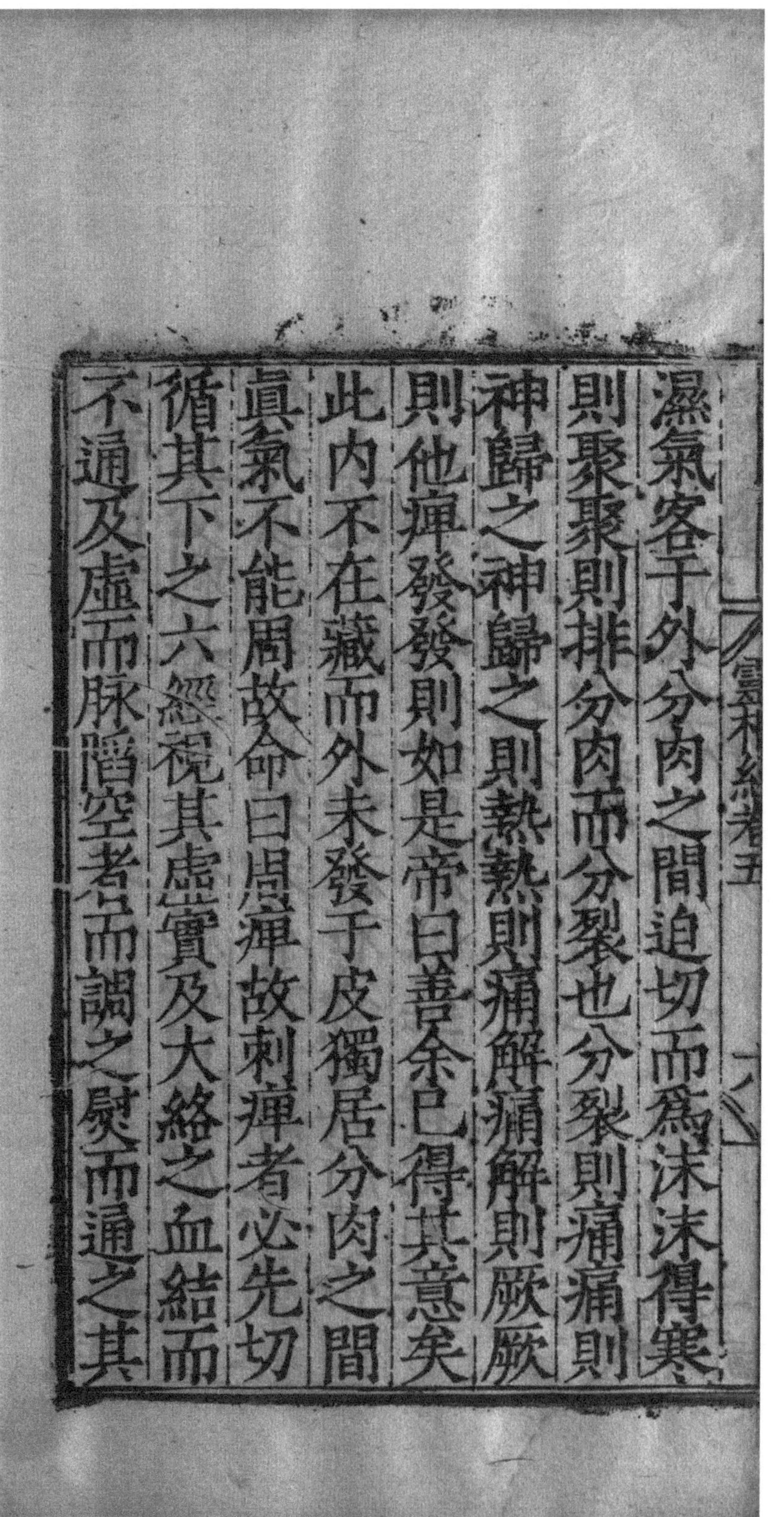

濕氣客于外分肉之間迫切而爲沫沫得寒則聚聚則排分肉而分裂也分裂則痛痛則神歸之神歸之則熱熱則痛解痛解則厥厥則他痺發發則如是帝曰善余已得其意矣此内不在藏而外未發于皮獨居分肉之間眞氣不能周故命曰周痺故刺痺者必先切循其下之六經視其虛實及大絡之血結而不通及虛而脉陷空者而調之熨而通之其

瘛堅轉引而行之黄帝曰善余已得其意矣
亦得其事也九者經巽之理十二經脉陰陽
之病也　慉許六切

○口問第二十八

黄帝閒居辟左右而問于歧伯曰余已聞九
鍼之經論陰陽逆順六經已畢願得口問歧
伯避席再拜曰善乎哉問也此先師之所口
傳也黄帝曰願聞口傳歧伯荅曰夫百病之

始生也皆生于風雨寒暑陰陽喜怒飲食居處大驚卒恐則血氣分離陰陽破敗經絡厥絶脉道不通陰陽相逆衛氣稽留經脉虚空血氣不次乃失其常論不在經者請道其方

黄帝曰人之欠者何氣使然岐伯荅曰衛氣晝日行于陽夜半則行于陰陰者主夜夜者卧陽者主上陰者主下故陰氣積于下陽氣未盡陽引而上陰引而下陰陽相引故數欠

陽氣盡陰氣盛則目瞑陰氣盡而陽氣盛則寤矣寫足少陰補足太陽黄帝曰人之噦者何氣使然岐伯曰穀入于胃胃氣上注于肺今有故寒氣與新谷氣俱還入于胃新故相亂眞邪相攻氣幷相逆復出于胃故爲噦補手太陰寫足少陰黄帝曰人之唏者何氣使然岐伯曰此陰氣盛而陽氣虚陰氣疾而陽氣徐陰氣盛而陽氣絶故爲唏補足太陽寫

足少陰黃帝曰人之振寒者何氣使然岐伯曰寒氣客于皮膚陰氣盛陽氣虛故爲振寒寒慄補諸陽黃帝曰人之噫者何氣使然岐伯曰寒氣客于胃厥逆從下上散復出于胃故爲噫補足太陰陽明一曰補眉本也黃帝曰人之嚏者何氣使然岐伯曰陽氣和利滿于心出于鼻故爲嚏補足太陽榮眉本一曰眉上也黃帝曰人之嚲者何氣使然岐伯曰

胃不實則諸脉虛諸脉虛則筋脉懈惰筋脉懈惰則行陰用力氣不能復故爲嚲因其所在補分肉間黄帝曰人之哀而泣涕出者何氣使然岐伯曰心者五藏六府之主也目者宗脉之所聚也上液之道也口鼻者氣之門戶也故悲哀愁憂則心動心動則五藏六府皆搖搖則宗脉感宗脉感則液道開液道開故泣涕出焉液者所以灌精濡空竅者也故

上液之道開則泣泣不止則液竭液竭則精
不灌精不灌則目無所見矣故命曰奪精補
天柱經俠頸黃帝曰人之太息者何氣使然
岐伯曰憂思則心系急心系急則氣道約約
則不利故太息以伸出之補手少陰心主足
少陽留之也黃帝曰人之涎下者何氣使然
岐伯曰飲食者皆入于胃胃中有熱則蟲動
蟲動則胃緩胃緩則廉泉開故涎下補足少

陰黃帝曰人之耳中鳴者何氣使然岐伯曰耳者宗脉之所聚也故胃中空則宗脉虚虚則下溜脉有所竭者故耳鳴補客主人手大指爪甲上與肉交者也黃帝曰人之自齧舌者何氣使然此厥逆走上脉氣輩至也少陰氣至則齧舌少陽氣至則齧頰陽明氣至則齧脣矣視主病者則補之凡此十二邪者皆奇邪之走空竅者也故邪之所在皆爲不足

故上氣不足腦爲之不滿耳爲之苦鳴頭爲
之苦傾目爲之眩中氣不足溲便爲之變腸
爲之苦鳴下氣不足則乃爲痿厥心悗補足
外踝下留之黄帝曰治之奈何歧伯曰腎主
爲欠取足少陰肺主爲噦取手太陰足少陰
唏者陰與陽絶故補足太陽瀉足少陰振寒
者補諸陽噫者補足太陰陽明嚏者補足太
陽眉本嚲因其所在補分肉間泣出補天柱

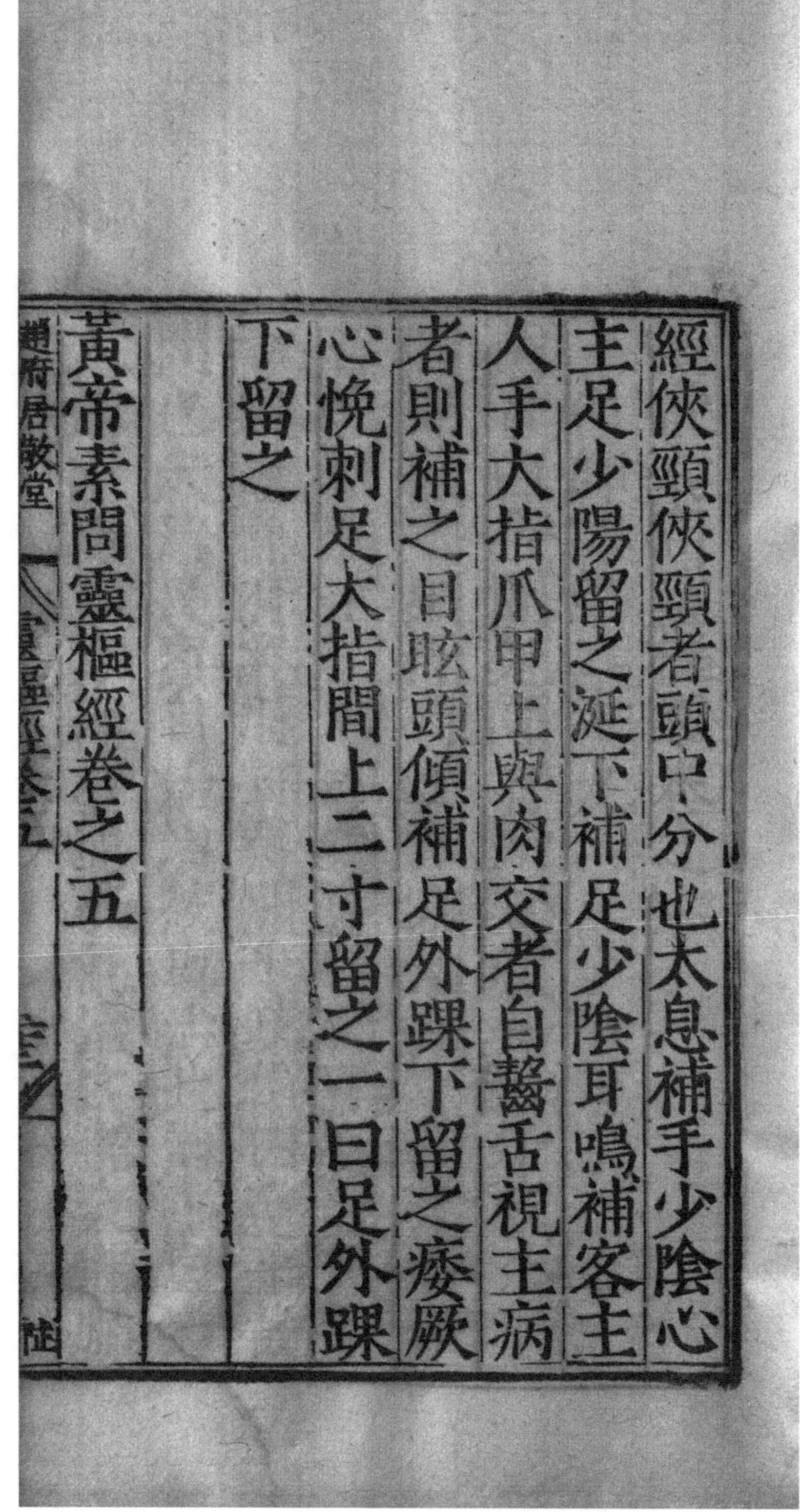

經俠頸俠頸者頭中分也太息補手少陰心主足少陽留之涎下補足少陰耳鳴補客主人手大指爪甲上與肉交者自齧舌視主病者則補之目眩頭傾補足外踝下留之痿厥心悗刺足大指間上二寸留之一曰足外踝下留之

黃帝素問靈樞經卷之五

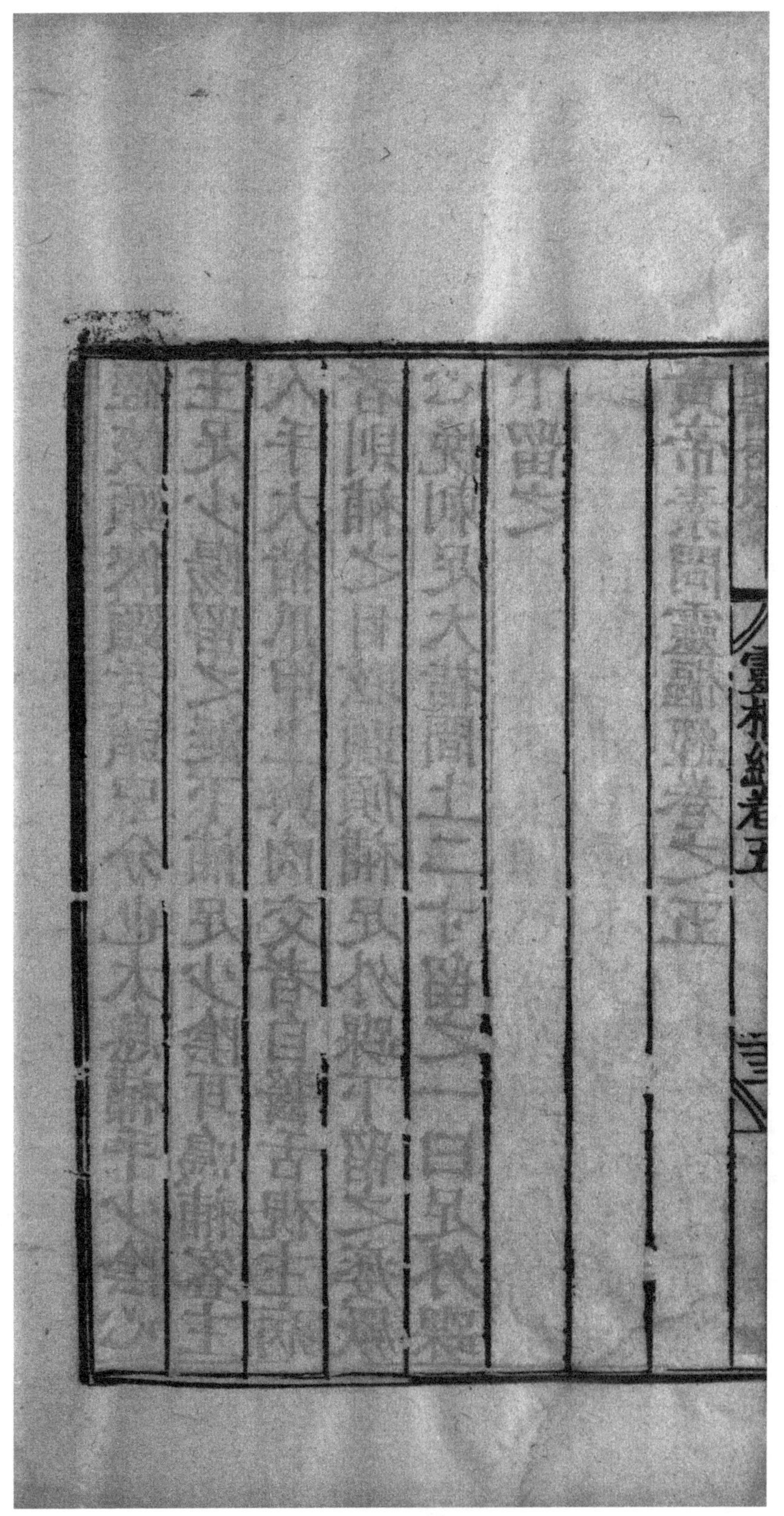

黄帝素問靈樞經卷之五

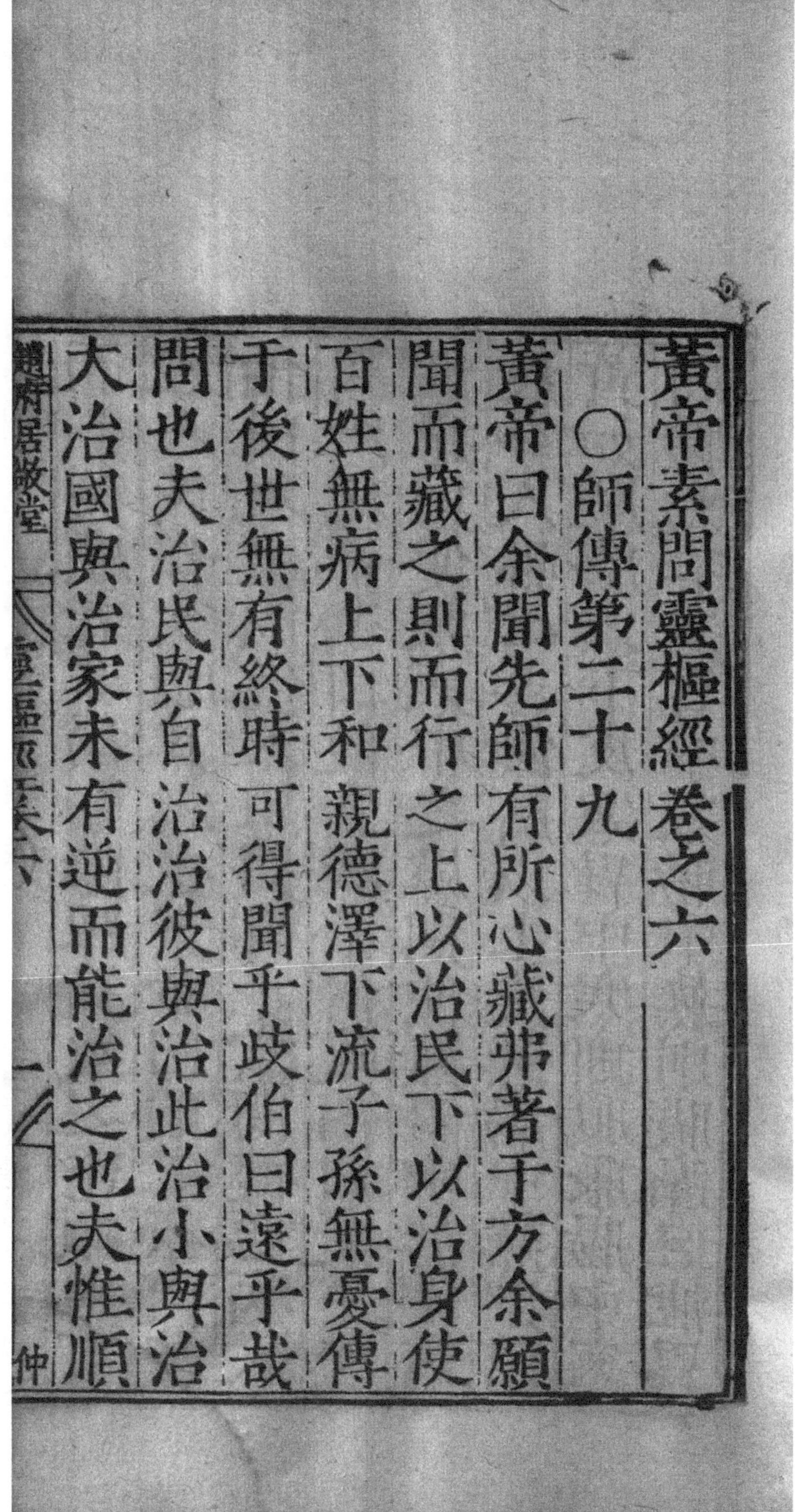

黃帝素問靈樞經卷之六

○師傳第二十九

黃帝曰：余聞先師有所心藏弗著于方余願聞而藏之則而行之上以治民下以治身使百姓無病上下和親德澤下流子孫無憂傳于後世無有終時可得聞乎岐伯曰遠乎哉問也夫治民與自治治彼與治此治小與治大治國與治家未有逆而能治之也夫惟順

而已矣順者非獨陰陽脉論氣之逆順也百姓人民皆欲順其志也黃帝曰順之奈何歧伯曰入國問俗入家問諱上堂問禮臨病人問所便黃帝曰便病人奈何歧伯曰夫中熱消癉則便寒寒中之屬則便熱胃中熱則消穀令人縣心善饑臍以上皮熱腸中熱則出黃如糜臍以下皮寒胃中寒則腹脹腸中寒則腸鳴飧泄胃中寒腸中熱則脹而且泄胃

中熱腸中寒則疾饑小腹痛脹黃帝曰胃欲寒飲腸欲熱飲兩者相逆便之柰何且夫王公大人血食之君驕恣從欲輕人而無能禁之禁之則逆其志順之則加其病便之柰何治之何先岐伯曰人之情莫不惡死而樂生告之以其敗語之以其善導之以其所便開之以其所苦雖有無道之人惡有不聽者乎黃帝曰治之柰何岐伯曰春夏先治其標後

治其本秋冬先治其本後治其標黃帝曰便
其相逆者奈何岐伯曰便此者食飲衣服亦
欲適寒温寒無凄愴暑無出汗食飲者熱無
灼灼寒無滄滄寒温中適故氣將持乃不致
邪僻也黃帝曰本藏以身形支節䐃肉候五
藏六府之小大焉今夫王公大人臨朝即位
之君而問焉誰可捫循之而後荅乎岐伯曰
身形支節者藏府之蓋也非面部之閱也黃

帝曰五藏之氣閱于面者余已知之矣以肢節知而閱之奈何岐伯曰五藏六府者肺爲之蓋巨肩陷咽候見其外黄帝曰善岐伯曰五藏六府心爲之主缺盆爲之道骷骨有餘以候𩩲骬黄帝曰善岐伯曰肝者主爲將使之候外欲知堅固視目小大黄帝曰善岐伯曰脾者主爲衛使之迎糧視脣舌好惡以知吉凶黄帝曰善岐伯曰腎者主爲外使之遠

聽視耳好惡以知其性黃帝曰善願聞六府之候岐伯曰六府者胃爲之海廣骸大頸張胷五穀乃容鼻隧以長以候大腸脣厚人中長以候小腸目下果大其膽乃橫鼻孔在外膀胱漏泄鼻柱中央起三焦乃約此所以候六府者也上下三等藏安且良矣　便平聲

○决氣第三十

黃帝曰余聞人有精氣津液血脉余意以爲

一氣耳今乃辨爲六名余不知其所以然歧伯曰兩神相搏合而成形常先身生是謂精何謂氣歧伯曰上焦開發宣五穀味熏膚充身澤毛若霧露之漑是謂氣何謂津歧伯曰腠理發泄汗出溱溱是謂津何謂液歧伯曰穀入氣滿淖澤注于骨骨屬屈伸洩澤補益腦髓皮膚潤澤是謂液何謂血歧伯曰中焦受氣取汁變化而赤是謂血何謂脉歧伯曰

壅遏營氣令無所避是謂脉黄帝曰六氣者有餘不足氣之多少腦髓之虚實血脉之清濁何以知之岐伯曰精脱者耳聾氣脱者目不明津脱者腠理開汗大泄液脱者骨屬屈伸不利色夭腦髓消脛痠耳數鳴血脱者色白夭然不澤其脉空虚此其候也黄帝曰六氣者貴賤何如岐伯曰六氣者各有部主也其貴賤善惡可爲常主然五穀與胃爲大海

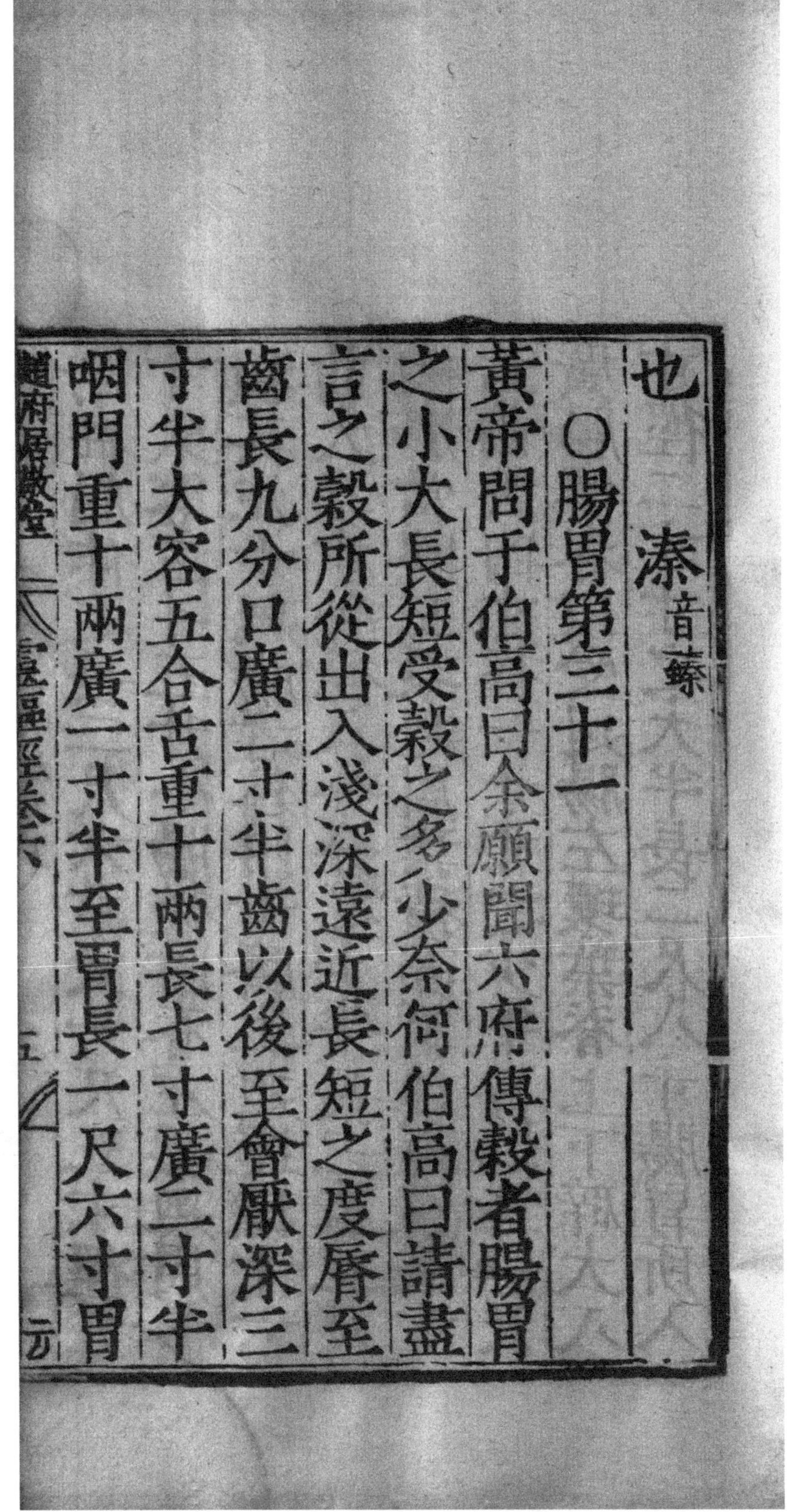

也　溱音臻

○腸胃第三十一

黄帝問于伯高曰余願聞六府傳穀者腸胃之小大長短受穀之多少奈何伯高曰請盡言之穀所從出入淺深遠近長短之度脣至齒長九分口廣二寸半齒以後至會厭深三寸半大容五合舌重十兩長七寸廣二寸半咽門重十兩廣一寸半至胃長一尺六寸胃

紆曲屈伸之長二尺六寸大一尺五寸徑五寸大容三斗五升小腸後附脊左環迴周疊積其注于迴腸者外附于臍上迴運環十六曲大二寸半徑八分分之少半長三丈二尺迴腸當臍左環迴周葉積而下迴運環反十六曲大四寸徑一寸寸之少半長二丈一尺廣腸傳脊以受迴腸左環葉脊上下辟大八寸徑二寸寸之大半長二尺八寸腸胃所入

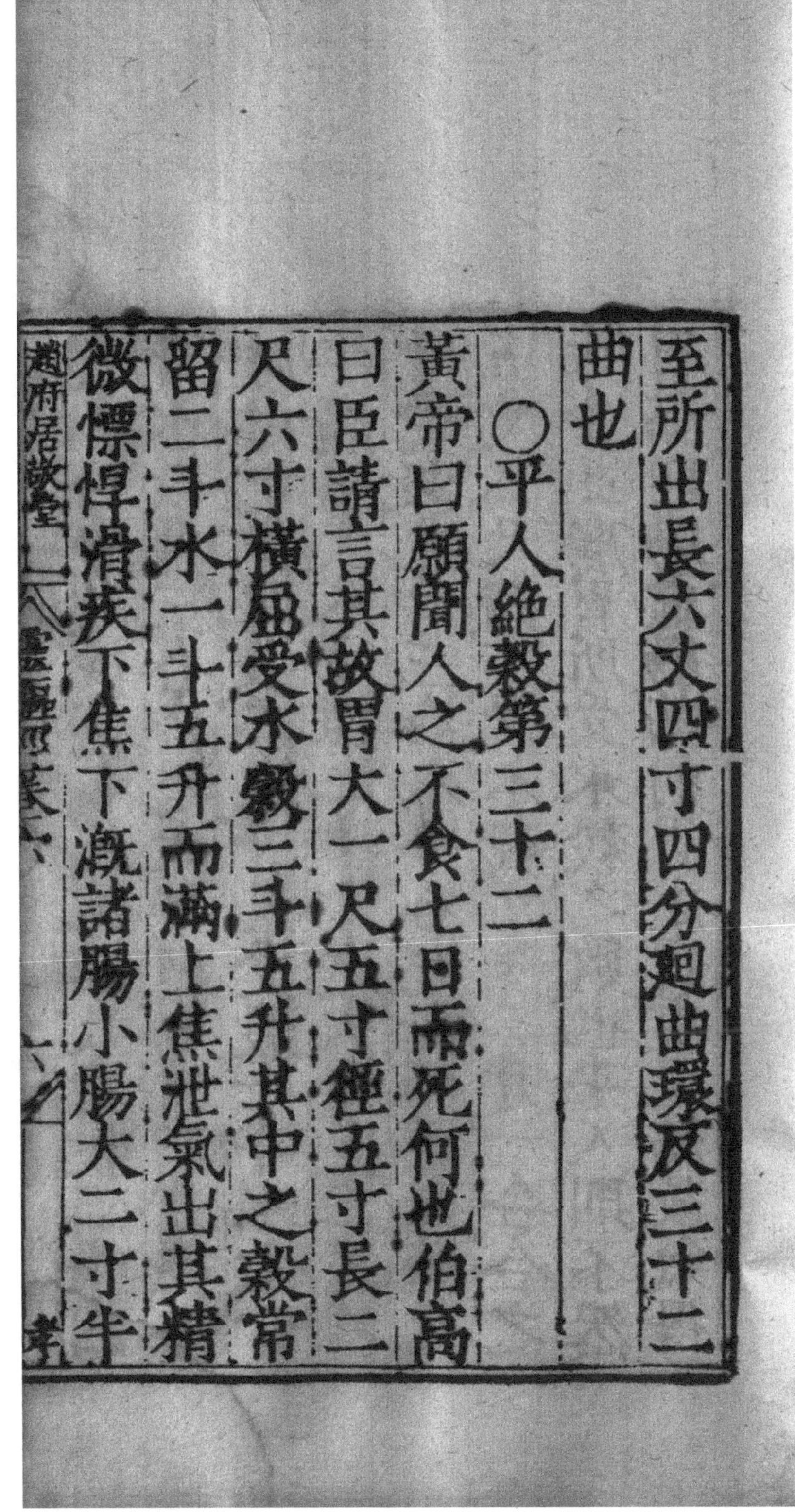

至所出長六丈四寸四分迴曲環反三十二曲也

○平人絶穀第三十二

黃帝曰願聞人之不食七日而死何也伯高曰臣請言其故胃大一尺五寸徑五寸長二尺六寸橫屈受水穀三斗五升其中之穀常留二斗水一斗五升而滿上焦泄氣出其精微慓悍滑疾下焦下溉諸腸小腸大二寸半

徑八分分之少半長三丈二尺受穀二斗四升水六升三合合之大半廻腸大四寸徑一寸寸之少半長二丈一尺受穀一斗水七升半廣腸大八寸徑二寸寸之大半長二尺八寸受穀九升三合八分合之一腸胃之長凡五丈八尺四寸受水穀九斗二升一合合之大半此腸胃所受水穀之數也平人則不然胃滿則腸虛腸滿則胃虛更虛更滿故氣得

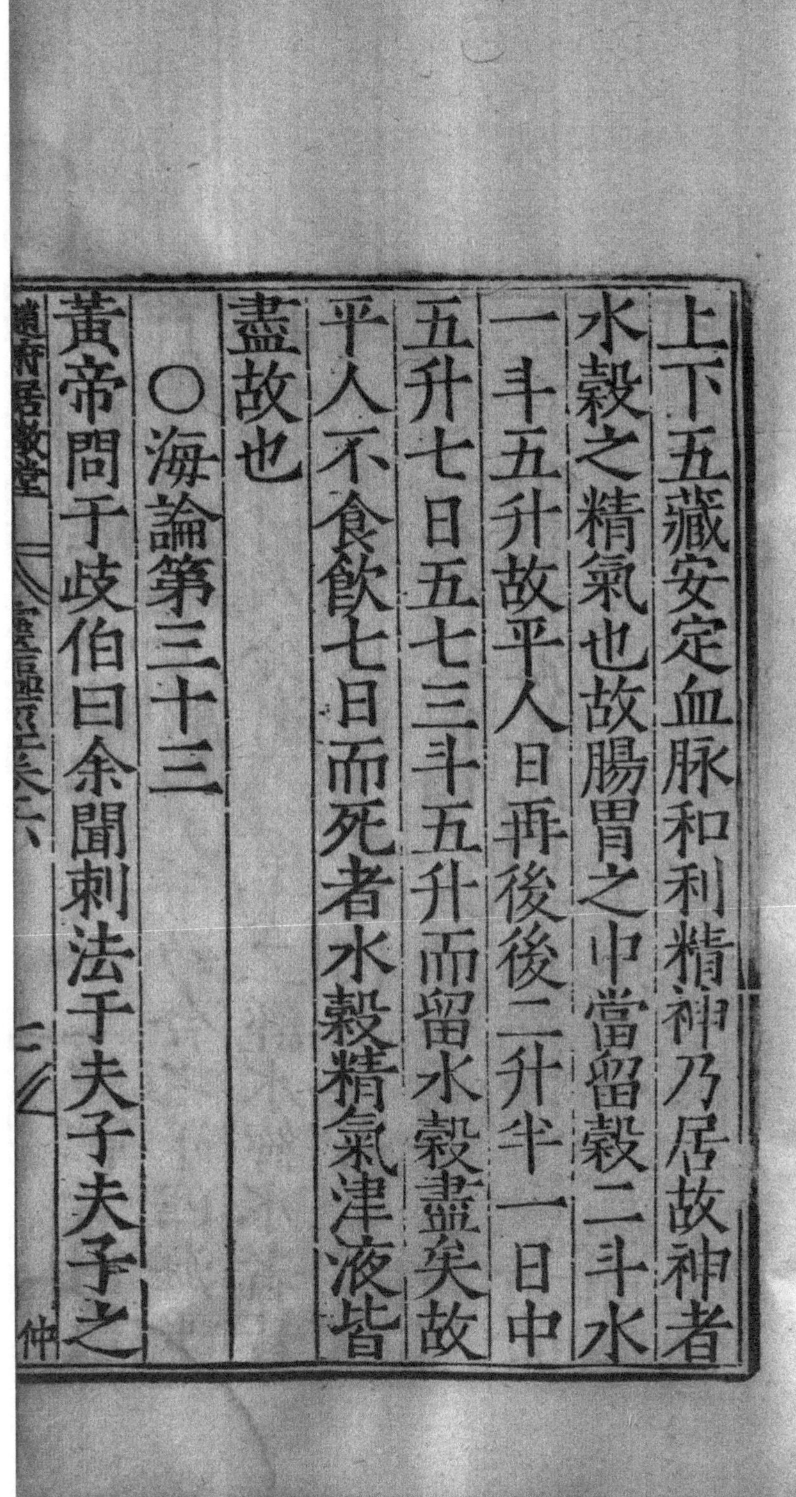

上下五藏安定血脉和利精神乃居故神者水穀之精氣也故腸胃之中當留穀二斗水一斗五升故平人日再後後二升半一日中五升七日五七三斗五升而留水穀盡矣故平人不食飲七日而死者水穀精氣津液皆盡故也

○海論第三十三

黃帝問于岐伯曰余聞刺法于夫子夫子之

所言不離于營衛血氣夫十二經脉者内屬
于府藏外絡于肢節夫子乃合之于四海乎
岐伯荅曰人亦有四海十二經水經水者皆
注于海海有東西南北命曰四海黄帝曰以
人應之奈何岐伯曰人有髓海有血海有氣
海有水穀之海凡此四者以應四海也黄帝
曰遠乎哉夫子之合人天地四海也願聞應
之奈何岐伯荅曰必先明知陰陽表裏滎輸

所在四海定矣黃帝曰定之奈何岐伯曰胃者水穀之海其輸上在氣街下至三里衝脉者爲十二經之海其輸上在于大杼下出于巨虛之上下廉膻中者爲氣之海其輸上在于柱骨之上下前在于人迎腦爲髓之海其輸上在于其蓋下在風府黃帝曰凡此四海者何利何害何生何敗岐伯曰得順者生得逆者敗知調者利不知調者害黃帝曰四海之

逆順奈何歧伯曰氣海有餘者氣滿胷中悗
息面赤氣海不足則氣少不足以言血海有
餘則常想其身大怫然不知其所病血海不
足亦常想其身小狹然不知其所病水穀之
海有餘則腹滿水穀之海不足則饑不受穀
食髓海有餘則輕勁多力自過其度髓海不
足則腦轉耳鳴脛痠眩冒目無所見懈怠安
臥黃帝曰余已聞逆順調之奈何歧伯曰審

守其輸而調其虛實無犯其害順者得復逆者必敗黄帝曰善

○五亂第三十四

黄帝曰經脉十二者别爲五行分爲四時何失而亂何得而治歧伯曰五行有序四時有分相順則治相逆則亂黄帝曰何謂相順歧伯曰經脉十二者以應十二月十二月者分爲四時四時者春秋冬夏其氣各異營衛相

隨陰陽已和清濁不相干如是則順之而治黃帝曰何謂逆而亂岐伯曰清氣在陰濁氣在陽營氣順脉衛氣逆行清濁相干亂于胷中是謂大悗故氣亂于心則煩心密嘿俛首靜伏亂于肺則俛仰喘喝接手以呼亂于腸胃則爲霍亂亂于臂脛則爲四厥亂于頭則爲厥逆頭重眩仆黃帝曰五亂者刺之有道乎岐伯曰有道以來有道以去審知其道是

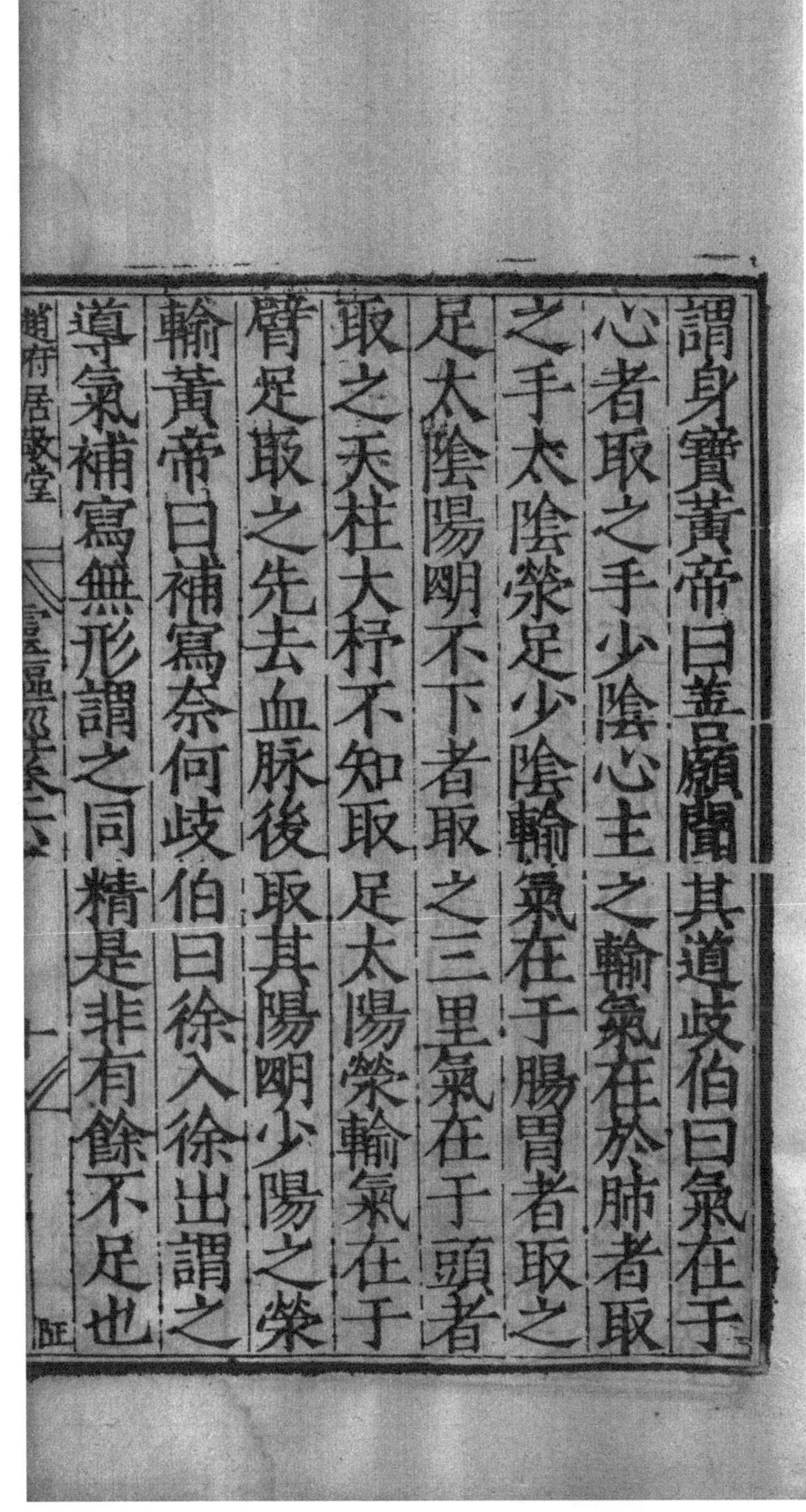

謂身寶黃帝曰善願聞其道岐伯曰氣在于心者取之手少陰心主之輸氣在於肺者取之手太陰榮足少陰輸氣在于腸胃者取之足太陰陽明不下者取之三里氣在于頭者取之天柱大杼不知取足太陽榮輸氣在于臂足取之先去血脉後取其陽明少陽之榮輸黃帝曰補寫奈何岐伯曰徐入徐出謂之導氣補寫無形謂之同精是非有餘不足也

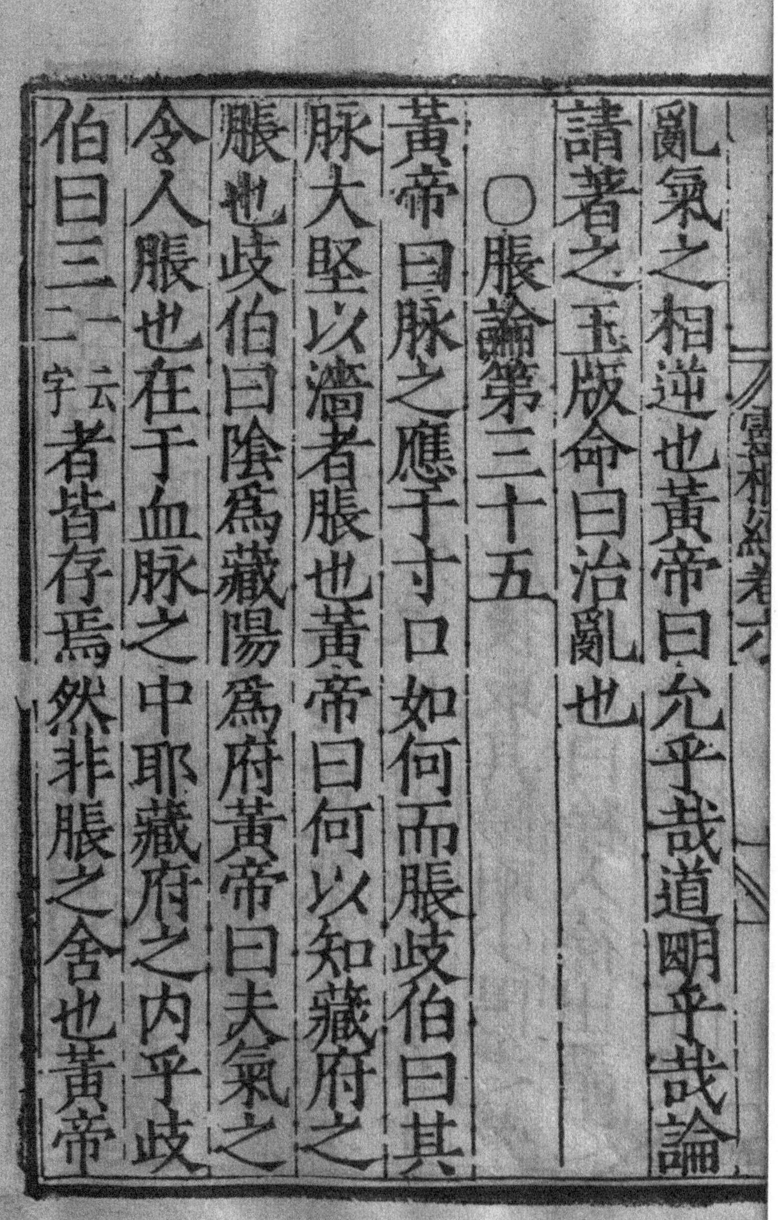
亂氣之相逆也黄帝曰允乎哉道明乎哉論請著之玉版命曰治亂也

○脹論第三十五

黄帝曰脉之應于寸口如何而脹岐伯曰其脉大堅以濇者脹也黄帝曰何以知藏府之脹也岐伯曰陰爲藏陽爲府黄帝曰夫氣之令人脹也在于血脉之中耶藏府之内乎岐伯曰三一云二字者皆存焉然非脹之舍也黄帝

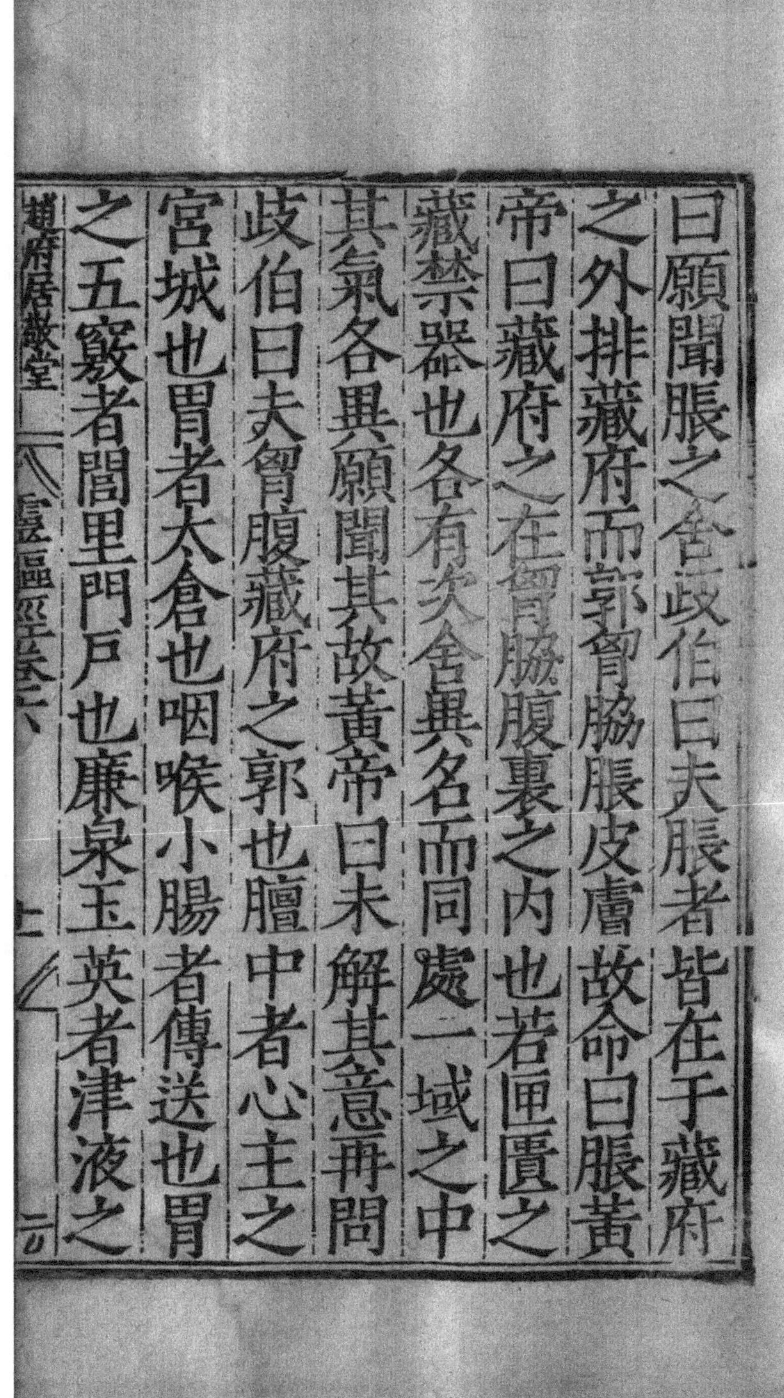

曰願聞脹之舍岐伯曰夫脹者皆在于藏府之外排藏府而郭胷脇脹皮膚故命曰脹黃帝曰藏府之在胷脇腹裏之内也若匣匱之藏禁器也各有次舍異名而同處一域之中其氣各異願聞其故黃帝曰未解其意再問岐伯曰夫胷腹藏府之郭也膻中者心主之宮城也胃者太倉也咽喉小腸者傳送也胃之五竅者閭里門戸也廉泉玉英者津液之

道也故五藏六府者各有畔界其病各有形狀營氣循脉衛氣逆爲脉脹衛氣並脉循分爲膚脹三里而寫近者一下遠者三下無問虛實工在疾寫黄帝曰願聞脹形歧伯曰夫心脹者煩心短氣臥不安肺脹者虛滿而喘欬肝脹者脇下滿而痛引小腹脾脹者善噦四肢煩悗體重不能勝衣臥不安腎脹者腹滿引背央央然腰髀痛六府脹胃脹者腹滿

胃脘痛鼻聞焦臭妨于食大便難大腸脹者
腸鳴而痛濯濯冬日重感于寒則飧泄不化
小腸脹者少腹䐜脹引腰而痛膀胱脹者少
腹滿而氣癃三焦脹者氣滿于皮膚中輕輕
然而不堅膽脹者脅下痛脹口中苦善太息
凡此諸脹者其道在一明知逆順鍼數不失
寫虛補實神去其室致邪失正眞不可定麤
之所敗謂之夭命補虛寫實神歸其室久塞

其空謂之良工黃帝曰脹者焉生何因而有
岐伯曰衛氣之在身也常然並脉循分肉行
有逆順陰陽相隨乃得天和五藏更始四時
循序五穀乃化然後厥氣在下營衛留止寒
氣逆上眞邪相攻兩氣相搏乃合爲脹也黃
帝曰善何以解惑岐伯曰合之于眞三合而
得帝曰善黃帝問于岐伯曰脹論言無問虛
實工在疾寫近者一下遠者三下今有其三

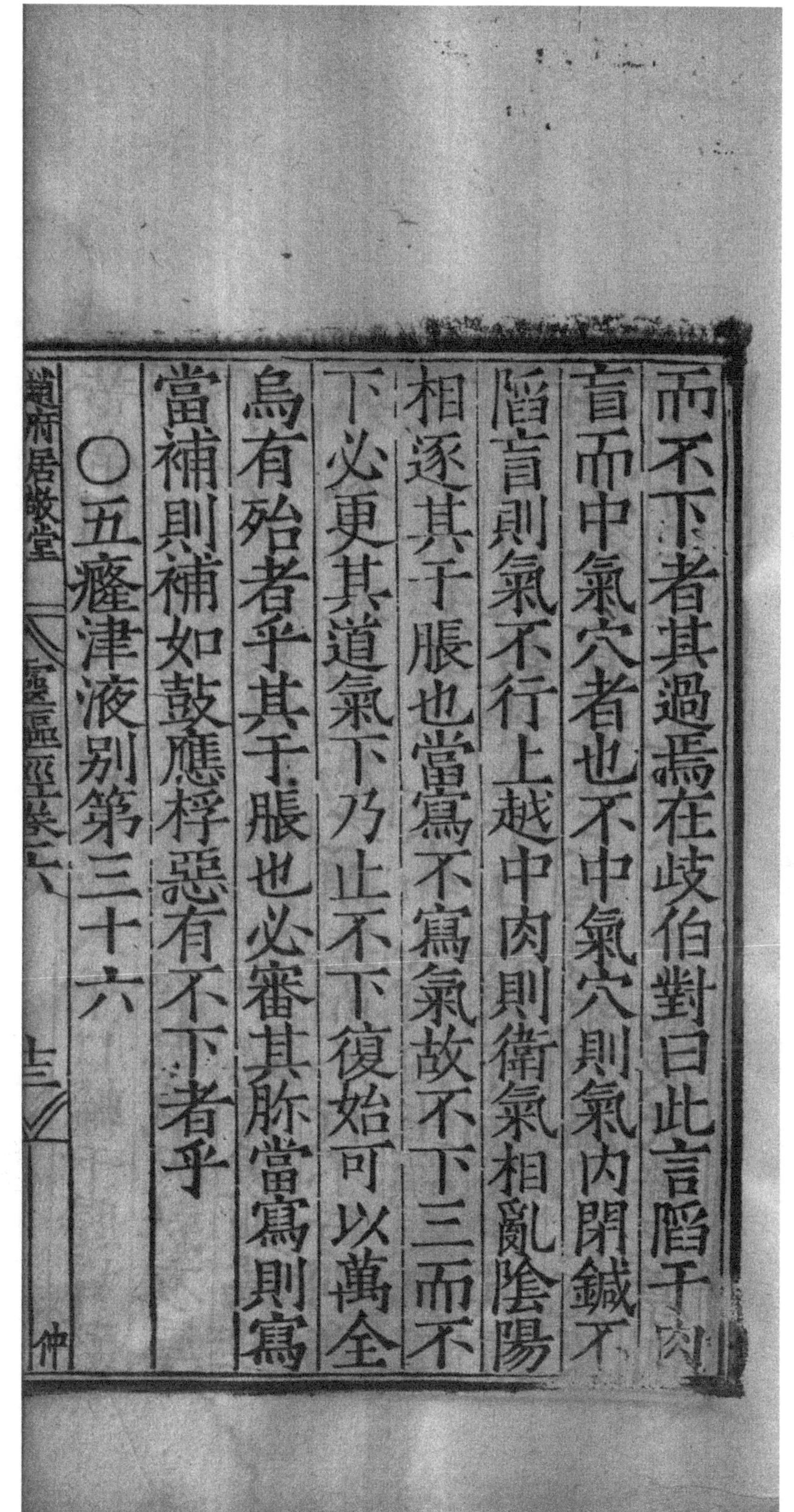

而不下者其過焉在歧伯對曰此言陷于肉肓而中氣穴者也不中氣穴則氣内閉鍼不陷肓則氣不行上越中肉則衛氣相亂陰陽相逐其于脹也當寫不寫氣故不下三而不下必更其道氣下乃止不下復始可以萬全烏有殆者乎其于脹也必審其脉當寫則寫當補則補如鼓應桴惡有不下者乎

○五癃津液別第三十六

黄帝問于歧伯曰水穀入于口輸于腸胃其液别爲五天寒衣薄則爲溺與氣天熱衣厚則爲汗悲哀氣并則爲泣中熱胃緩則爲唾邪氣内逆則氣爲之閉塞而不行不行則爲水脹余知其然也不知其何由生願聞其道歧伯曰水穀皆入于口其味有五各注其海津液各走其道故三焦出氣以温肌肉充皮膚爲其津其流而不行者爲液天暑衣厚則

腠理開故汗出寒留于分肉之間聚沫則爲痛天寒則腠理閉氣濕不行水下留于膀胱則爲溺與氣五藏六府心爲之主耳爲之聽目爲之候肺爲之相肝爲之將脾爲之衛腎爲之主外故五藏六府之津液盡上滲于目心悲氣幷則心系急心系急則肺舉肺舉則液上溢夫心系與肺不能常舉乍上乍下故欬而泣出矣中熱則胃中消穀消穀則蟲上

下作腸胃充郭故胃緩胃緩則氣逆故唾出
五穀之津液和合而爲膏者内滲入于骨空
補益腦髓而下流于陰股陰陽不和則使液
溢而下流于陰髓液皆減而下下過度則虛
虛故腰背痛而脛痠陰陽氣道不通四海閉
塞三焦不寫津液不化水穀幷行腸胃之中
別于廻腸留于下焦不得滲膀胱則下焦脹
水溢則爲水脹此津液五別之逆順也

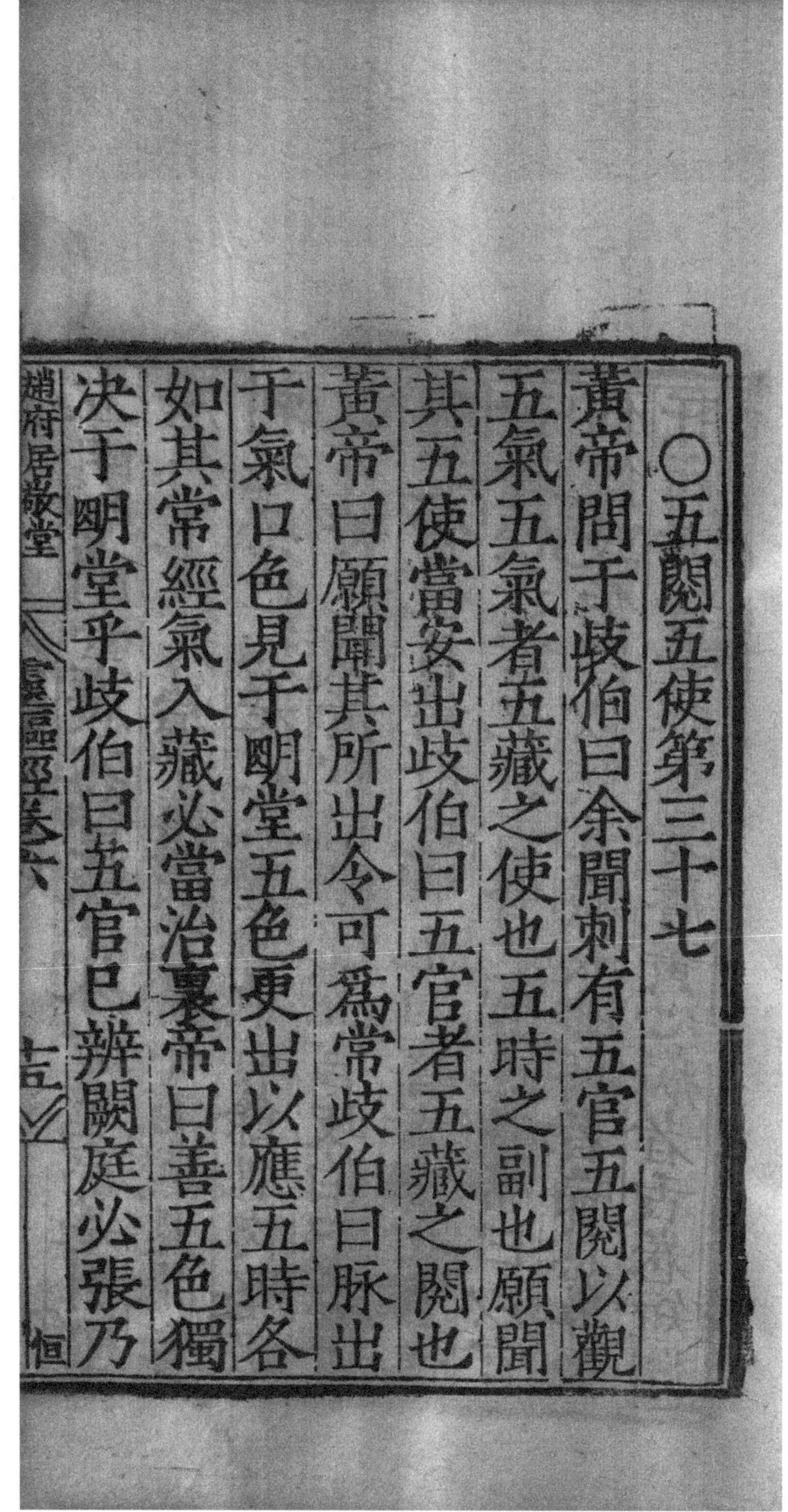

○五閱五使第三十七

黄帝問于歧伯曰余聞刺有五官五閲以觀五氣五氣者五藏之使也五時之副也願聞其五使當安出歧伯曰五官者五藏之閲也黄帝曰願聞其所出令可爲常歧伯曰脉出于氣口色見于明堂五色更出以應五時各如其常經氣入藏必當治裏帝曰善五色獨决于明堂乎歧伯曰五官已辨闕庭必張乃

立明堂明堂廣大蕃蔽見外方壁高基引垂
居外五色乃治平博廣大壽中百歲見此者
刺之必已如是之人者血氣有餘肌肉堅緻
故可苦已鍼黃帝曰願聞五官岐伯曰鼻者
肺之官也目者肝之官也口脣者脾之官也
舌者心之官也耳者腎之官也黃帝曰以官
何候岐伯曰以候五藏故肺病者喘息鼻脹
肝病者眥青脾病者脣黃心病者舌卷短顴

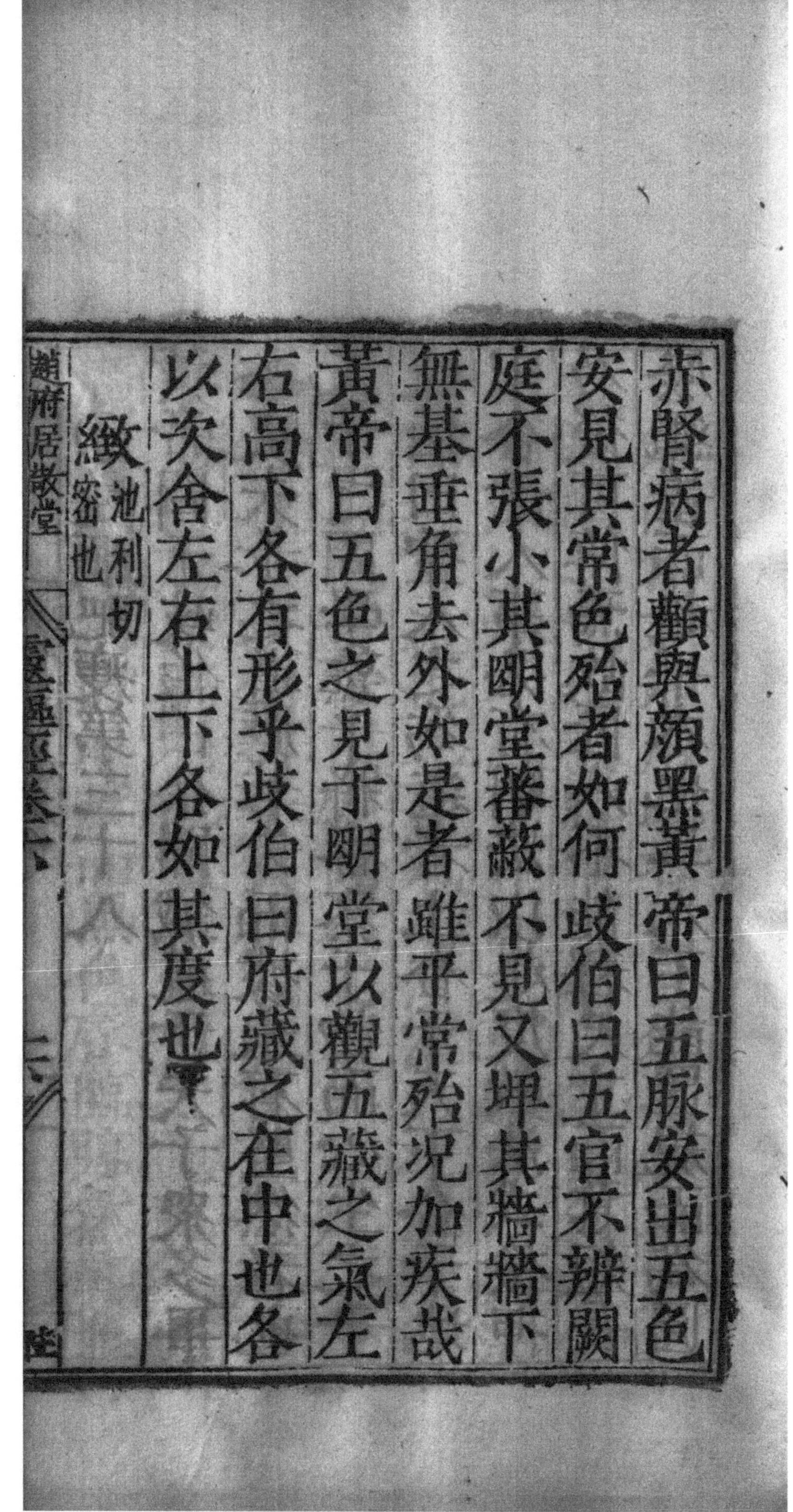

赤腎病者顴與顏黑黃帝曰五脉安出五色安見其常色殆者如何岐伯曰五官不辨闕庭不張小其明堂蕃蔽不見又埤其牆牆下無基垂角去外如是者雖平常殆況加疾哉

黃帝曰五色之見于明堂以觀五藏之氣左右高下各有形乎岐伯曰府藏之在中也各以次舍左右上下各如其度也

緻 池利切 緻密也

○逆順肥瘦第三十八

黄帝問于岐伯曰余聞鍼道于夫子衆多畢悉矣夫子之道應若失而據未有堅然者也夫子之問學熟乎將審察于物而心生之乎岐伯曰聖人之爲道者上合于天下合于地中合于人事必有明法以起度數法式檢押乃後可傳焉故匠人不能釋尺寸而意短長廢繩墨而起平木也工人不能置規而爲圓

去矩而爲方知用此者固自然之物易用之
教逆順之常也黄帝曰願聞自然奈何岐伯
曰臨深決水不用功力而水可竭也循掘決
衝而經可通也此言氣之滑濇血之清濁行
之逆順也黄帝曰願聞人之白黑肥瘦小長
各有數乎岐伯曰年質壯大血氣充盈膚革
堅固因加以邪刺此者深而留之此肥人也
廣肩腋項肉薄厚皮而黑色脣臨臨然其血

黑以濁其氣濇以遲其爲人也貪于取與刺此者深而留之多益其數也黃帝曰刺瘦人奈何歧伯曰瘦人者皮薄色少肉廉廉然薄脣輕言其血清氣滑易脫于氣易損于血刺此者淺而疾之黃帝曰刺常人奈何歧伯曰視其白黑各爲調之其端正敦厚者其血氣和調刺此者無失常數也黃帝曰刺壯士眞骨者奈何歧伯曰刺壯士眞骨堅肉緩節監

監然此人重則氣濇血濁刺此者深而留之
多益其數勁則氣滑血清刺此者淺而疾之
黃帝曰刺嬰兒奈何岐伯曰嬰兒者其肉脆
血少氣弱刺此者以豪刺淺刺而疾發鍼日
再可也黃帝曰臨深決水奈何岐伯曰血清
氣濁疾寫之則氣竭焉黃帝曰循掘決衝奈
何岐伯曰血濁氣濇疾寫之則經可通也黃
帝曰脉行之逆順奈何岐伯曰手之三陰從

藏走手手之三陽從手走頭足之三陽從頭
走足足之三陰從足走腹黃帝曰少陰之脉
獨下行何也岐伯曰不然夫衝脉者五藏六
府之海也五藏六府皆禀焉其上者出於頏
顙滲諸陽灌諸精其下者注少陰之大絡出
于氣街循陰股内廉入膕中伏行骭骨内下
至内踝之後屬而別其下者並于少陰之經
滲三陰其前者伏行出跗屬下循跗入大指

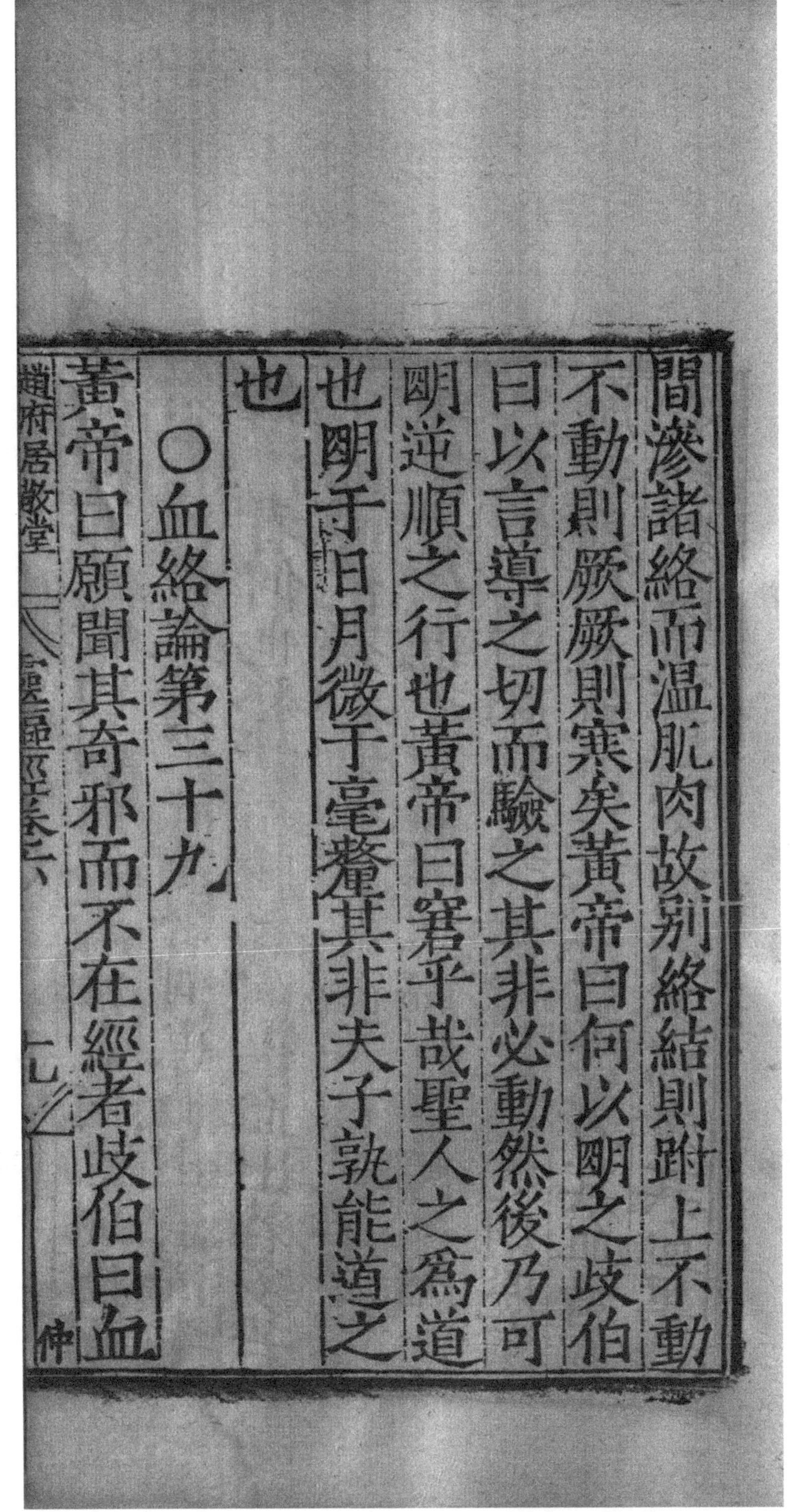

間滲諸絡而温肌肉故别絡結則跗上不動不動則厥厥則寒矣黄帝曰何以明之岐伯曰以言導之切而驗之其非必動然後乃可明逆順之行也黄帝曰窘乎哉聖人之爲道也明于日月微于毫釐其非夫子孰能道之也

○血絡論第三十九

黄帝曰願聞其奇邪而不在經者岐伯曰血

絡是也黃帝曰刺血絡而仆者何也血出而射者何也血少黑而濁者何也血出清而半爲汁者何也發鍼而腫者何也血出若多若少而面色蒼蒼者何也發鍼而面色不變而煩悗者何也多出血而不動搖者何也願聞其故岐伯曰脉氣盛而血虚者刺之則脫氣脫氣則仆血氣俱盛而陰氣多者其血滑刺之則射陽氣畜積久留而不寫者其血黑以

濁故不能射新飲而液滲于絡而未合和于血也故血出而汁别焉其不新飲者身中有水久則爲腫陰氣積于陽其氣因于絡故刺之血未出而氣先行故腫陰陽之氣其新相得而未和合因而寫之則陰陽俱脱表裏相離故脱色而蒼蒼然刺之血出多色不變而煩悗者刺絡而虚經虚經之屬于陰者陰脱故煩悗陰陽相得而合爲痺者此爲内溢于

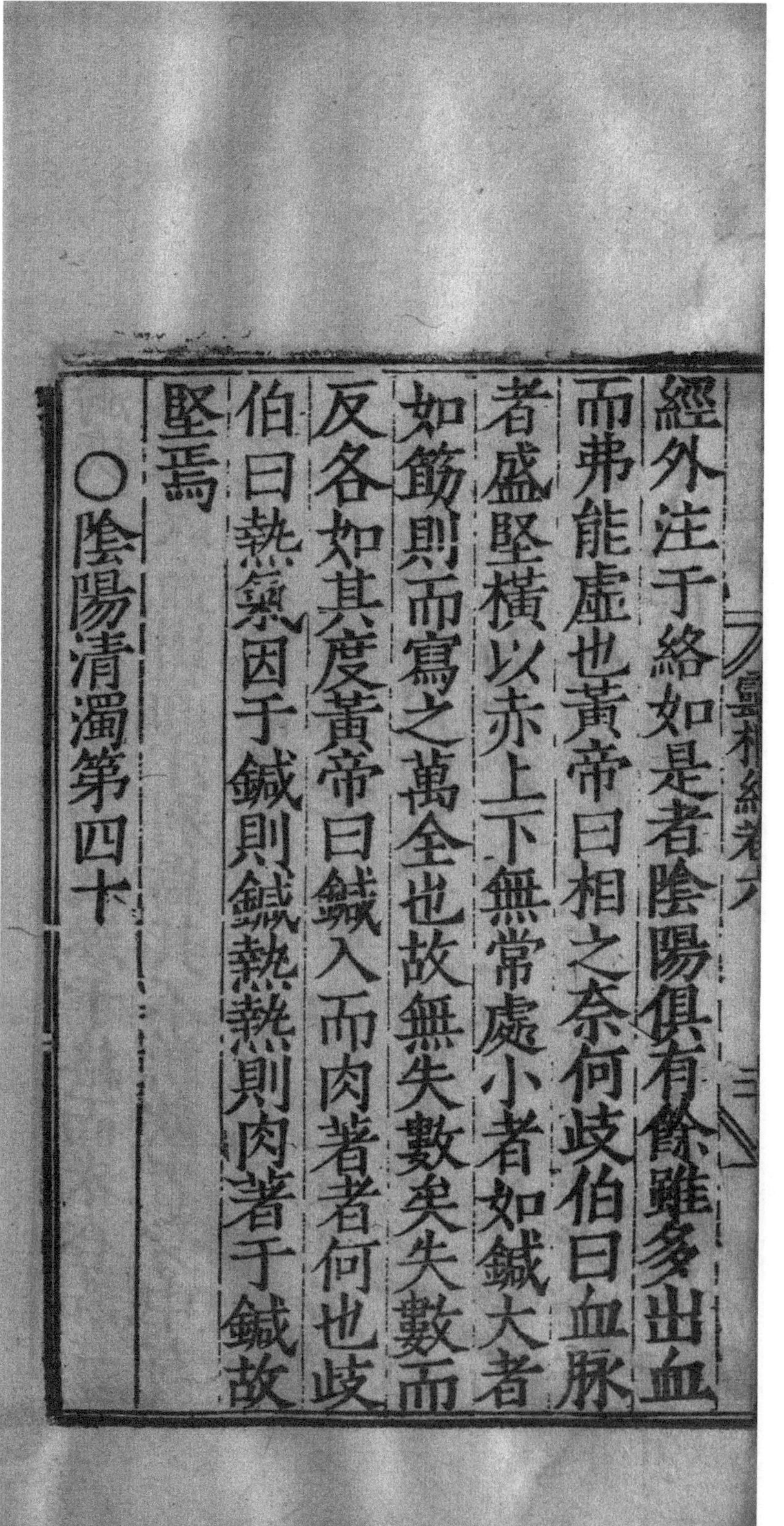

經外注于絡如是者隂陽俱有餘雖多出血而弗能虛也黄帝曰相之奈何岐伯曰血脉者盛堅横以赤上下無常處小者如鍼大者如筯則而寫之萬全也故無失數矣失數而反各如其度黄帝曰鍼入而肉著者何也岐伯曰熱氣因于鍼則鍼熱熱則肉著于鍼故堅焉

○隂陽清濁第四十

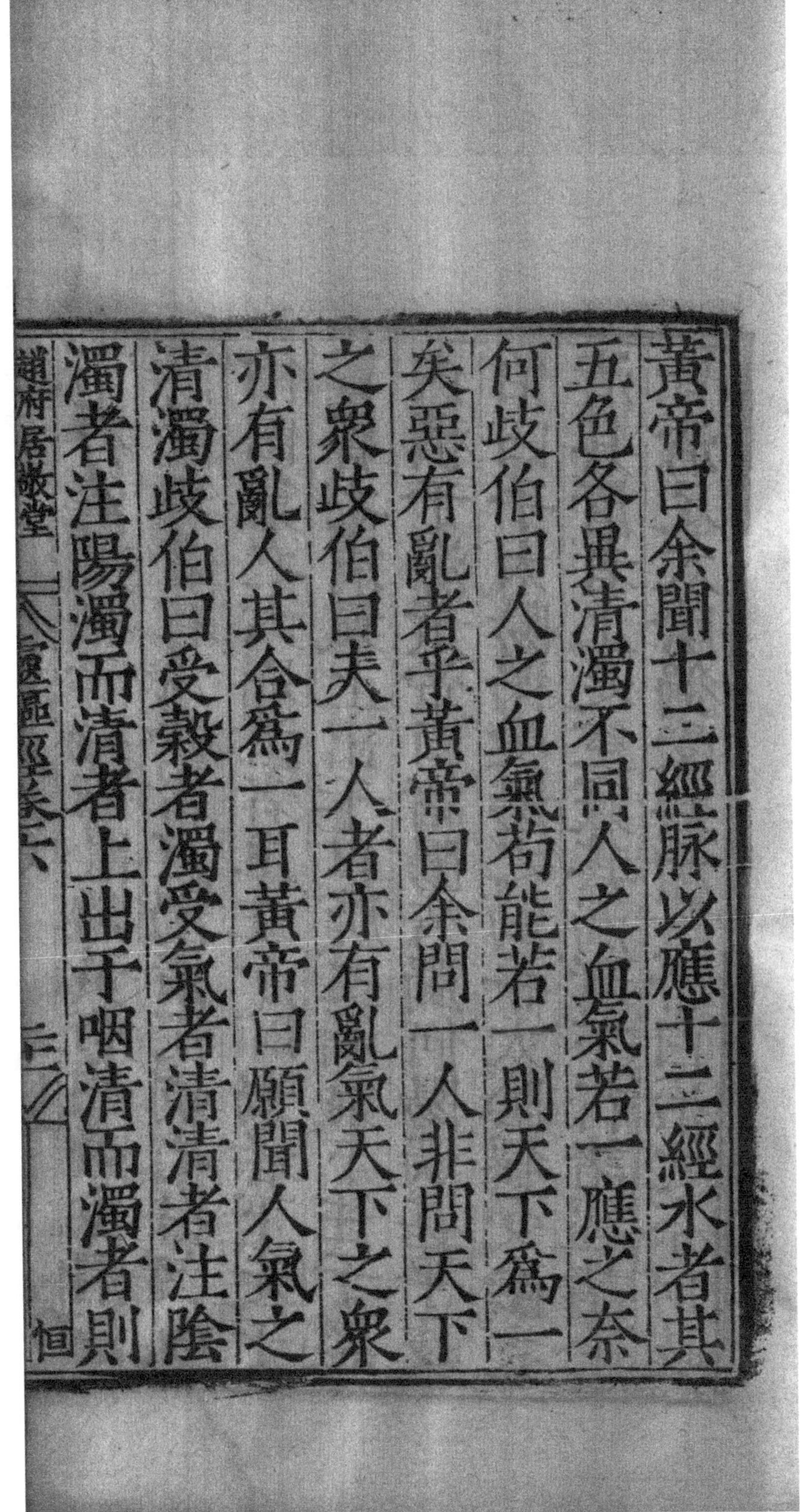

黃帝曰余聞十二經脉以應十二經水者其五色各異清濁不同人之血氣若一應之奈何歧伯曰人之血氣苟能若一則天下爲一矣惡有亂者乎黃帝曰余問一人非問天下之衆歧伯曰夫一人者亦有亂氣天下之衆亦有亂人其合爲一耳黃帝曰願聞人氣之清濁歧伯曰受穀者濁受氣者清清者注陰濁者注陽濁而清者上出于咽清而濁者則

下行清濁相干命曰亂氣黃帝曰夫陰清而陽濁濁者有清清者有濁清濁別之奈何岐伯曰氣之大別清者上注于肺濁者下走于胃胃之清氣上出于口肺之濁氣下注于經內積于海黃帝曰諸陽皆濁何陽濁甚乎岐伯曰手太陽獨受陽之濁手太陰獨受陰之清其清者上走空竅其濁者下行諸經諸陰皆清足太陰獨受其濁黃帝曰治之奈何岐

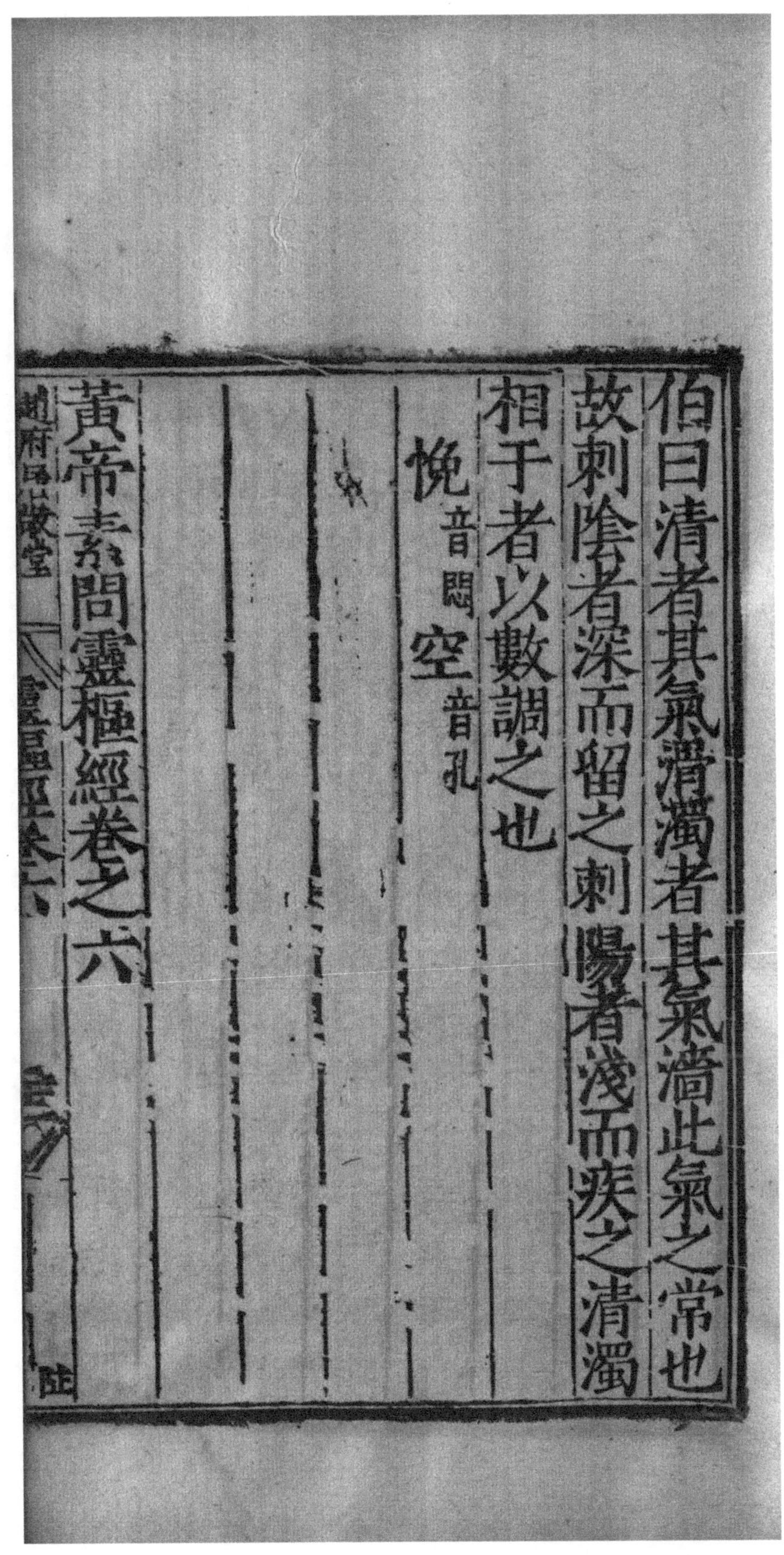

伯曰清者其氣滑濁者其氣濇此氣之常也故刺陰者深而留之刺陽者淺而疾之清濁相干者以數調之也

悗音悶　空音孔

黄帝素問靈樞經卷之六

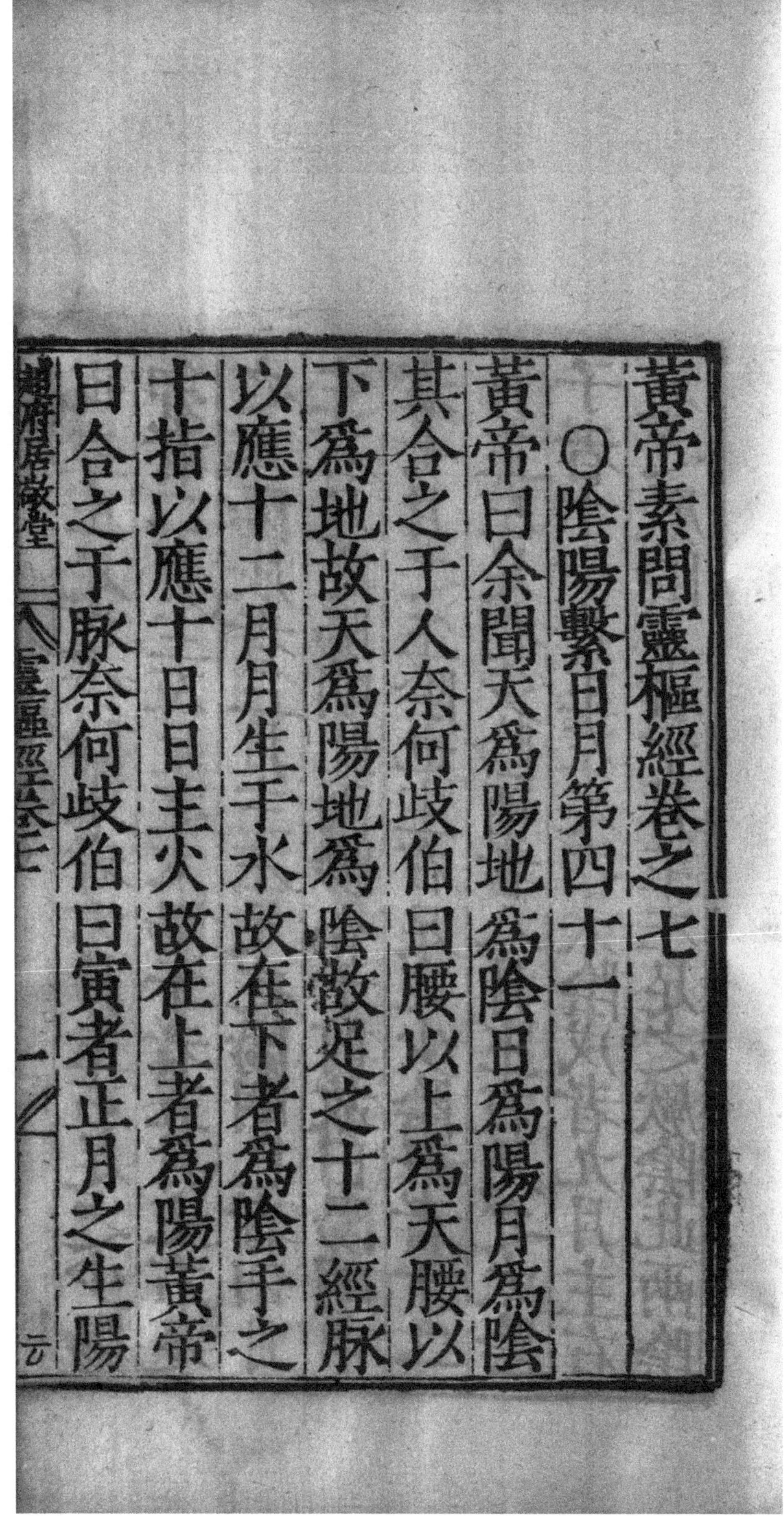

黄帝素問靈樞經卷之七

〇陰陽繫日月第四十一

黄帝曰余聞天爲陽地爲陰日爲陽月爲陰其合之于人奈何岐伯曰腰以上爲天腰以下爲地故天爲陽地爲陰故足之十二經脉以應十二月月生于水故在下者爲陰手之十指以應十日日主火故在上者爲陽黄帝曰合之于脉奈何岐伯曰寅者正月之生陽

也主左足之少陽未者六月主右足之少陽卯者二月主左足之太陽午者五月主右足之太陽辰者三月主左足之陽明巳者四月主右足之陽明此兩陽合于前故曰陽明申者七月之生陰也主右足之少陰丑者十二月主左足之少陰酉者八月主右足之太陰子者十一月主左足之太陰戌者九月主右足之厥陰亥者十月主左足之厥陰此兩陰

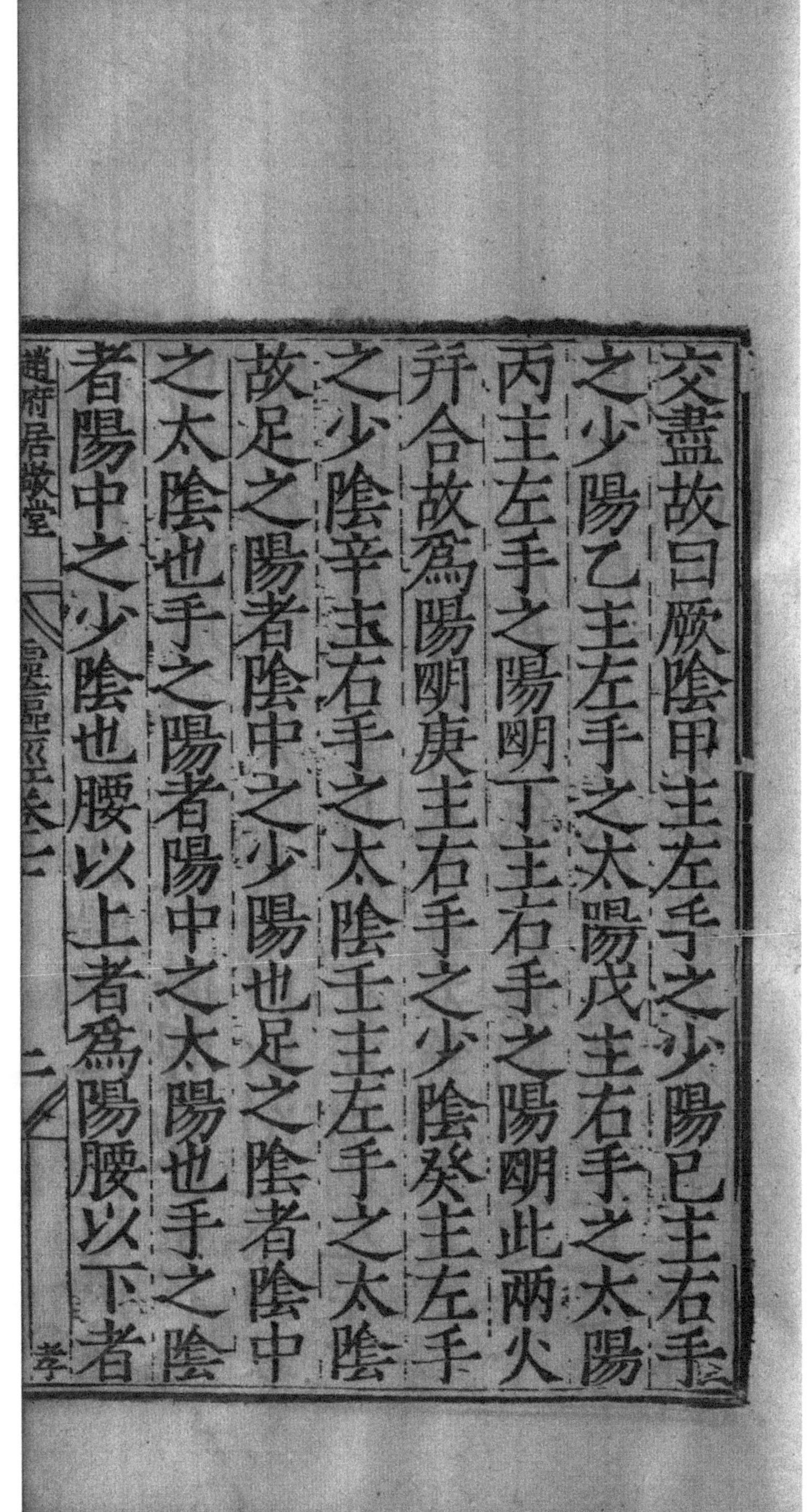

交盡故曰厥陰甲主左手之少陽巳主右手之少陽乙主左手之太陽戊主右手之太陽丙主左手之陽明丁主右手之陽明此兩火并合故爲陽明庚主右手之少陰癸主左手之少陰辛主右手之太陰壬主左手之太陰故足之陽者陰中之少陽也足之陰者陰中之太陰也手之陽者陽中之太陽也手之陰者陽中之少陰也腰以上者爲陽腰以下者

爲陰其於五藏也心爲陽中之太陽肺爲陰中之少陰肝爲陰中之少陽脾爲陰中之至陰腎爲陰中之太陰黄帝曰以治之奈何岐伯曰正月二月三月人氣在左無刺左足之陽四月五月六月人氣在右無刺右足之陽七月八月九月人氣在右無刺右足之陰十月十一月十二月人氣在足無刺左足之陰黄帝曰五行以東方爲甲乙木王春春者蒼

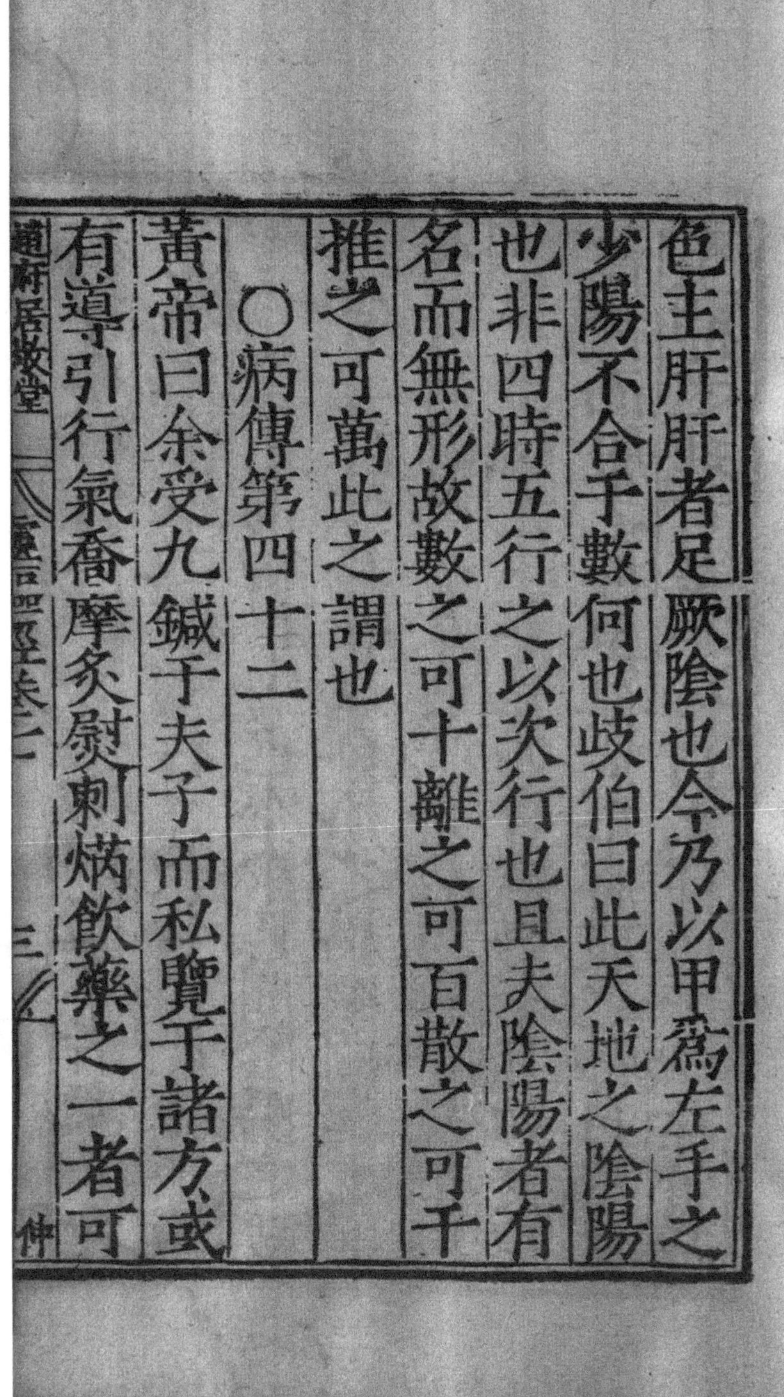

色主肝肝者足厥陰也今乃以甲爲左手之少陽不合于數何也歧伯曰此天地之陰陽也非四時五行之以次行也且夫陰陽者有名而無形故數之可十離之可百散之可千推之可萬此之謂也

○病傳第四十二

黄帝曰余受九鍼于夫子而私覽于諸方或有導引行氣喬摩灸熨刺焫飲藥之一者可

獨守耶將盡行之乎歧伯曰諸方者衆人之方也非一人之所盡行也黃帝曰此乃所謂守一勿失萬物畢者也今余已聞陰陽之要虛實之理傾移之過可治之屬願聞病之變化淫傳絶敗而不可治者可得聞乎歧伯曰要乎哉問道昭乎其如日醒窘乎其如夜瞑能被而服之神與俱成畢將服之神自得之生神之理可著于竹帛不可傳于子孫黃帝

曰何謂日醒岐伯曰明于陰陽如惑之解如醉之醒黃帝曰何謂夜瞑岐伯曰瘖乎其無聲漠乎其無形折毛發理正氣横傾淫邪泮衍血脉傳溜大氣入藏腹痛下淫可以致死不可以致生黃帝曰大氣入藏柰何岐伯曰病先發于心一日而之肺三日而之肝五日而之脾三日不已死冬夜半夏日中病先發于肺三日而之肝一日而之脾五日而之胃

十日不巳死冬日入夏日出病先發于肝三日而之脾五日而之胃三日而之腎三日不巳死冬日入夏蚤食病先發于脾一日而之胃二日而之腎三日而之膂膀胱十日不巳死冬人定夏晏食病先發于胃五日而之腎三日而之膂膀胱五日而上之心二日不巳死冬夜半夏日昳病先發于腎三日而之膂膀胱三日而上之心三日而之小腸三日不

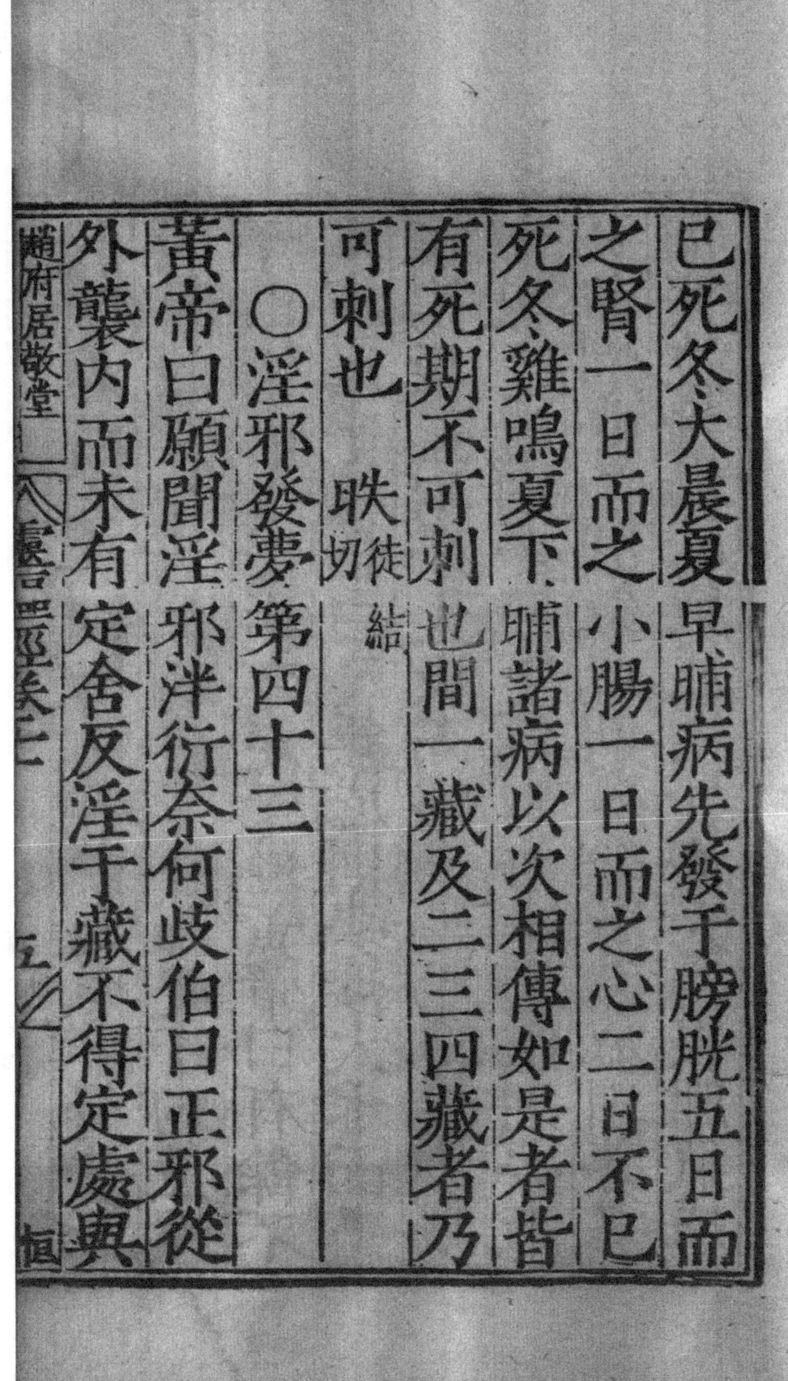

巳死冬大晨夏早晡病先發于膀胱五日而之腎一日而之小腸一日而之心二日不已死冬雞鳴夏下晡諸病以次相傳如是者皆有死期不可刺也間一藏及二三四藏者乃可刺也　眣徒結切

〇淫邪發夢第四十三

黃帝曰願聞淫邪泮衍奈何岐伯曰正邪從外襲內而未有定舍反淫于藏不得定處與

營衛俱行而與魂魄飛揚使人臥不得安而
喜夢氣淫于府則有餘于外不足于內氣淫
于藏則有餘于內不足于外黃帝曰有餘不
足有形乎岐伯曰陰氣盛則夢涉大水而恐
懼陽氣盛則夢大火而燔焫陰陽俱盛則夢
相殺上盛則夢飛下盛則夢墮甚饑則夢取
甚飽則夢予肝氣盛則夢怒肺氣盛則夢恐
懼哭泣飛揚心氣盛則夢善笑恐畏脾氣盛

則夢歌樂身體重不舉腎氣盛則夢腰脊兩解不屬凡此十二盛者至而寫之立已厥氣客于心則夢見丘山煙火客于肺則夢飛揚見金鐵之奇物客于肝則夢山林樹木客于脾則夢見丘陵大澤壞屋風雨客于腎則夢臨淵沒居水中客于膀胱則夢遊行客于胃則夢飲食客于大腸則夢田野客于小腸則夢聚邑衝衢客于膽則夢鬬訟自刳客于陰

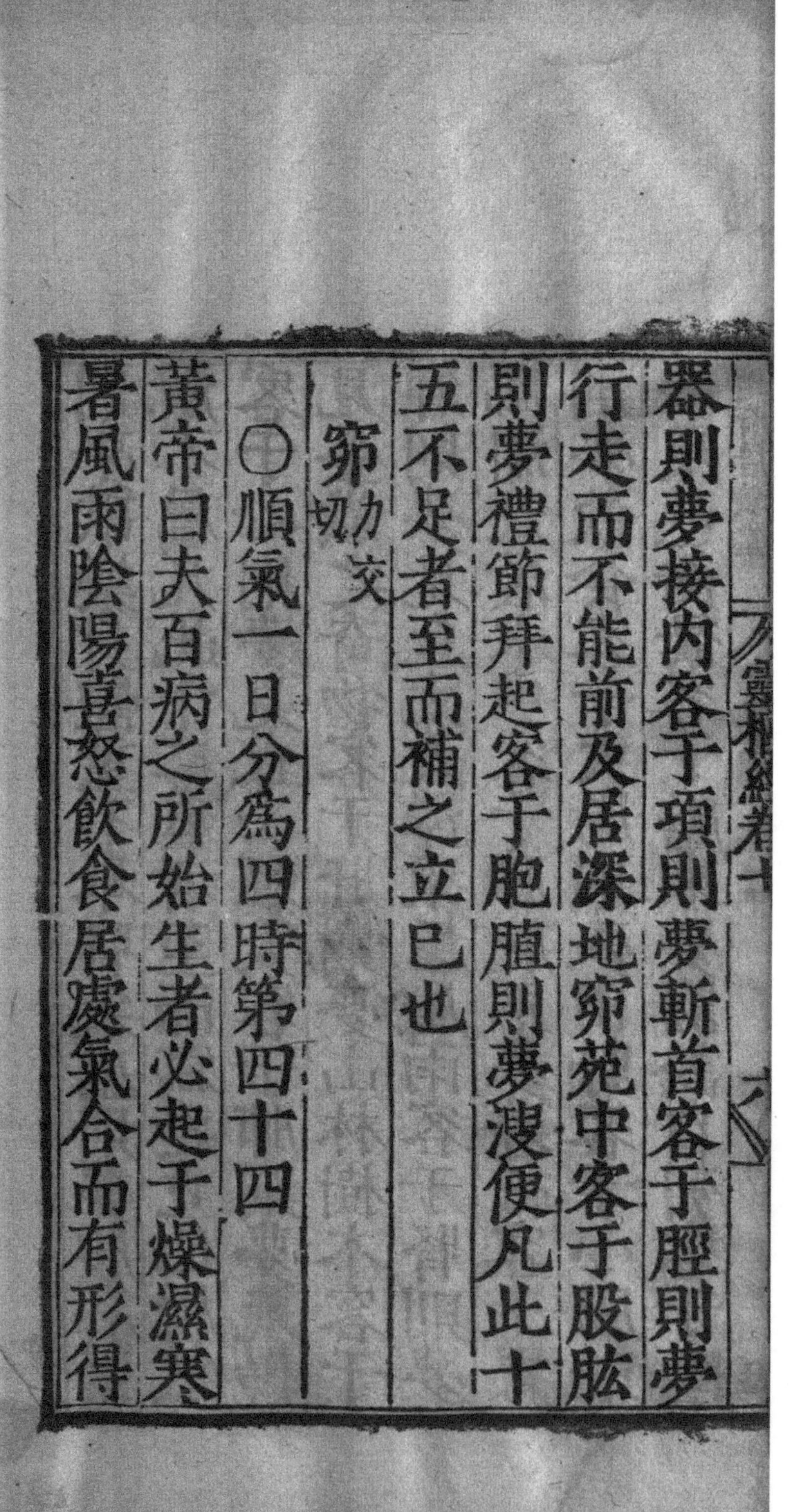

器則夢接内客于項則夢斬首客于脛則夢行走而不能前及居深地窌苑中客于股肱則夢禮節拜起客于胞脜則夢溲便凡此十五不足者至而補之立已也

窌力交切

◯順氣一日分爲四時第四十四

黄帝曰夫百病之所始生者必起于燥濕寒暑風雨陰陽喜怒飲食居處氣合而有形得

藏而有名余知其然也夫百病者多以旦慧
晝安夕加夜甚何也岐伯曰四時之氣使然
黄帝曰願聞四時之氣岐伯曰春生夏長秋
收冬藏是氣之常也人亦應之以一日分爲
四時朝則爲春日中爲夏日入爲秋夜半爲
冬朝則人氣始生病氣衰故旦慧日中人氣
長長則勝邪故安夕則人氣始衰邪氣始生
故加夜半人氣入藏邪氣獨居于身故甚也

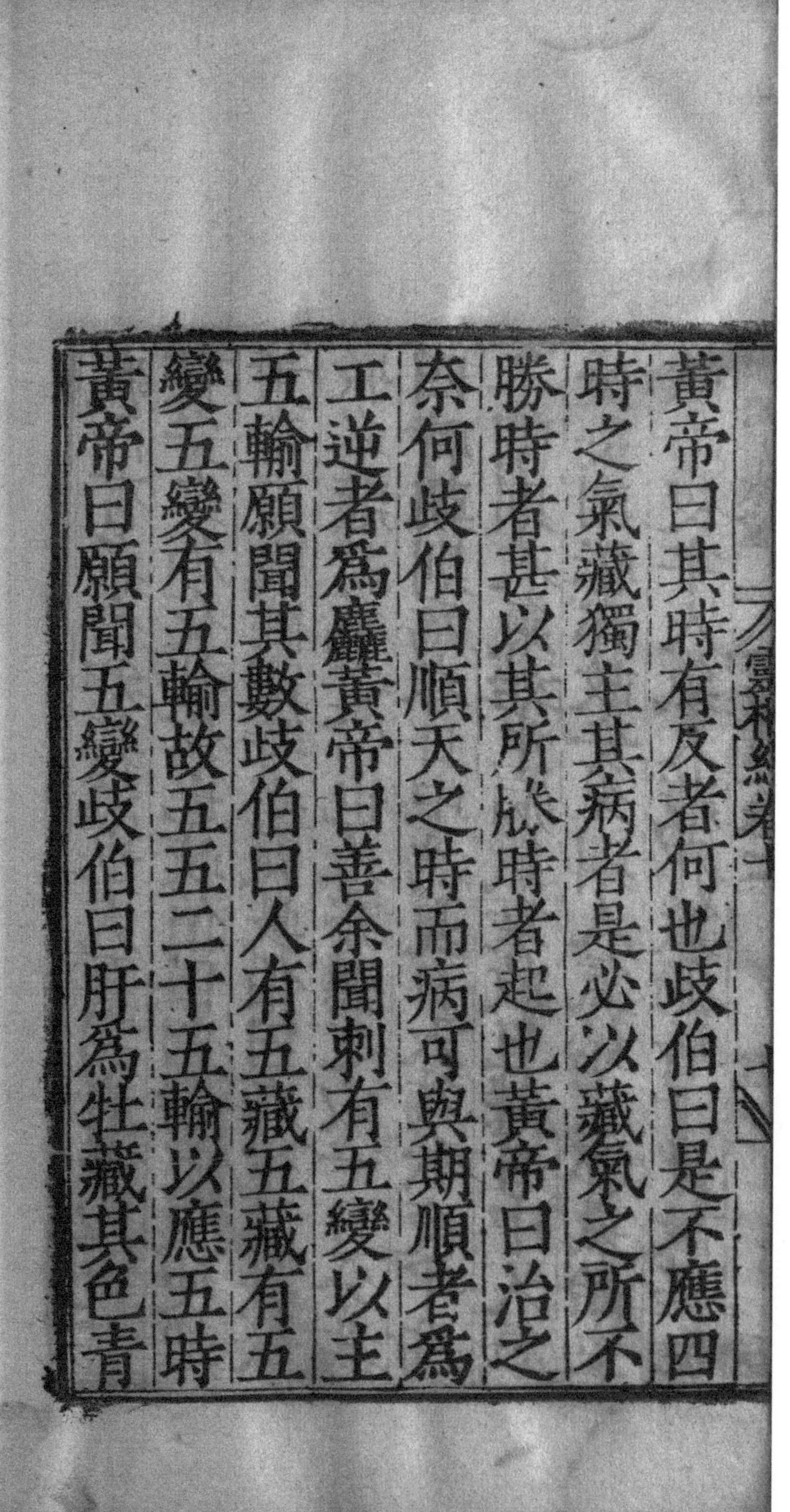

黄帝曰其時有反者何也歧伯曰是不應四時之氣藏獨主其病者是必以藏氣之所不勝時者甚以其所勝時者起也黄帝曰治之奈何歧伯曰順天之時而病可與期順者爲工逆者爲麤黄帝曰善余聞刺有五變以主五輸願聞其數歧伯曰人有五藏五藏有五變五變有五輸故五五二十五輸以應五時

黄帝曰願聞五變歧伯曰肝爲牡藏其色青

其時春其音角其味酸其日甲乙心爲牡藏
其色赤其時夏其日丙丁其音徵其味苦脾
爲牝藏其色黄其時長夏其日戊己其音宫
其味甘肺爲牝藏其色白其音商其時秋其
日庚辛其味辛腎爲牝藏其色黑其時冬其
日壬癸其音羽其味鹹是爲五變黄帝曰以
主五輸奈何藏主冬冬刺井色主春春刺滎
時主夏夏刺輸音主長夏長夏刺經味主秋

秋刺合是謂五變以主五輸黃帝曰諸原安
合以致六輸岐伯曰原獨不應五時以經合
之以應其數故六六三十六輸黃帝曰何謂
藏主冬時主夏音主長夏味主秋色主春願
聞其故岐伯曰病在藏者取之井病變于色
者取之滎病時間時甚者取之輸病變于音
者取之經經滿而血者病在胃及以飲食不
節得病者取之於合故命曰味主合是謂五

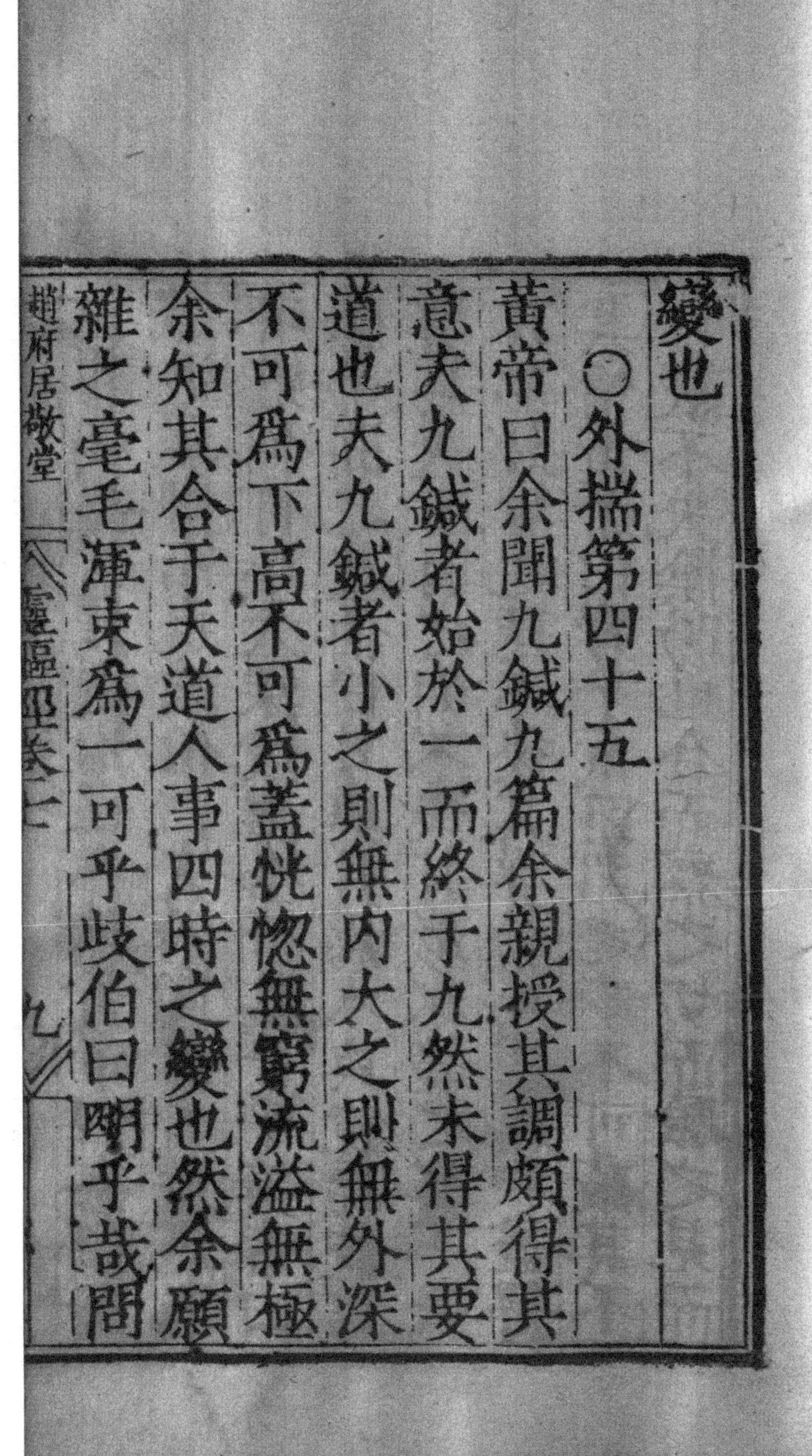

變也

○外揣第四十五

黄帝曰余聞九鍼九篇余親授其調頗得其意夫九鍼者始於一而終于九然未得其要道也夫九鍼者小之則無内大之則無外深不可爲下高不可爲蓋恍惚無窮流溢無極余知其合于天道人事四時之變也然余願雜之毫毛渾束爲一可乎岐伯曰明乎哉問

也非獨鍼道焉夫治國亦然黃帝曰余願聞鍼道非國事也歧伯曰夫治國者夫惟道焉非道何可小大深淺雜合而爲一乎黃帝曰願卒聞之歧伯曰日與月焉水與鏡焉鼓與響焉夫日月之明不失其影水鏡之察不失其形鼓響之應不後其聲動搖則應和盡得其情黃帝曰窘乎哉昭昭之明不可蔽其不可蔽不失陰陽也合而察之切而驗之見而

得之若清水明鏡之不失其形也五音不彰五色不明五藏波蕩若是則內外相襲若鼓之應桴響之應聲影之似形故遠者司外揣內近者司內揣外是謂陰陽之極天地之蓋請藏之靈蘭之室弗敢使泄也

○五變第四十六

黃帝問于少俞曰余聞百疾之始期也必生于風雨寒暑循毫毛而入腠理或復還或留

止或爲風腫汗出或爲消癉或爲寒熱或爲留痺或爲積聚奇邪淫溢不可勝數願聞其故夫同時得病或病此或病彼意者天之爲人生風乎何其異也少俞曰夫天之生風者非以私百姓也其行公平正直犯者得之避者得無殆非求人而人自犯之黃帝曰一時遇風同時得病其病各異願聞其故少俞曰善乎哉問請論以比匠人匠人磨斧斤礪刀

削斲材木木之陰陽尚有堅脆堅者不入脆者皮弛至其交節而缺斤斧焉夫一木之中堅脆不同堅者則剛脆者易傷況其材本之不同皮之厚薄汁之多少而各異耶夫木之蚤花先生葉者遇春霜烈風則花落而葉萎久曝大旱則脆木薄皮者枝條汁少而葉萎久陰淫雨則薄皮多汁者皮潰而漉卒風暴起則剛脆之木枝折杌傷秋霜疾風則剛脆

之木根搖而葉落凡此五者各有所傷況於人乎黃帝曰以人應木奈何少俞荅曰木之所傷也皆傷其枝枝之剛脆而堅未成傷也人之有常病也亦因其骨節皮膚腠理之不堅固者邪之所舍也故常爲病也黃帝曰人之善病風厥漉汗者何以候之少俞荅曰肉不堅腠理踈則善病風黃帝曰何以候肉之不堅也少俞荅曰䐃肉不堅而無分理理者

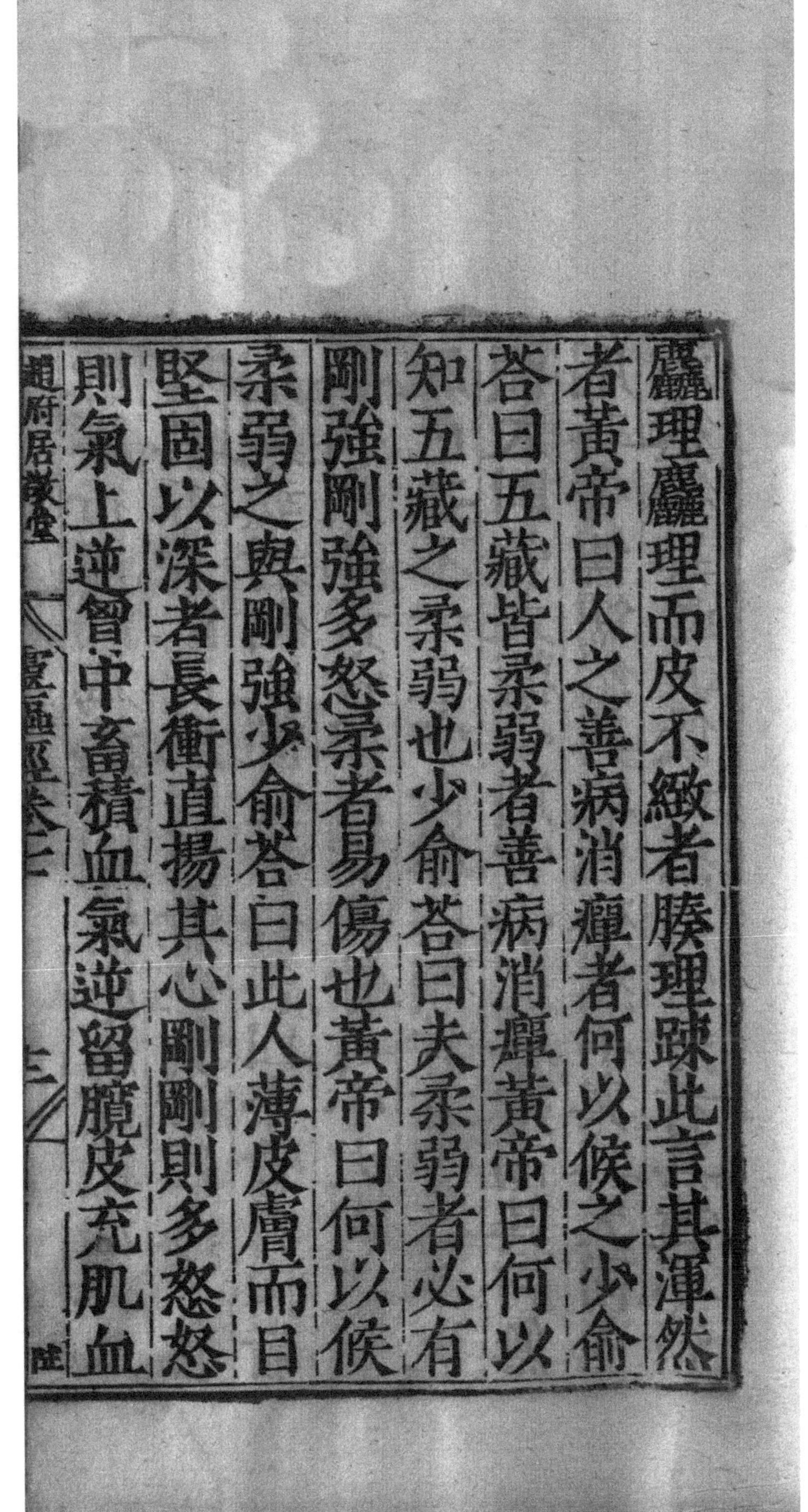

麤理麤理而皮不緻者腠理踈此言其渾然者黄帝曰人之善病消癉者何以候之少俞荅曰五藏皆柔弱者善病消癉黄帝曰何以知五藏之柔弱也少俞荅曰夫柔弱者必有剛強剛強多怒柔者易傷也黄帝曰何以候柔弱之與剛強少俞荅曰此人薄皮膚而目堅固以深者長衝直揚其心剛剛則多怒怒則氣上逆胷中畜積血氣逆留髖皮充肌血

脉不行轉而爲熱熱則消肌膚故爲消癉此言其人暴剛而肌肉弱者也黃帝曰人之善病寒熱者何以候之少俞荅曰小骨弱肉者善病寒熱黃帝曰何以候骨之小大肉之堅脆色之不一也少俞荅曰顴骨者骨之本也顴大則骨大顴小則骨小皮膚薄而其肉無䐃其臂懦懦然其地色殆然不與其天同色污然獨異此其候也然後臂薄者其髓不滿

故善病寒熱也黄帝曰何以候人之善病痺者少俞荅曰麤理而肉不堅者善病痺黄帝曰痺之高下有處乎少俞荅曰欲知其高下者各視其部黄帝曰人之善病腸中積聚者何以候之少俞荅曰皮膚薄而不澤肉不堅而淖澤如此則腸胃惡惡則邪氣留止積聚乃傷脾胃之間寒溫不次邪氣稍至稸積留止大聚乃起黄帝曰余聞病形已知之矣願

聞其時少俞荅曰先立其年以知其時時高則起時下則殆雖不陷下當年有衝通其病必起是謂因形而生病五變之紀也

䐜音寬杌音兀漉音鹿懦音儒

○本藏第四十七

黄帝問于岐伯曰人之血氣精神者所以奉生而周于性命者也經脉者所以行血氣而營陰陽濡筋骨利關節者也衛氣者所以温

分肉充皮膚肥腠理司關闔者也志意者所以御精神收魂魄適寒溫和喜怒者也是故血和則經脉流行營覆陰陽筋骨勁強關節清利矣衛氣和則分肉解利皮膚調柔腠理緻密矣志意和則精神專直魂魄不散悔怒不起五藏不受邪矣寒溫和則六府化穀風痺不作經脉通利肢節得安矣此人之常平也五藏者所以藏精神血氣魂魄者也六府

者所以化水穀而行津液者也此人之所以具受于天也無愚智賢不肖無以相倚也然有其獨盡天壽而無邪僻之病百年不衰雖犯風雨卒寒大暑猶有弗能害也有其不離屏蔽室內無怵惕之恐然猶不免於病何也願聞其故岐伯對曰窘乎哉問也五藏者所以參天地副陰陽而連四時化五節者也五藏者固有小大高下堅脆端正偏傾者六府

亦有小大長短厚薄結直緩急凡此二十五
者各不同或善或惡或吉或凶請言其方心
小則安邪弗能傷易傷以憂心大則憂不能
傷易傷于邪心高則滿于肺中悗而善忘難
開以言心下則藏外易傷于寒易恐以言心
堅則藏安守固心脆則善病消癉熱中心端
正則和利難傷心偏傾則操持不一無守司
也肺小則少飲不病喘喝肺大則多飲善病

胷痺喉痺逆氣肺高則上氣肩息欬肺下則居賁迫肺善脇下痛肺堅則不病欬上氣肺脆則苦病消癉易傷肺端正則和利難傷肺偏傾則胷偏痛也肝小則藏安無脇下之病肝大則逼胃迫咽迫咽則苦膈中且脇下痛肝高則上支賁切脇悗爲息賁肝下則逼胃脇下空脇下空則易受邪肝堅則藏安難傷肝脆則善病消癉易傷肝端正則和利難傷

肝偏傾則脇下痛也脾小則藏安難傷于邪
也脾大則苦湊䏚而痛不能疾行脾高則䏚
引季脇而痛脾下則下加于大腸下加于大
腸則藏苦受邪脾堅則藏安難傷脾脆則善
病消癉易傷脾端正則和利難傷脾偏傾則
善滿善脹也腎小則藏安難傷腎大則善病
腰痛不可以俛仰易傷以邪腎高則苦背膂
痛不可以俛仰腎下則腰尻痛不可以俛仰

爲狐疝腎堅則不病腰背痛腎脆則善病消癉易傷腎端正則和利難傷腎偏傾則苦腰尻痛也凡此二十五變者人之所苦常病黄帝曰何以知其然也歧伯曰赤色小理者心小麤理者心大無髃骬者心高髃骬小短舉者心下髃骬長者心下堅髃骬弱小以薄者心脆髃骬直下不舉者心端正髃骬倚一方者心偏傾也白色小理者肺小麤理者肺大

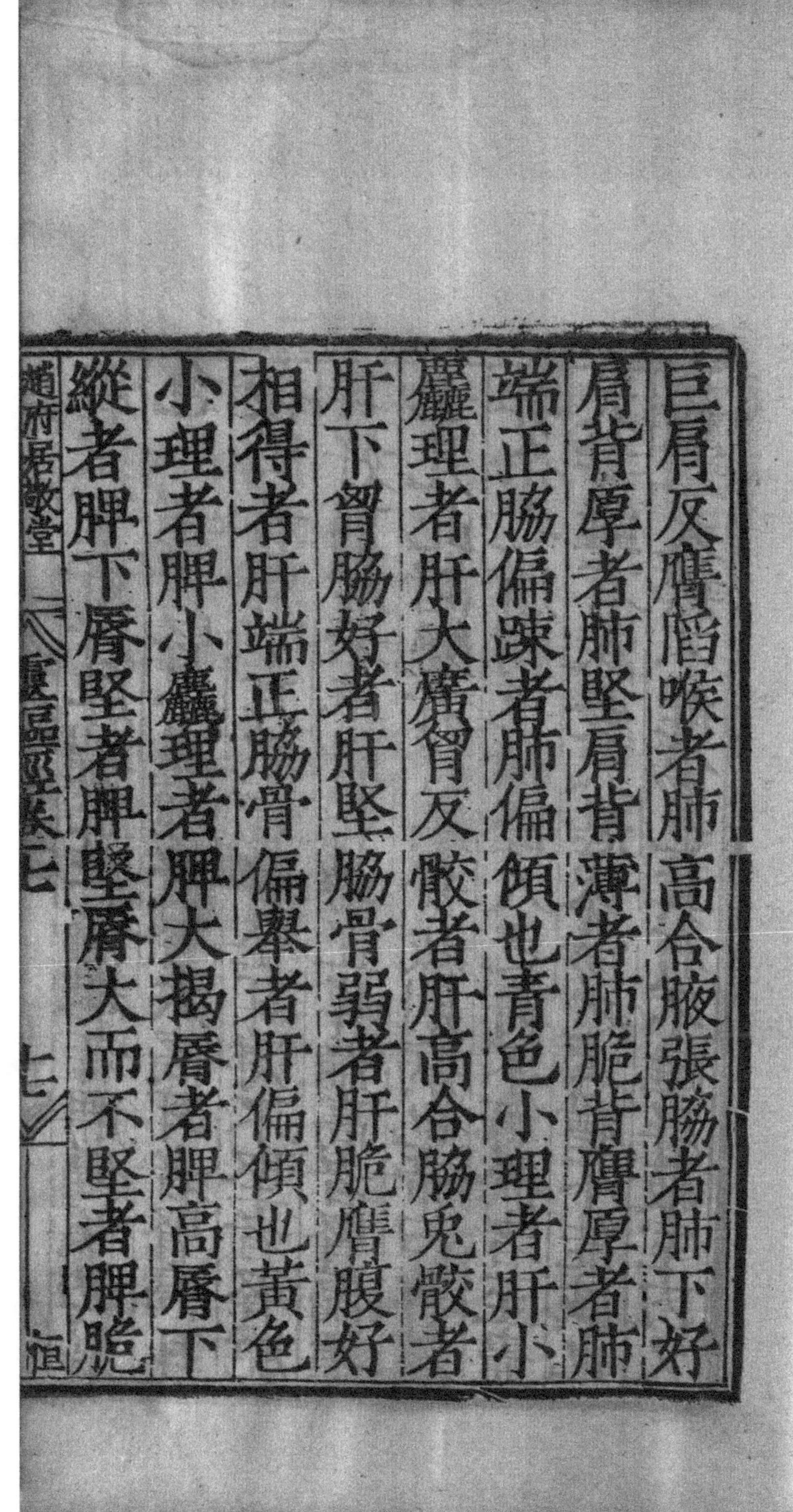

巨肩反膺陷喉者肺高合腋張脇者肺下好肩背厚者肺堅肩背薄者肺脆背膺厚者肺端正脇偏踈者肺偏傾也青色小理者肝小麤理者肝大廣胷反骹者肝高合脇兎骹者肝下胷脇好者肝堅脇骨弱者肝脆膺腹好相得者肝端正脇骨偏舉者肝偏傾也黄色小理者脾小麤理者脾大揭脣者脾高脣下縱者脾下脣堅者脾堅脣大而不堅者脾脆

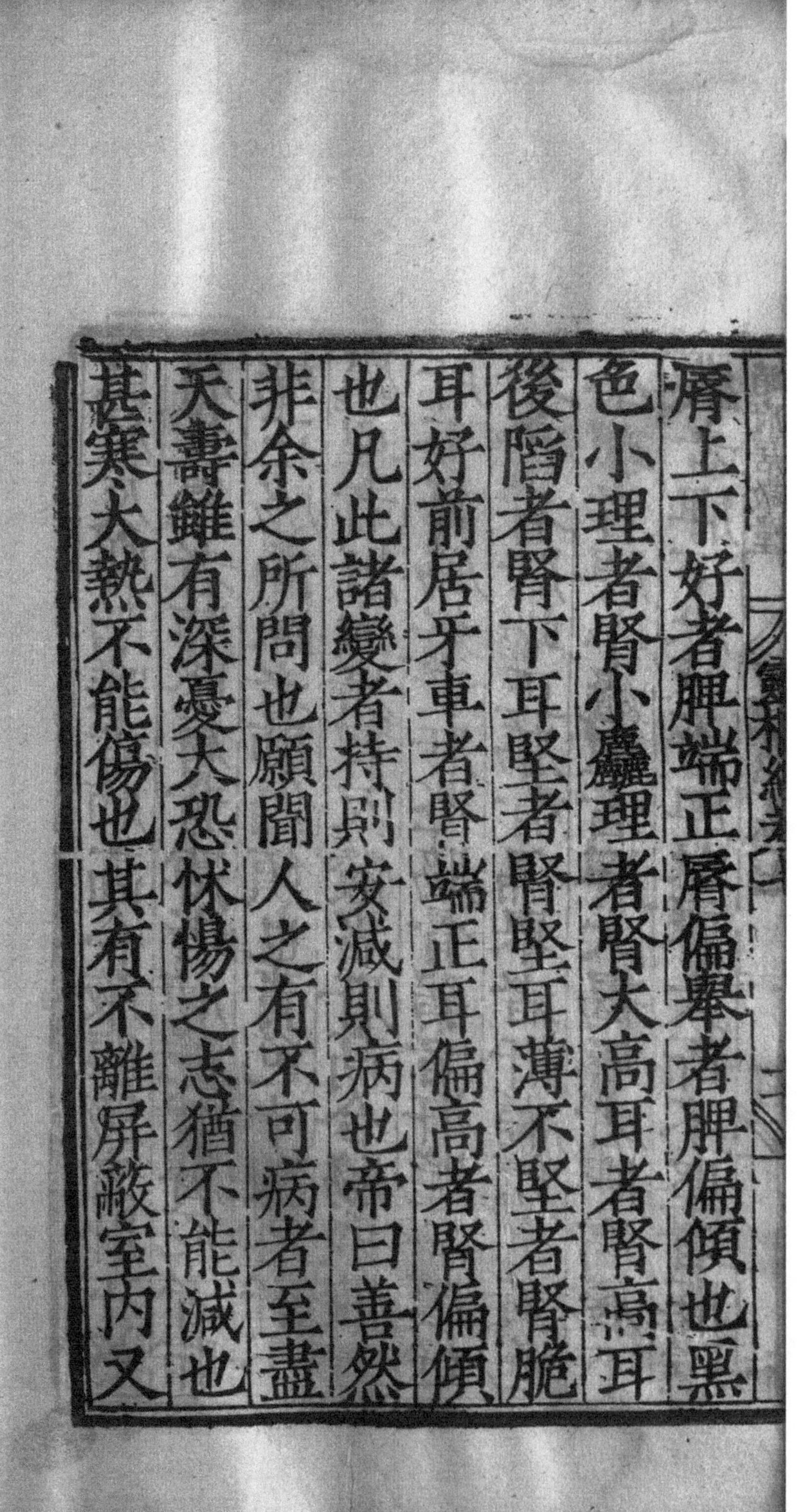

脣上下好者脾端正脣偏舉者脾偏傾也黑色小理者腎小麤理者腎大高耳者腎高耳後陷者腎下耳堅者腎堅耳薄不堅者腎脆耳好前居牙車者腎端正耳偏高者腎偏傾也凡此諸變者持則安減則病也帝曰善然非余之所問也願聞人之有不可病者至盡天壽雖有深憂大恐怵惕之志猶不能減也甚寒大熱不能傷也其有不離屏蔽室內又

無怵惕之恐然不免于病者何也願聞其故岐伯曰五藏六府邪之舍也請言其故五藏皆小者少病苦燋心大愁憂五藏皆大者緩于事難使以憂五藏皆高者好高舉措五藏皆下者好出人下五藏皆堅者無病五藏皆脆者不離于病五藏皆端正者和利得人心五藏皆偏傾者邪心而善盜不可以為人平反覆言語也黃帝曰願聞六府之應岐伯荅

曰肺合大腸大腸者皮其應心合小腸小腸
者脉其應肝合膽膽者筋其應脾合胃胃者
肉其應腎合三焦膀胱三焦膀胱者腠理毫
毛其應黃帝曰應之奈何岐伯曰肺應皮皮
厚者大腸厚皮薄者大腸薄皮緩腹裹大者
大腸大而長皮急者大腸急而短皮滑者大
腸直皮肉不相離者大腸結心應脉皮厚者
脉厚脉厚者小腸厚皮薄者脉薄脉薄者小

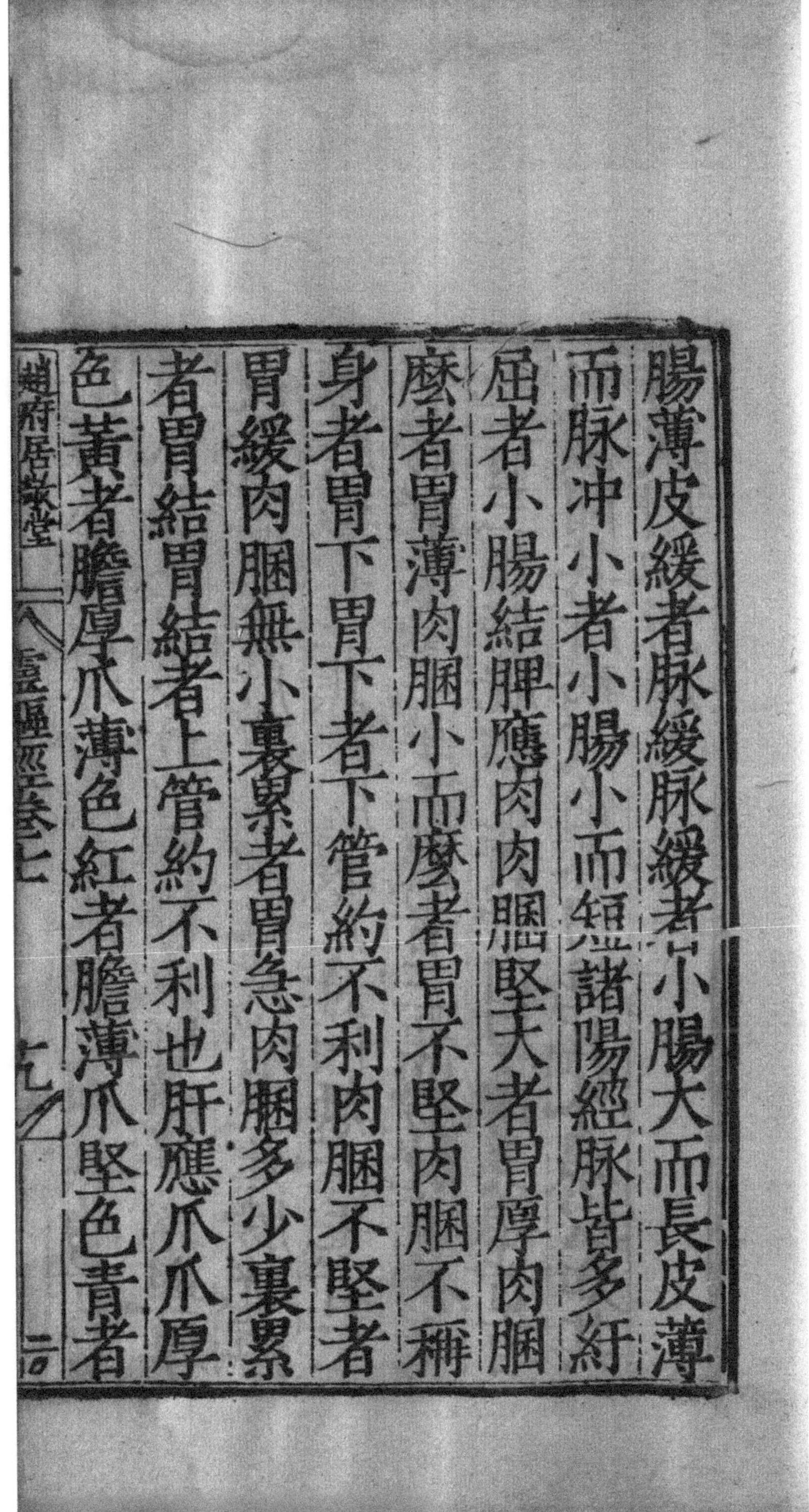

腸薄皮緩者脉緩脉緩者小腸大而長皮薄而脉冲小者小腸小而短諸陽經脉皆多紆屈者小腸結脾應肉肉䐃堅大者胃厚肉䐃麽者胃薄肉䐃小而麽者胃不堅肉䐃不稱身者胃下胃下者下管約不利肉䐃不堅者胃緩肉䐃無小裏累者胃急肉䐃多少裏累者胃結胃結者上管約不利也肝應爪爪厚色黃者膽厚爪薄色紅者膽薄爪堅色青者

膽急爪濡色赤者膽緩爪直色白無約者膽直爪惡色黑多紋者膽結也腎應骨密理厚皮者三焦膀胱厚麤理薄皮者三焦膀胱薄踈腠理者三焦膀胱緩皮急而無毫毛者三焦膀胱急毫毛美而麤者三焦膀胱直稀毫毛者三焦膀胱結也黄帝曰厚薄美惡皆有形願聞其所病岐伯荅曰視其外應以知其内藏則知所病矣

尻枯高切 骹音敲 𩩲音結 骬音于

黃帝素問靈樞經卷之七

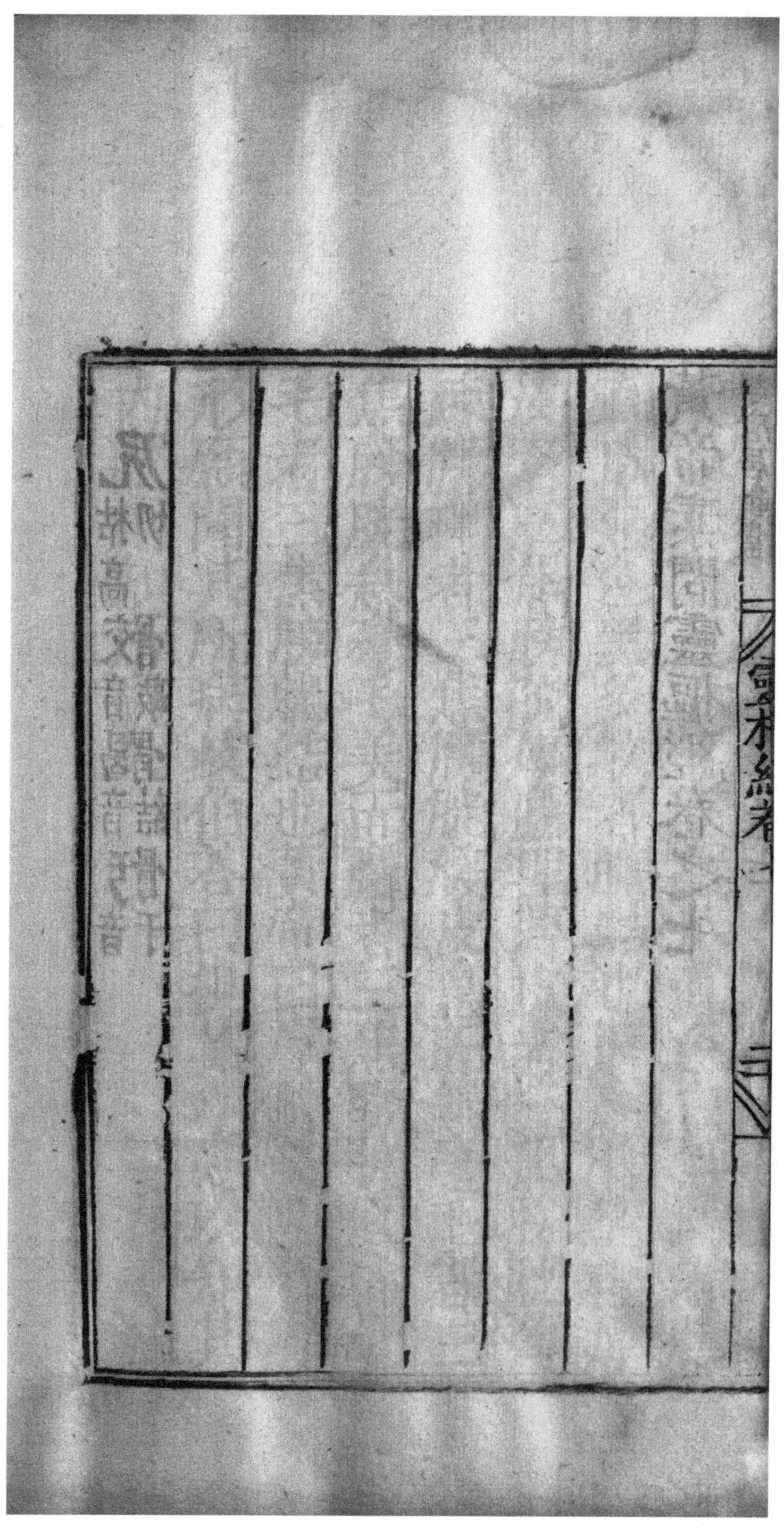

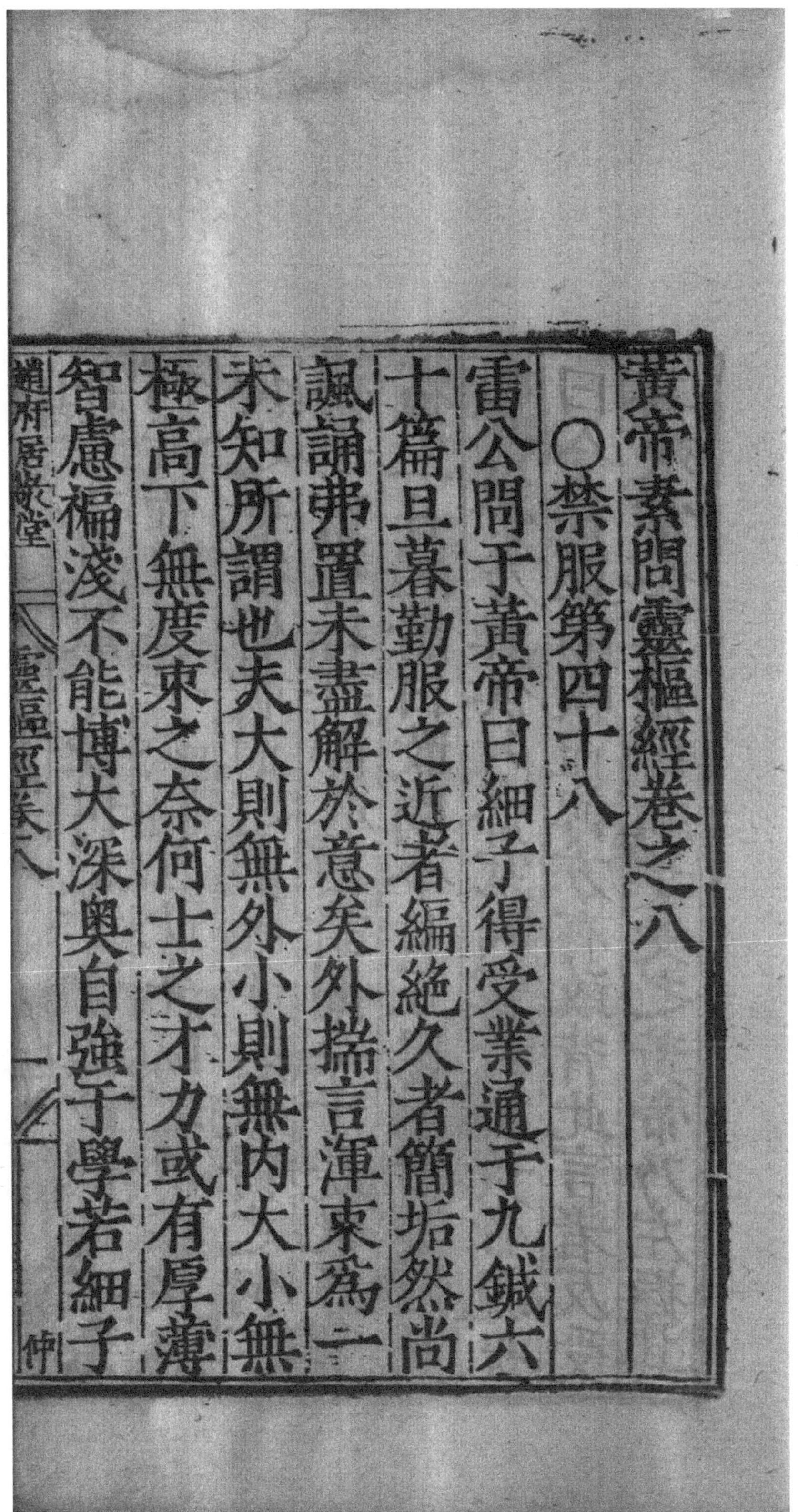

黃帝素問靈樞經卷之八

○禁服第四十八

雷公問于黃帝曰細子得受業通于九鍼六十篇旦暮勤服之近者編絶久者簡垢然尚諷誦弗置未盡解於意矣外揣言渾束爲一未知所謂也夫大則無外小則無內大小無極高下無度束之奈何士之才力或有厚薄智慮褊淺不能博大深奥自强于學若細子

細子恐其散于後世絶于子孫敢問約之奈何黄帝曰善乎哉問也此先師之所禁坐私傳之也割臂歃血之盟也子若欲得之何不齋乎雷公再拜而起曰請聞命于是也乃齋宿三日而請曰敢問今日正陽細子願以受盟黄帝乃與俱入齋室割臂歃血黄帝親祝曰今日正陽歃血傳方有敢背此言者反受其殃雷公再拜曰細子受之黄帝乃左握其

手右授之書曰愼之愼之吾爲子言之凡刺之理經脉爲始營其所行知其度量內刺五藏外刺六府審察衛氣爲百病母調其虛實虛實乃止寫其血絡血盡不殆矣雷公曰此皆細子之所以通未知其所約也黃帝曰夫約方者猶約囊也囊滿而弗約則輸泄方成弗約則神與弗俱雷公曰願爲下材者勿滿而約之黃帝曰未滿而知約之以爲工不可

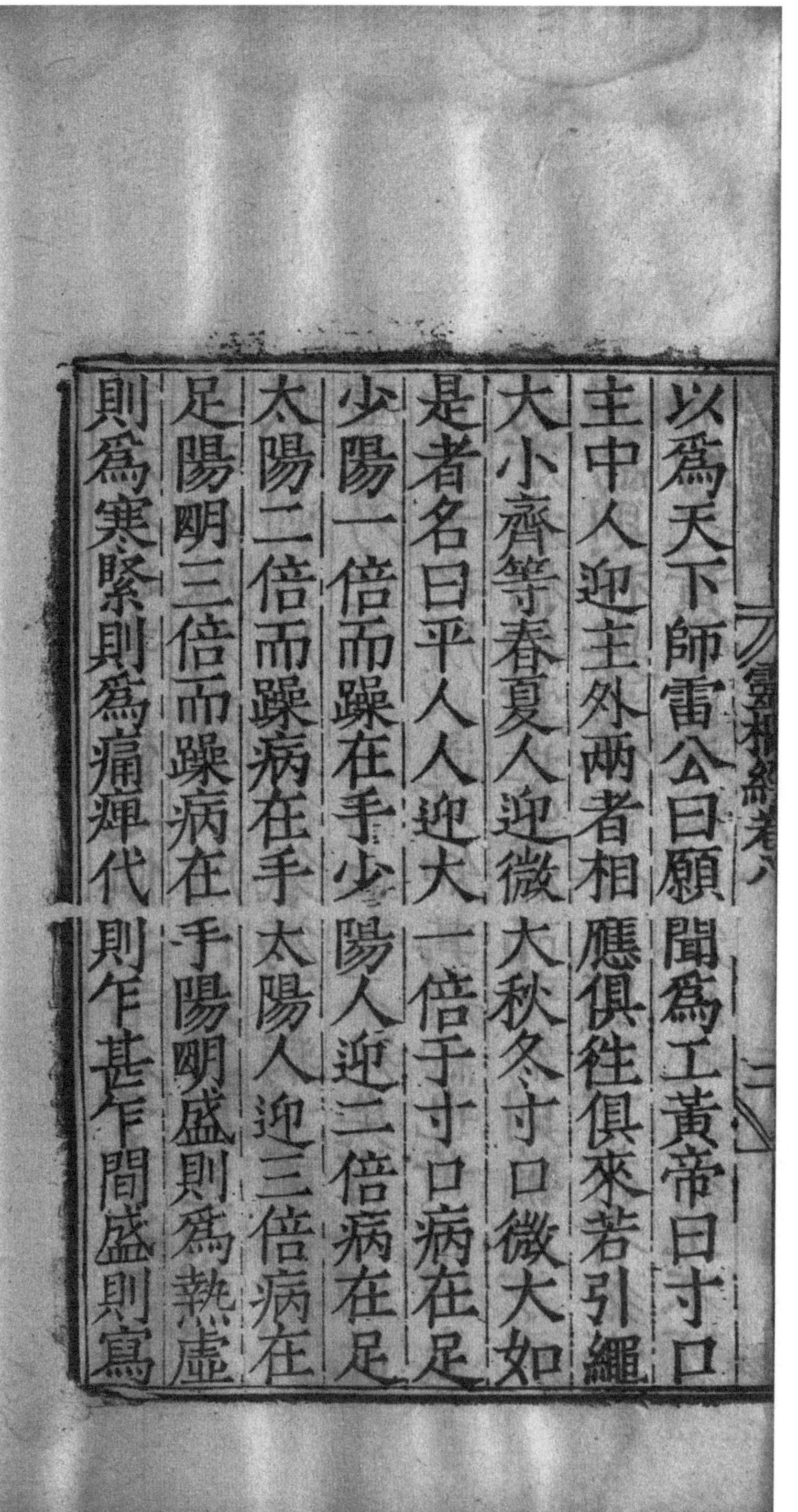

以爲天下師雷公曰願聞爲工黄帝曰寸口主中人迎主外兩者相應俱往俱來若引繩大小齊等春夏人迎微大秋冬寸口微大如是者名曰平人人迎大一倍于寸口病在足少陽一倍而躁在手少陽人迎二倍病在足太陽二倍而躁病在手太陽人迎三倍病在足陽明三倍而躁病在手陽明盛則爲熱虛則爲寒緊則爲痛痺代則乍甚乍間盛則寫

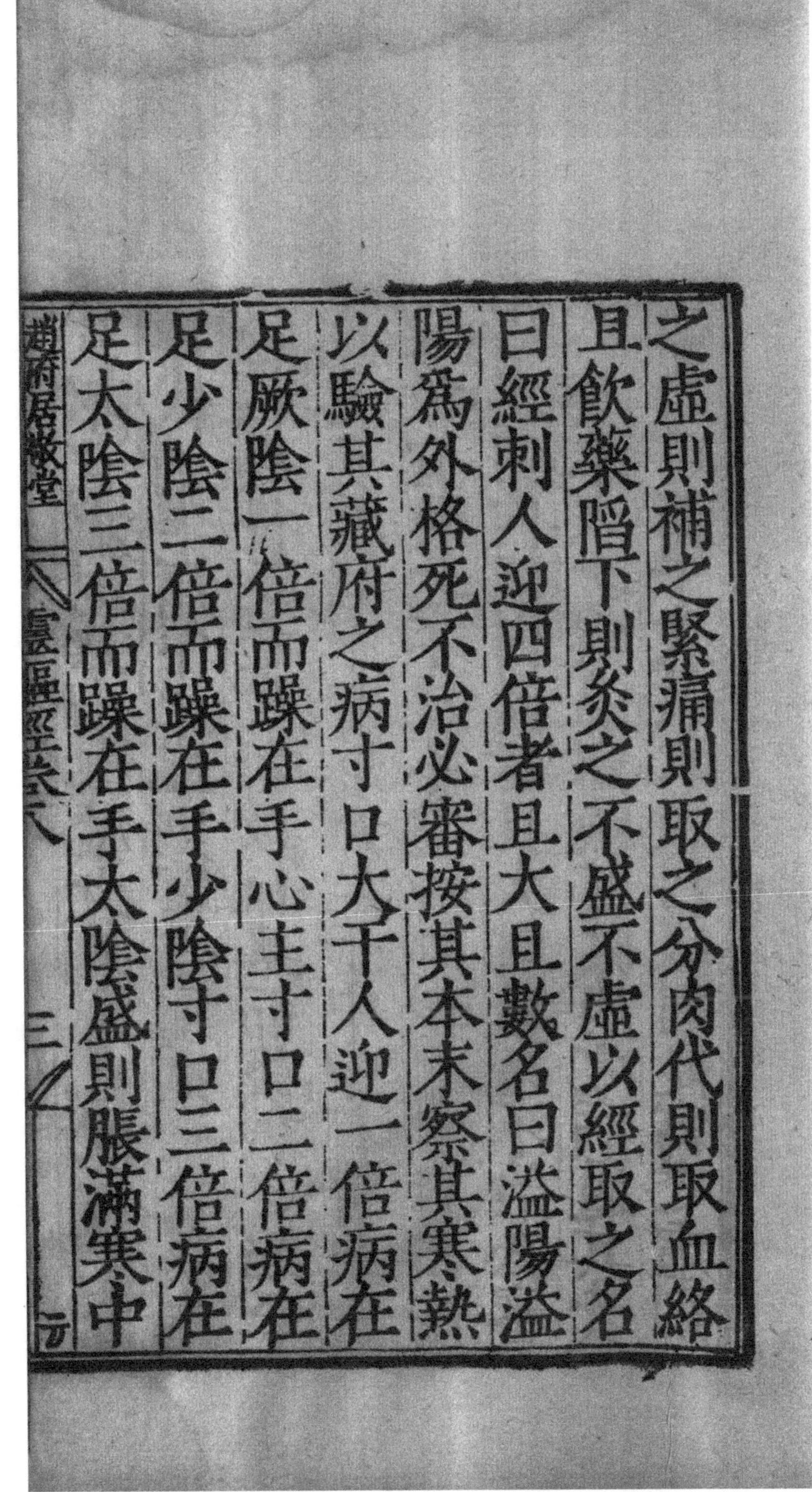

之虛則補之緊痛則取之分肉代則取血絡且飲藥陷下則灸之不盛不虛以經取之名曰經刺人迎四倍者且大且數名曰溢陽溢陽爲外格死不治必審按其本末察其寒熱以驗其藏府之病寸口大于人迎一倍病在足厥陰一倍而躁在手心主寸口二倍病在足少陰二倍而躁在手少陰寸口三倍病在足太陰三倍而躁在手太陰盛則脹滿寒中

食不化虛則熱中出糜少氣溺色變緊則痛
痹代則乍痛乍止盛則寫之虛則補之緊則
先刺而後灸之代則取血絡而後調之陷下
則徒灸之陷下者脉血結于中中有著血血
寒故宜灸之不盛不虛以經取之寸口四倍
者名曰内關内關者且大且數死不治必審
察其本末之寒温以驗其藏府之病通其營
輸乃可傳于大數大數曰盛則徒寫之虛則

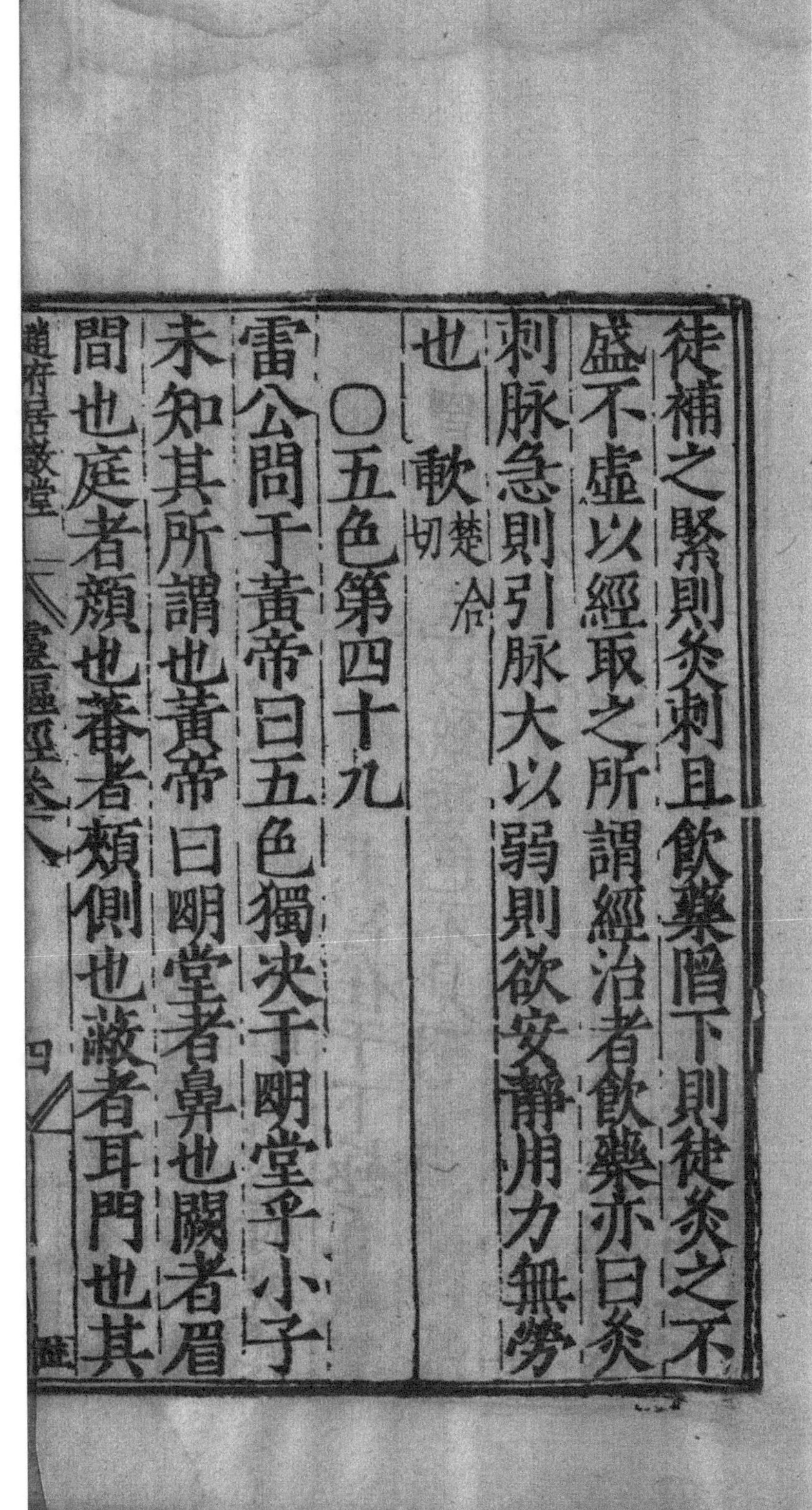

徒補之緊則灸刺且飲藥陷下則徒灸之不盛不虛以經取之所謂經治者飲藥亦曰灸刺脉急則引脉大以弱則欲安靜用力無勞也歃楚洽切

〇五色第四十九

雷公問于黄帝曰五色獨决于明堂乎小子未知其所謂也黄帝曰明堂者鼻也闕者眉間也庭者顔也蕃者頰側也蔽者耳門也其

間欲方大去之十步皆見于外如是者壽必中百歲雷公曰五官之辨奈何黄帝曰明堂骨高以起平以直五藏次于中央六府挾其兩側首面上于闕庭王宮在于下極五藏安于胷中眞色以致病色不見明堂潤澤以清五官惡得無辨乎雷公曰其不辨者可得聞乎黄帝曰五色之見也各出其色部部骨陷者必不免于病矣其色部乘襲者雖病甚不

死矣雷公曰官五色奈何黄帝曰青黑爲痛黄赤爲熱白爲寒是謂五官雷公曰病之益甚與其方衰如何黄帝曰外内皆在焉切其脉口滑小緊以沉者病益甚在中人迎氣大緊以浮者其病益甚在外其脉口浮滑者病日進人迎沉而滑者病日損其脉口滑以沉者病日進在内其人迎脉滑盛以浮者其病日進在外脉之浮沉及人迎與寸口氣小大

等者病難已病之在藏沉而大者易已小爲
逆病在府浮而大者其病易已人迎盛堅者
傷於寒氣口盛堅者傷於食雷公曰以色言
病之間甚奈何黄帝曰其色麤以明沉大者
爲甚其色上行者病益甚其色下行如雲徹
散者病方以五色各有藏部有外部有内部
也色從外部走内部者其病從外走内其色
從内走外者其病從内走外病生於内者先

治其陰後治其陽反者益甚其病生於陽者先治其外後治其內反者益甚其脉滑大以代而長者病從外來目有所見志有所惡此陽氣之并也可變而已雷公曰小子聞風者百病之始也厥逆者寒濕之起也別之奈何黃帝曰常候闕中薄澤爲風冲濁爲痺在地爲厥此其常也各以其色言其病雷公曰人不病卒死何以知之黃帝曰大氣入于藏府

者不病而卒死矣雷公曰病小愈而卒死者
何以知之黃帝曰赤色出兩顴大如母指者
病雖小愈必卒死黑色出於庭大如母指必
不病而卒死雷公再拜曰善哉其死有期乎
黃帝曰察色以言其時雷公曰善乎願卒聞
之黃帝曰庭者首面也闕上者咽喉也闕中
者肺也下極者心也直下者肝也肝左者膽
也下者脾也方上者胃也中央者大腸也挾

大腸者臂也當臂者臍也面王以上者小腸也面王以下者膀胱子處也顴者肩也顴後者臂也臂下者手也目内眥上者膺乳也挾繩而上者背也循牙車以下者股也中央者膝也膝以下者脛也當脛以下者足也巨分者股裏也巨屈者膝臏也此五藏六府肢節之部也各有部分有部分用陰和陽用陽和陰當明部分萬舉萬當能别左右是謂大道

男女異位故曰陰陽審察澤夭謂之良工沉
濁爲内浮澤爲外黃赤爲風青黑爲痛白爲
寒黃而膏潤爲膿赤甚者爲血痛甚爲攣寒
甚爲皮不仁五色各見其部察其浮沉以知
淺深察其澤夭以觀成敗察其散摶以知遠
近視色上下以知病處積神于心以知往今
故相氣不微不知是非屬意勿去乃知新故
色朙不麤沉大爲甚不朙不澤其病不甚其

色散駒駒然未有聚其病散而氣痛聚未成
也腎乘心心先病腎爲應色皆如是男子色
在于面王爲小腹痛下爲卵痛其圜直爲莖
痛高爲本下爲首狐疝㿉陰之屬也女子在
于面王爲膀胱子處之病散爲痛搏爲聚方
員左右各如其色形其隨而下至胝爲淫有
潤如膏狀爲暴食不潔左爲左右爲右其色
有邪聚散而不端面色所指者也色者青黑

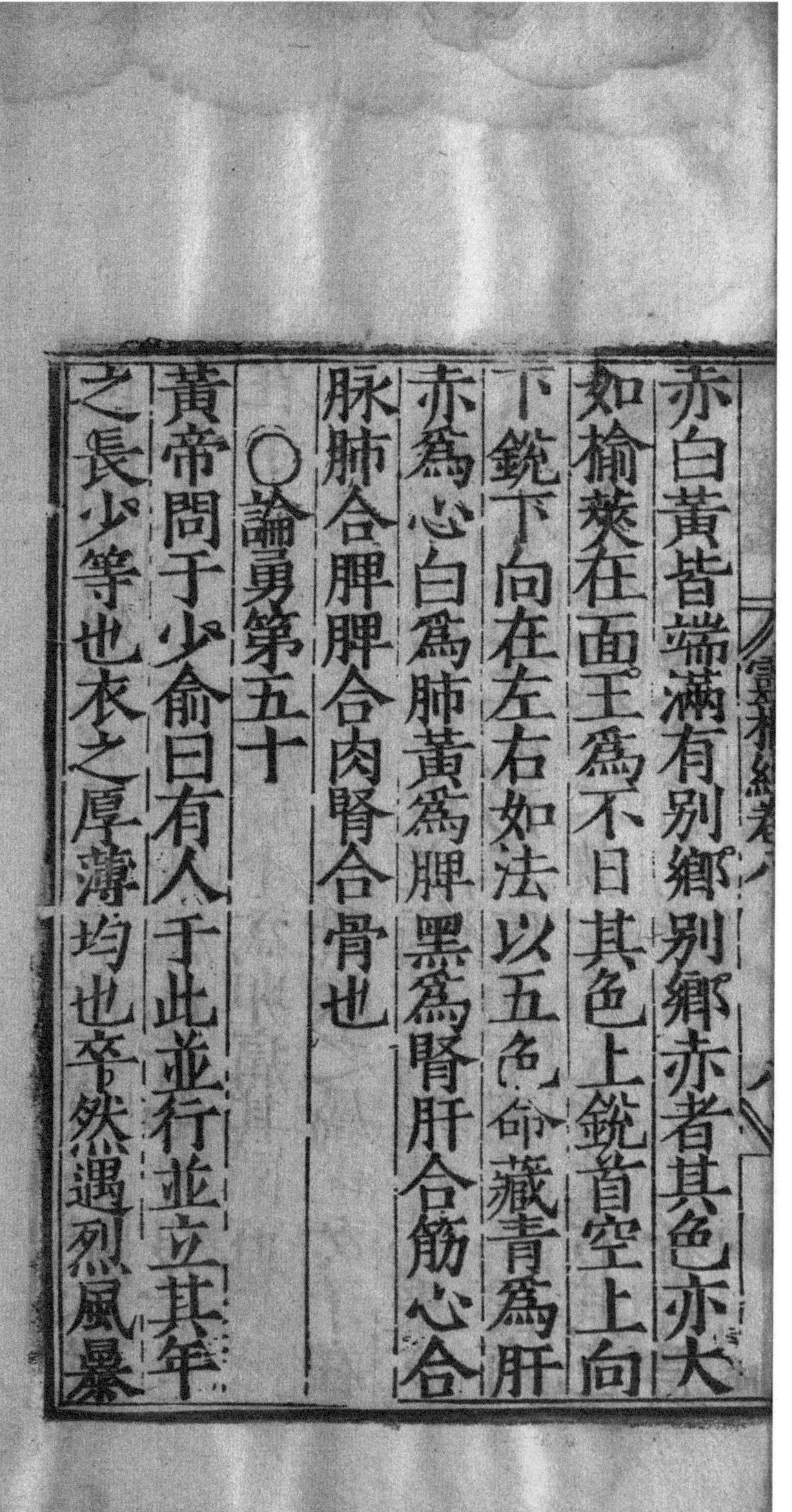

赤白黃皆端滿有別鄉別鄉赤者其色赤大
如榆莢在面王爲不日其色上銳首空上向
下銳下向在左右如法以五色命藏青爲肝
赤爲心白爲肺黃爲脾黑爲腎肝合筋心合
脉肺合脾脾合肉腎合骨也

○論勇第五十

黃帝問于少俞曰有人于此並行並立其年
之長少等也衣之厚薄均也卒然遇烈風暴

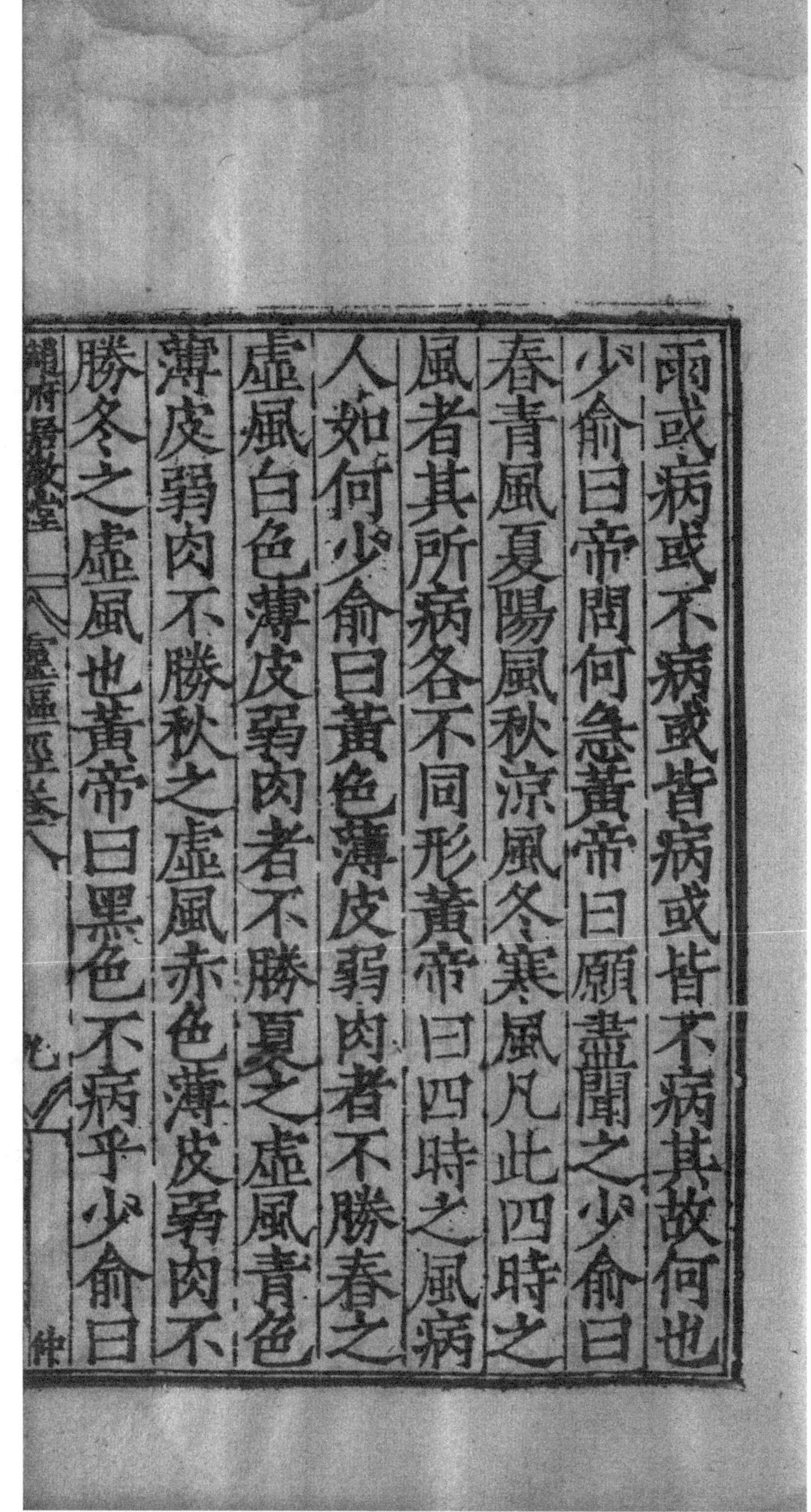

雨或病或不病或皆病或皆不病其故何也
少俞曰帝問何急黄帝曰願盡聞之少俞曰
春青風夏陽風秋涼風冬寒風凡此四時之
風者其所病各不同形黄帝曰四時之風病
人如何少俞曰黄色薄皮弱肉者不勝春之
虚風白色薄皮弱肉者不勝夏之虚風青色
薄皮弱肉不勝秋之虚風赤色薄皮弱肉不
勝冬之虚風也黄帝曰黑色不病乎少俞曰

黑色而皮厚肉堅固不傷于四時之風其皮薄而肉不堅色不一者長夏至而有虛風者病矣其皮厚而肌肉堅者長夏至而有虛風不病矣其皮厚而肌肉堅者必重感于寒外内皆然乃病黃帝曰善黃帝曰夫人之忍痛與不忍痛者非勇怯之分也夫勇士之不忍痛者見難則前見痛則止夫怯士之忍痛者聞難則恐遇痛不動夫勇士之忍痛者見難

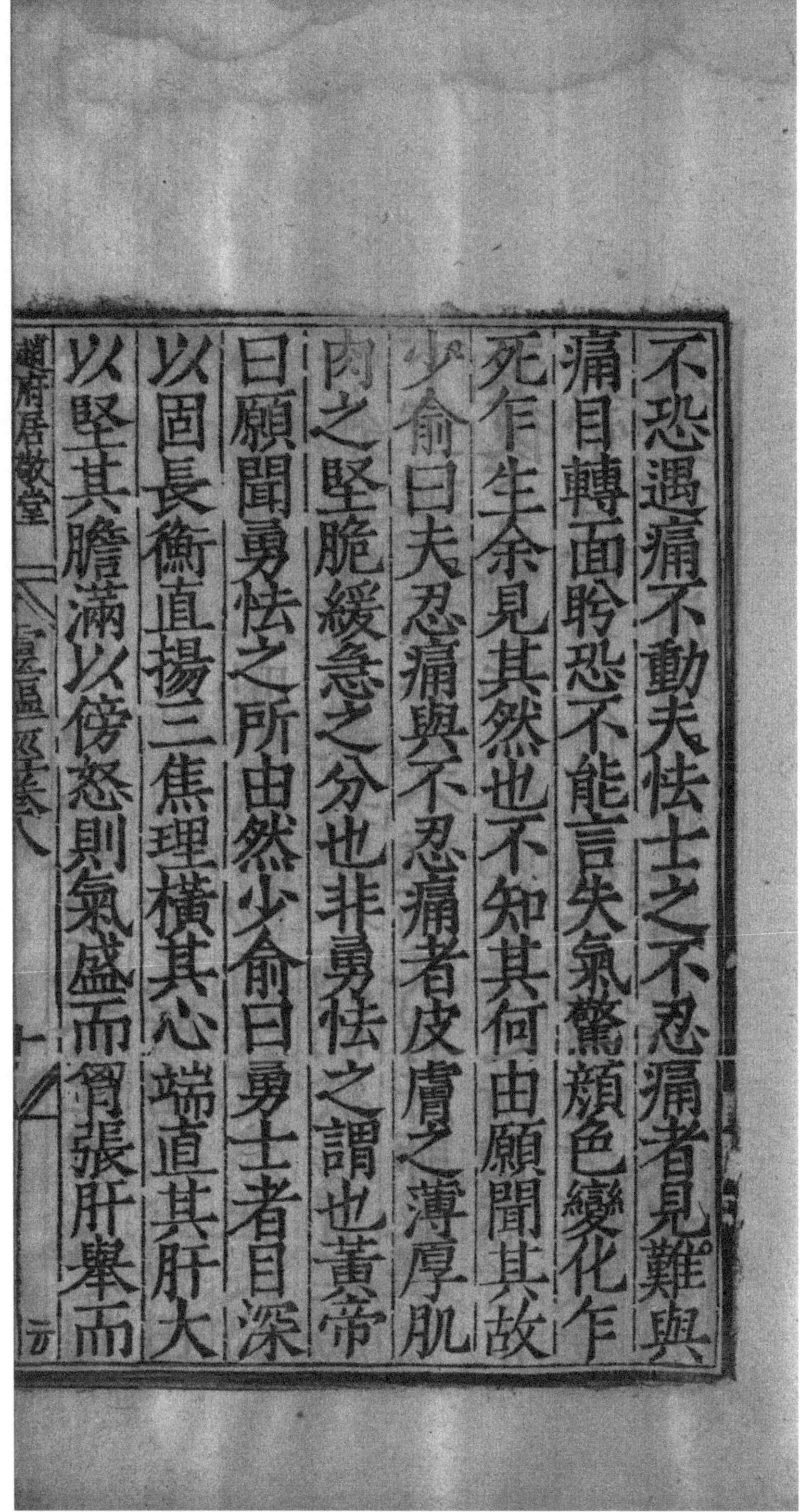

不恐遇痛不動夫怯士之不忍痛者見難與痛目轉面盻恐不能言失氣驚顔色變化乍死乍生余見其然也不知其何由願聞其故少俞曰夫忍痛與不忍痛者皮膚之薄厚肌肉之堅脆緩急之分也非勇怯之謂也黄帝曰願聞勇怯之所由然少俞曰勇士者目深以固長衡直揚三焦理横其心端直其肝大以堅其膽滿以傍怒則氣盛而胷張肝舉而

趙府居敬堂　靈樞經卷八　十

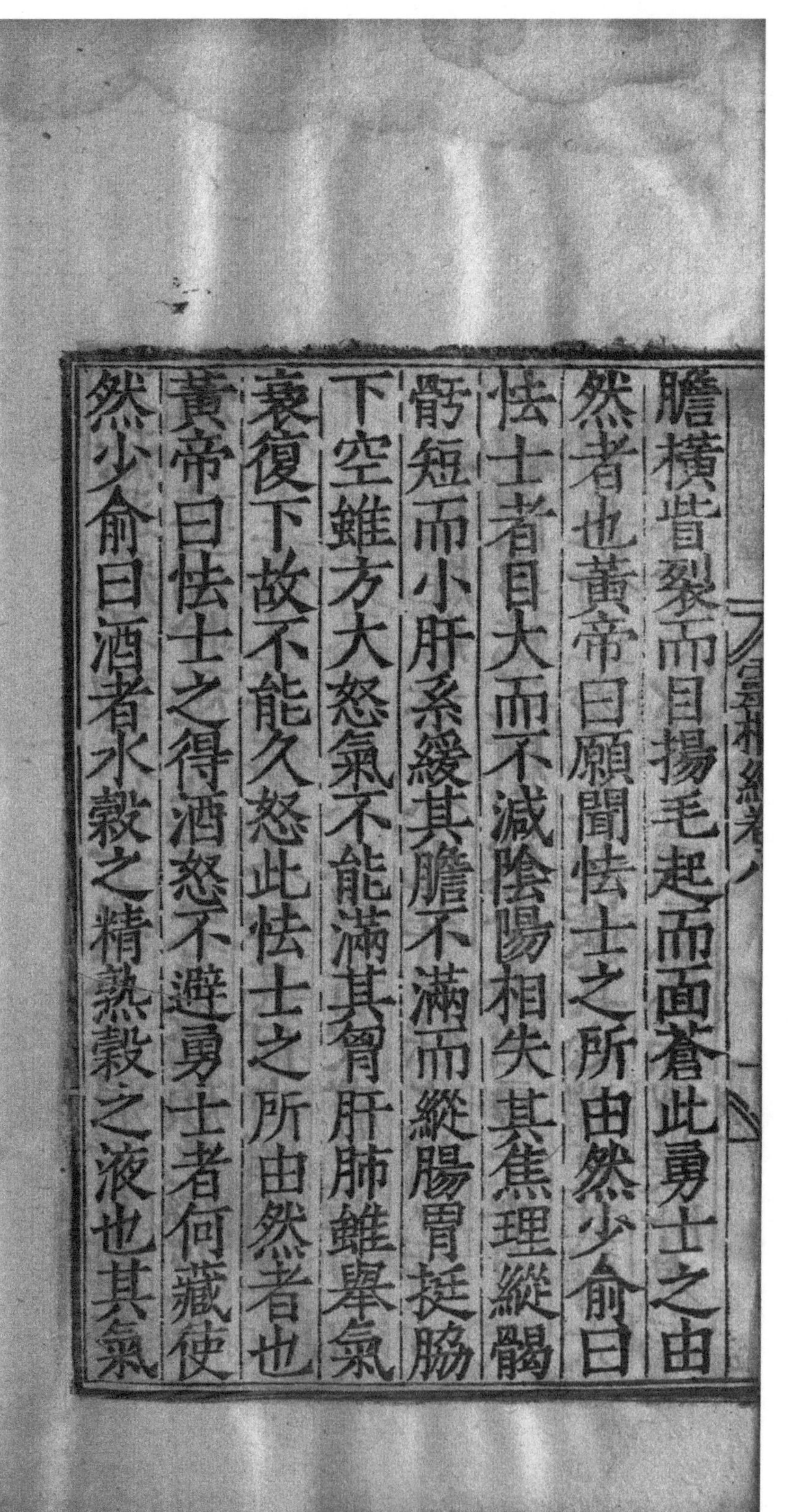

膽橫眥裂而目揚毛起而面蒼此勇士之由然者也黄帝曰願聞怯士之所由然少俞曰怯士者目大而不減陰陽相失其焦理縱䯏骬短而小肝系緩其膽不滿而縱腸胃挺脇下空雖方大怒氣不能滿其胷肝肺雖舉氣衰復下故不能久怒此怯士之所由然者也黄帝曰怯士之得酒怒不避勇士者何藏使然少俞曰酒者水穀之精熟穀之液也其氣

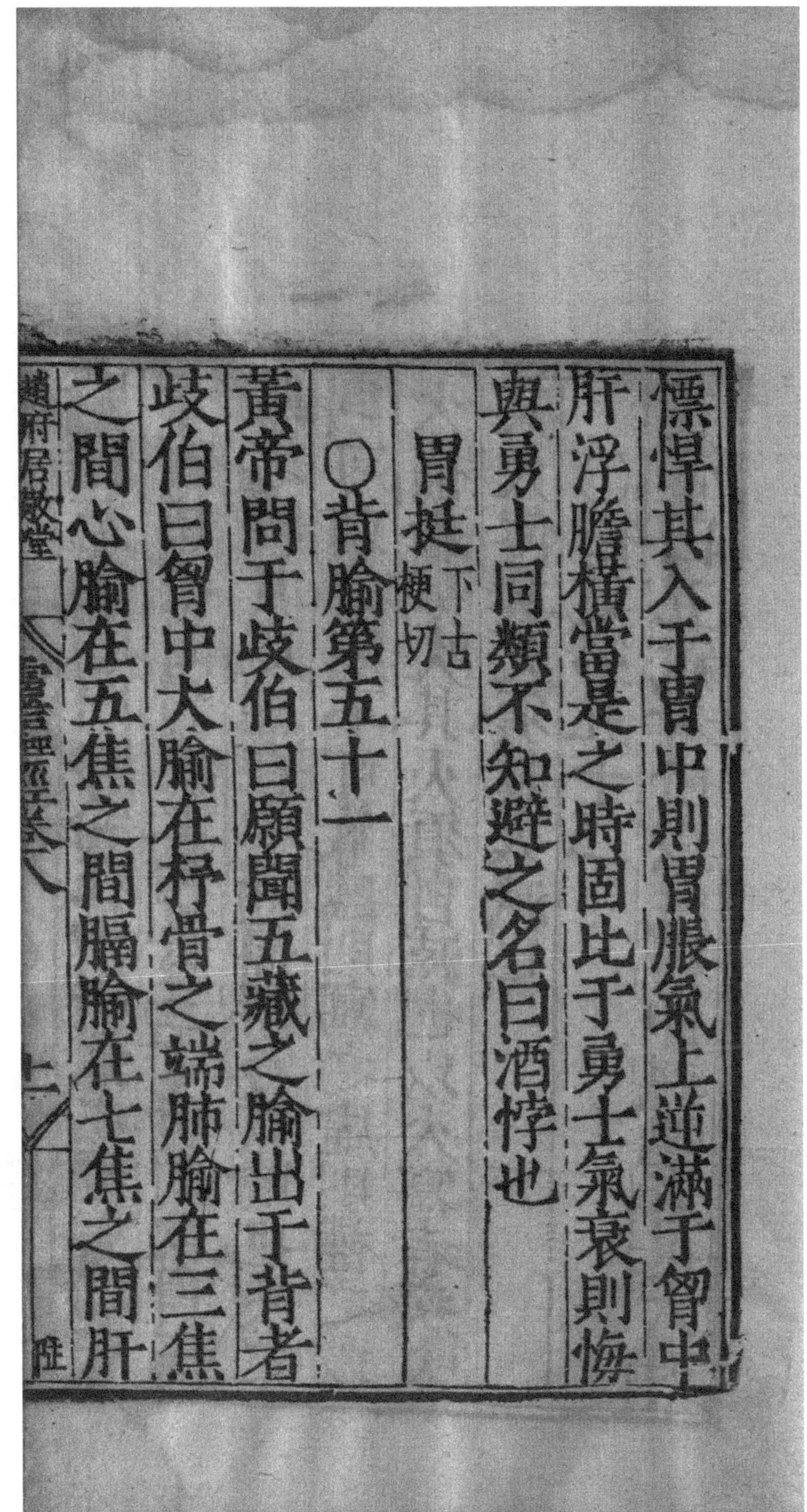

慓悍其入于胃中則胃脹氣上逆滿于胷中肝浮膽横當是之時固比于勇士氣衰則悔與勇士同類不知避之名曰酒悖也

胃挺下古梗切

○背腧第五十一

黄帝問于岐伯曰願聞五藏之腧出于背者岐伯曰胷中大腧在杼骨之端肺腧在三焦之間心腧在五焦之間膈腧在七焦之間肝

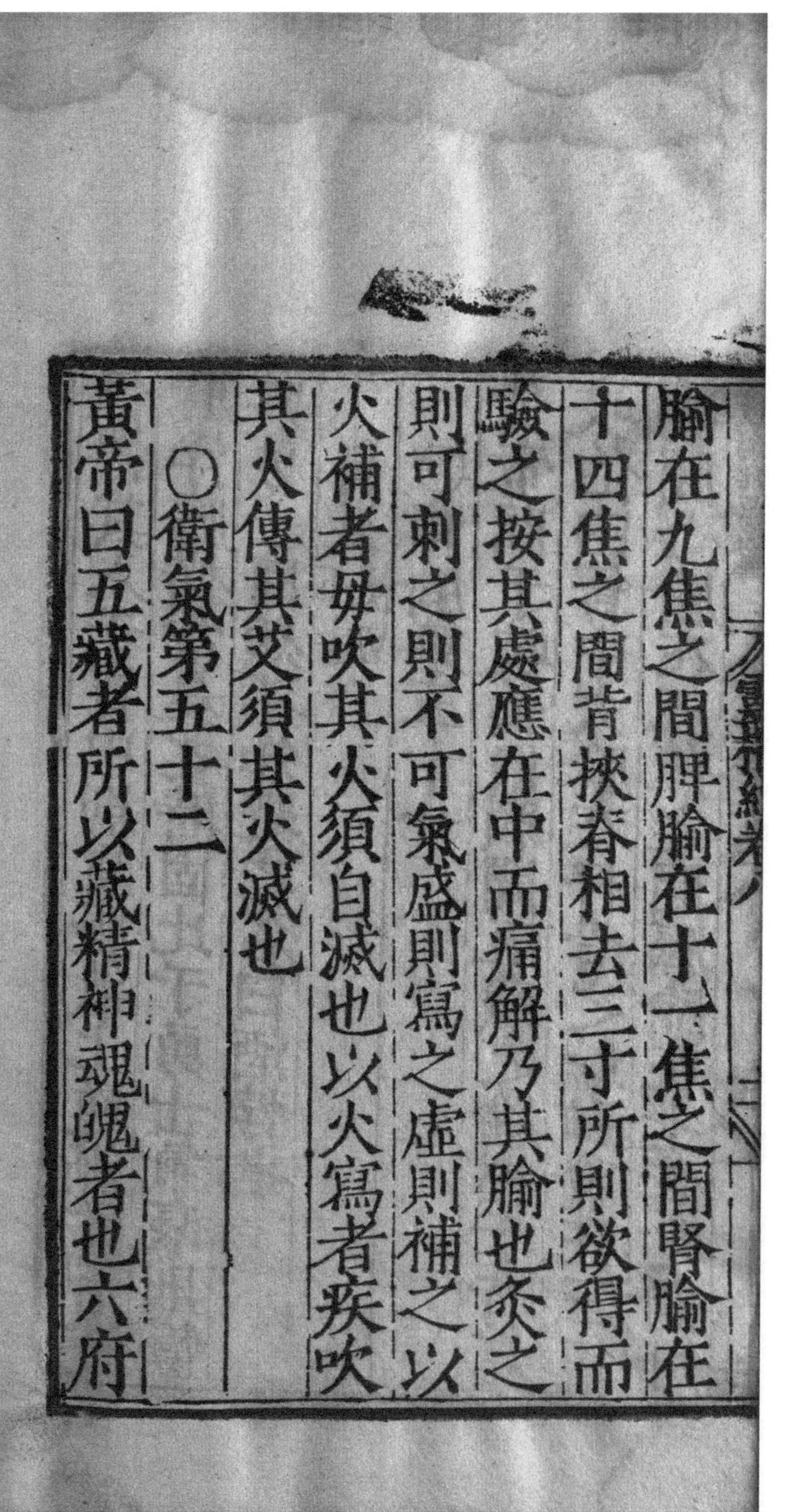

腧在九焦之間脾腧在十一焦之間腎腧在十四焦之間背挾脊相去三寸所則欲得而驗之按其處應在中而痛解乃其腧也灸之則可刺之則不可氣盛則寫之虛則補之以火補者毋吹其火須自滅也以火寫者疾吹其火傳其艾須其火滅也

〇衛氣第五十二

黄帝曰五藏者所以藏精神魂魄者也六府

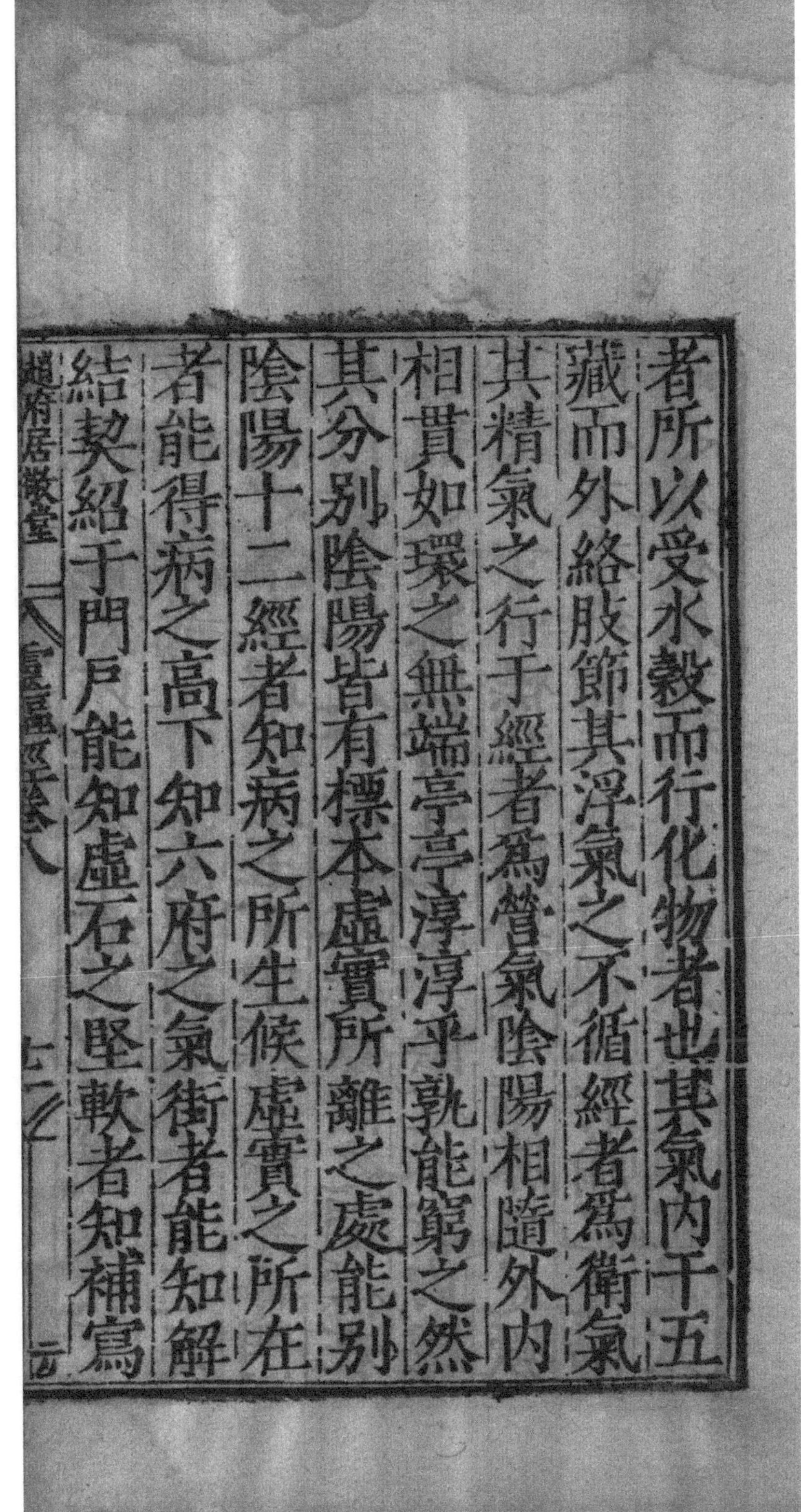
者所以受水穀而行化物者也其氣內干五藏而外絡肢節其浮氣之不循經者爲衛氣其精氣之行于經者爲營氣陰陽相隨外內相貫如環之無端亭亭淳淳乎孰能窮之然其分別陰陽皆有標本虛實所離之處能別陰陽十二經者知病之所生候虛實之所在者能得病之高下知六府之氣街者能知解結契紹于門戶能知虛石之堅軟者知補寫

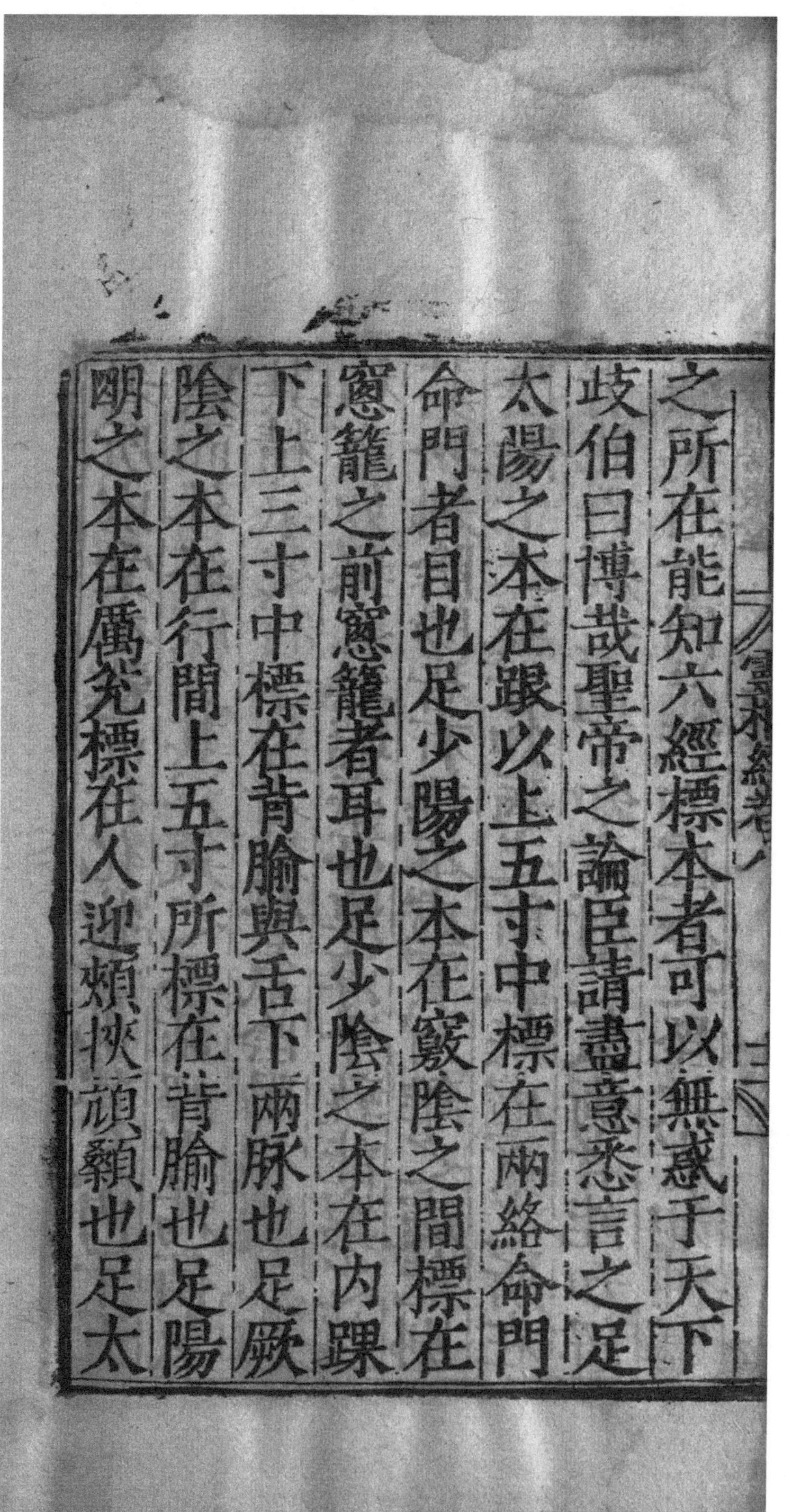

之所在能知六經標本者可以無惑于天下岐伯曰博哉聖帝之論臣請盡意悉言之足太陽之本在跟以上五寸中標在兩絡命門命門者目也足少陽之本在竅陰之間標在窗籠之前窗籠者耳也足少陰之本在內踝下上三寸中標在背腧與舌下兩脉也足厥陰之本在行間上五寸所標在背腧也足陽明之本在厲兌標在人迎頰挾頏顙也足太

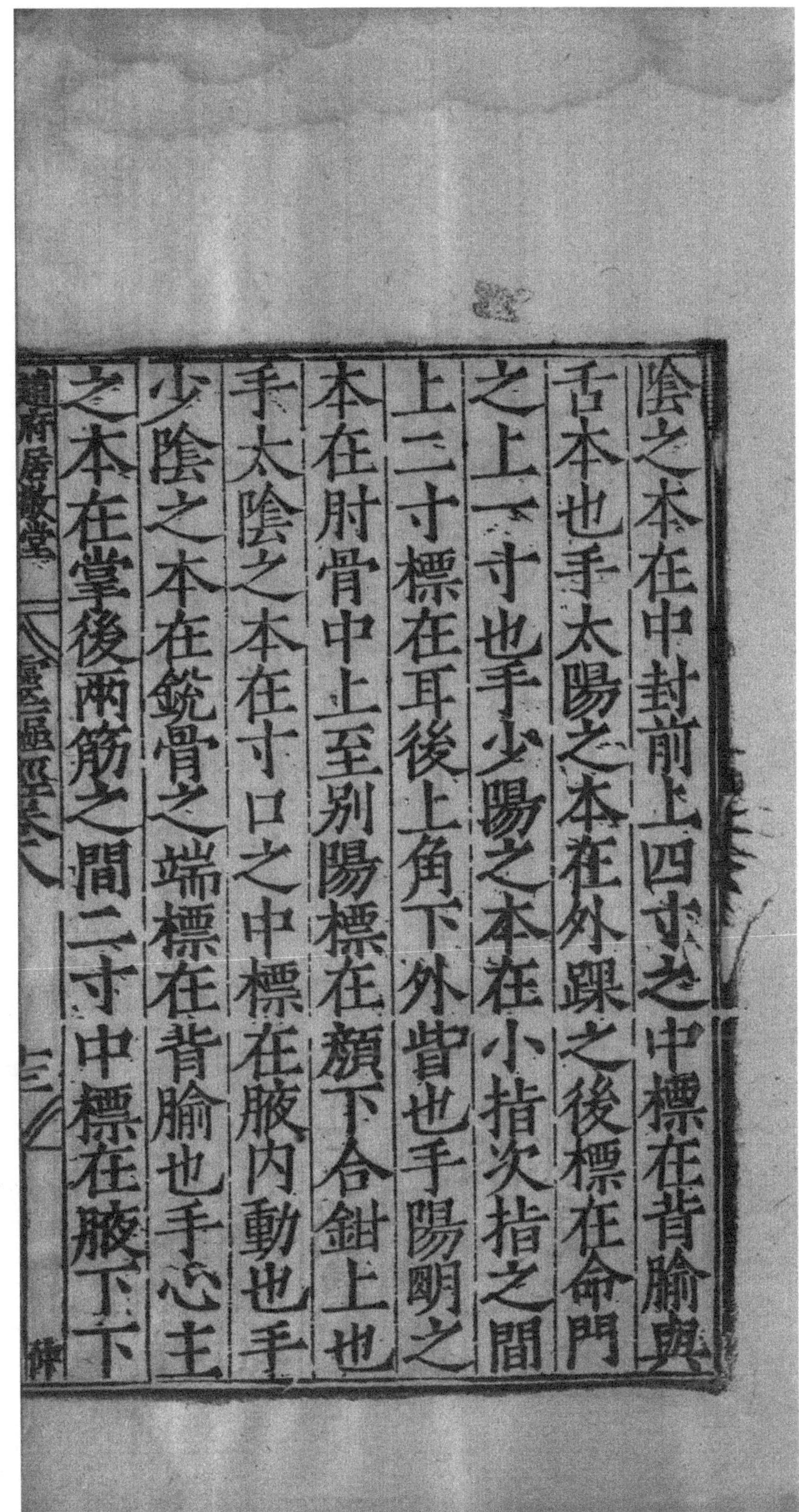

陰之本在中封前上四寸之中標在背腧與
舌本也手太陽之本在外踝之後標在命門
之上一寸也手少陽之本在小指次指之間
上二寸標在耳後上角下外眥也手陽明之
本在肘骨中上至別陽標在顏下合鉗上也
手太陰之本在寸口之中標在腋內動也手
少陰之本在鋭骨之端標在背腧也手心主
之本在掌後兩筋之間二寸中標在腋下下

三寸也凡候此者下虛則厥下盛則熱上虛則眩上盛則熱痛故石者絶而止之虛者引而起之請言氣街胷氣有街腹氣有街頭氣有街脛氣有街故氣在頭者止之于腦氣在胷者止之膺與背腧氣在腹者止之背腧與衝脉于臍左右之動脉者氣在脛者止之于氣街與承山踝上以下取此者用毫鍼必先按而在久應于手乃刺而予之所治者頭痛

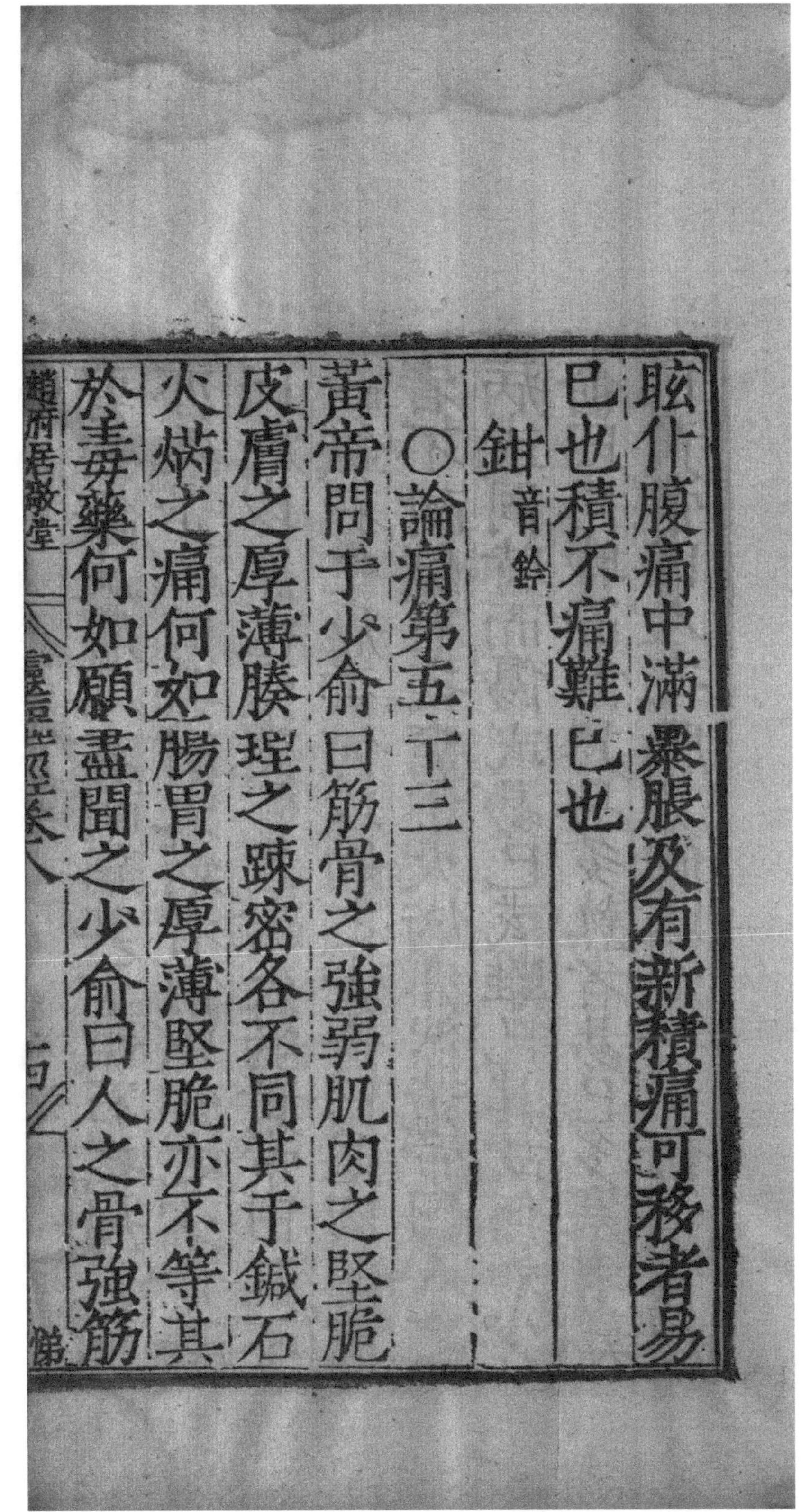

眩仆腹痛中滿暴脹及有新積痛可移者易已也積不痛難已也

鉗音鈐

○論痛第五十三

黄帝問于少俞曰筋骨之強弱肌肉之堅脆皮膚之厚薄腠理之踈密各不同其于鍼石火焫之痛何如腸胃之厚薄堅脆亦不等其於毒藥何如願盡聞之少俞曰人之骨強筋

弱肉緩皮膚厚者耐痛其于鍼石之痛火焫
亦然黄帝曰其耐火焫者何以知之少俞荅
曰加以黑色而美骨者耐火焫黄帝曰其不
耐鍼石之痛者何以知之少俞曰堅肉薄皮
者不耐鍼石之痛于火焫亦然黄帝曰人之
病或同時而傷或易已或難已其故何如少
俞曰同時而傷其身多熱者易已多寒者難
已黄帝曰人之勝毒何以知之少俞曰胃厚

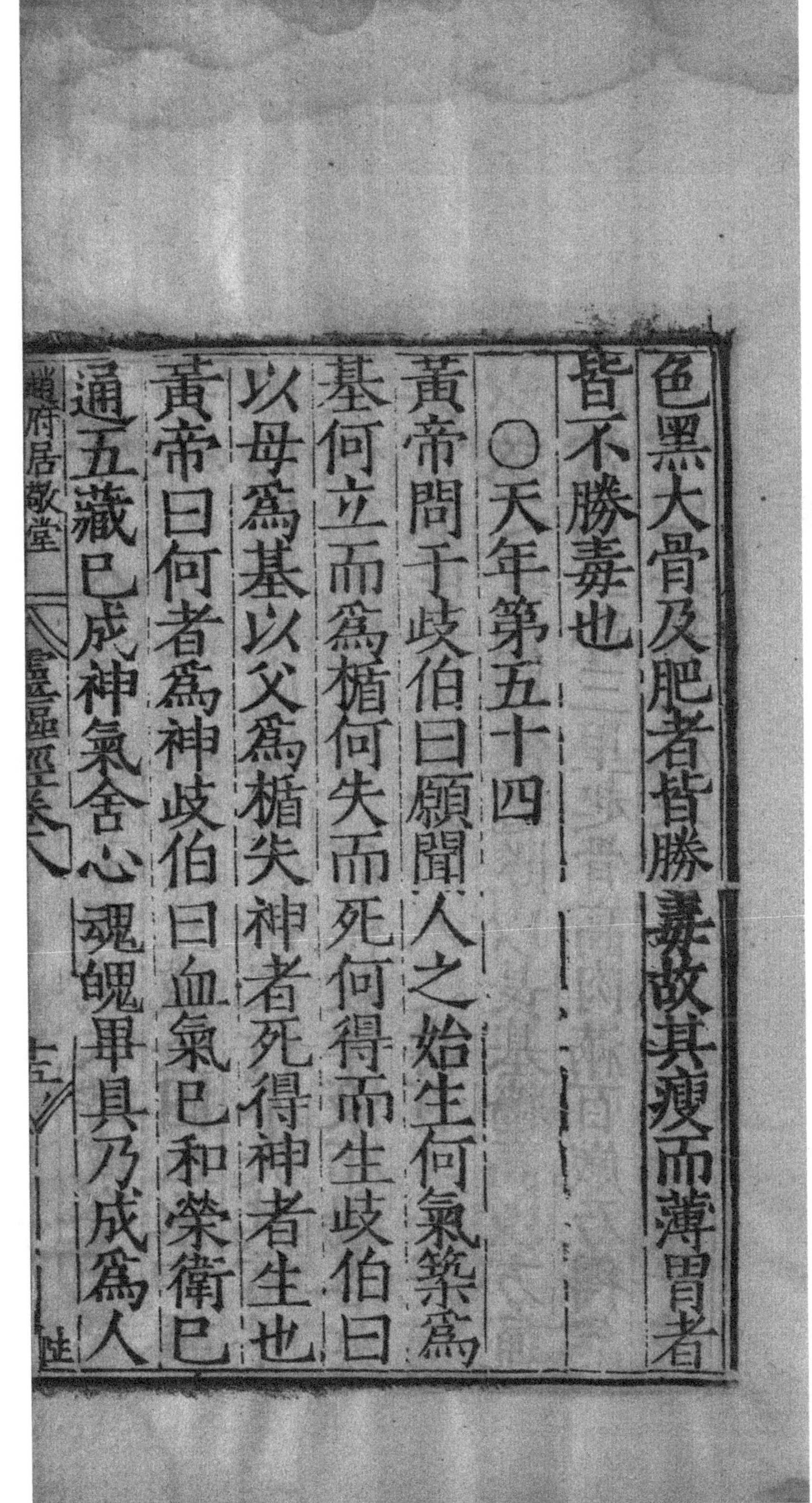

色黑大骨及肥者皆勝壽故其瘦而薄胃者皆不勝壽也

○天年第五十四

黃帝問于歧伯曰願聞人之始生何氣築爲基何立而爲楯何失而死何得而生歧伯曰以母爲基以父爲楯失神者死得神者生也黃帝曰何者爲神歧伯曰血氣已和榮衛已通五藏已成神氣舍心魂魄畢具乃成爲人

趙府居敬堂　靈樞經卷八　十五　陸

黃帝曰人之壽夭各不同或夭壽或卒死或病久願聞其道岐伯曰五藏堅固血脉和調肌肉解利皮膚緻密營衛之行不失其常呼吸微徐氣以度行六府化穀津液布揚各如其常故能長久黃帝曰人之壽百歲而死何以致之岐伯曰使道隧以長基牆高以方通調營衛三部三里起骨高肉滿百歲乃得終

黃帝曰其氣之盛衰以至其死可得聞乎岐

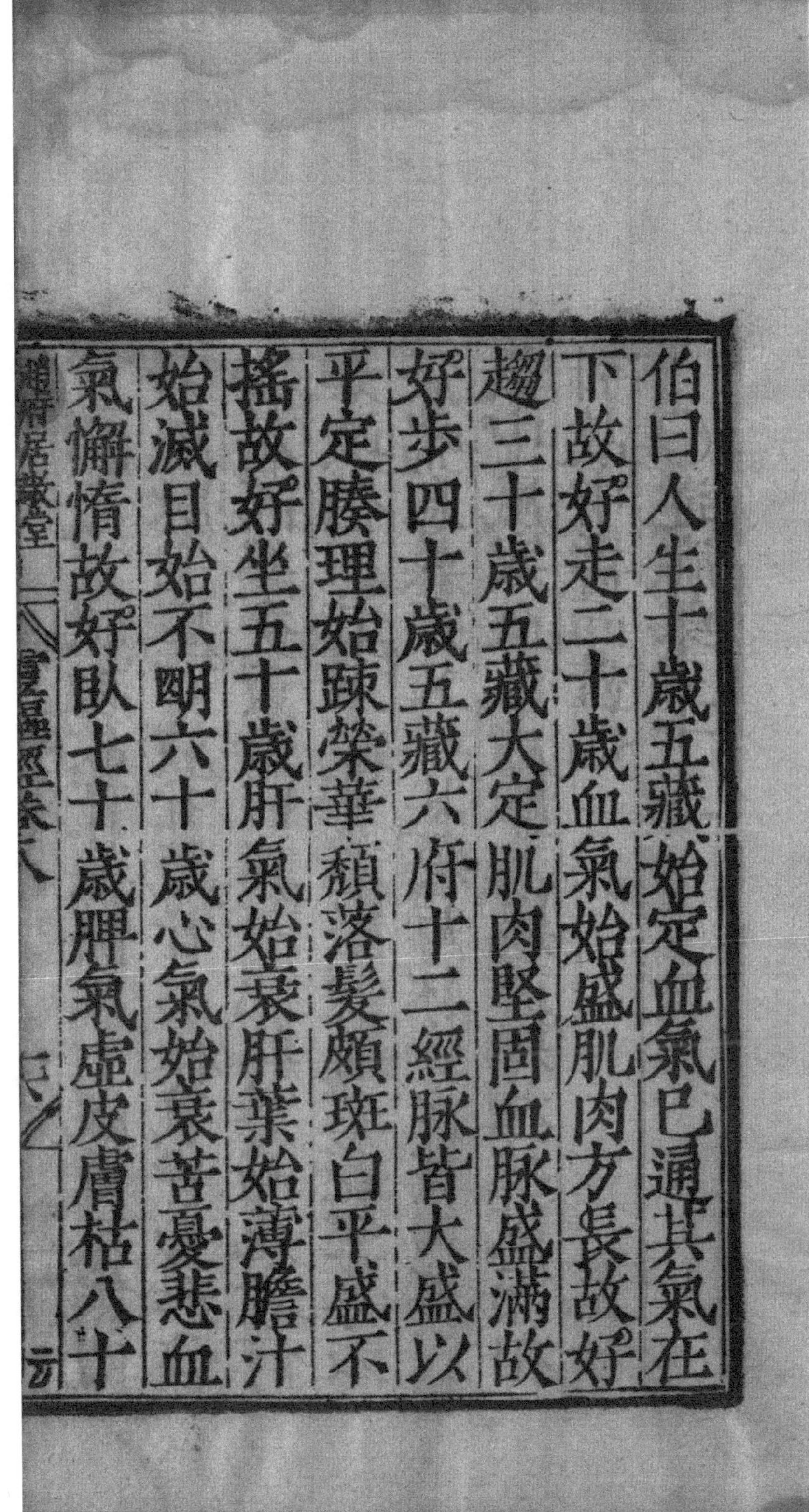

伯曰人生十歲五藏始定血氣已通其氣在下故好走二十歲血氣始盛肌肉方長故好趨三十歲五藏大定肌肉堅固血脉盛滿故好步四十歲五藏六府十二經脉皆大盛以平定腠理始踈榮華頹落髮頗斑白平盛不搖故好坐五十歲肝氣始衰肝葉始薄膽汁始滅目始不明六十歲心氣始衰苦憂悲血氣懈惰故好臥七十歲脾氣虛皮膚枯八十

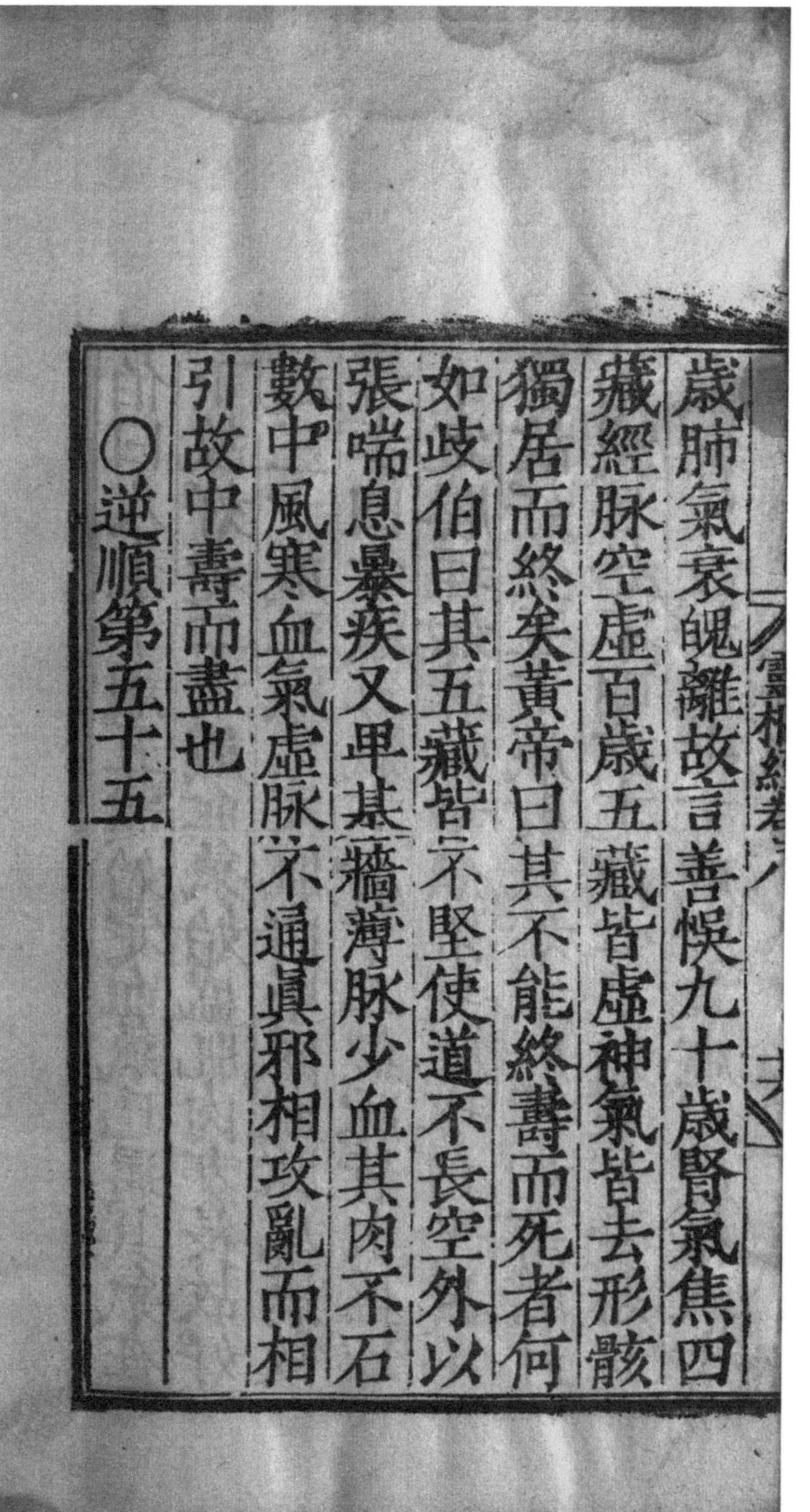

歲肺氣衰魄離故言善悮九十歲腎氣焦四藏經脉空虛百歲五藏皆虛神氣皆去形骸獨居而終矣黄帝曰其不能終壽而死者何如岐伯曰其五藏皆不堅使道不長空外以張喘息暴疾又卑基牆薄脉少血其肉不石數中風寒血氣虛脉不通眞邪相攻亂而相引故中壽而盡也

○逆順第五十五

黄帝問于伯高曰余聞氣有逆順脉有盛衰刺有大約可得聞乎伯高曰氣之逆順者所以應天地陰陽四時五行也脉之盛衰者所以候血氣之虚實有餘不足刺之大約者必明知病之可刺與其未可刺與其已不可刺也黄帝曰候之奈何伯高曰兵法曰無迎逢逢之氣無擊堂堂之陣刺法曰無刺熇熇之熱無刺漉漉之汗無刺渾渾之脉無刺病與

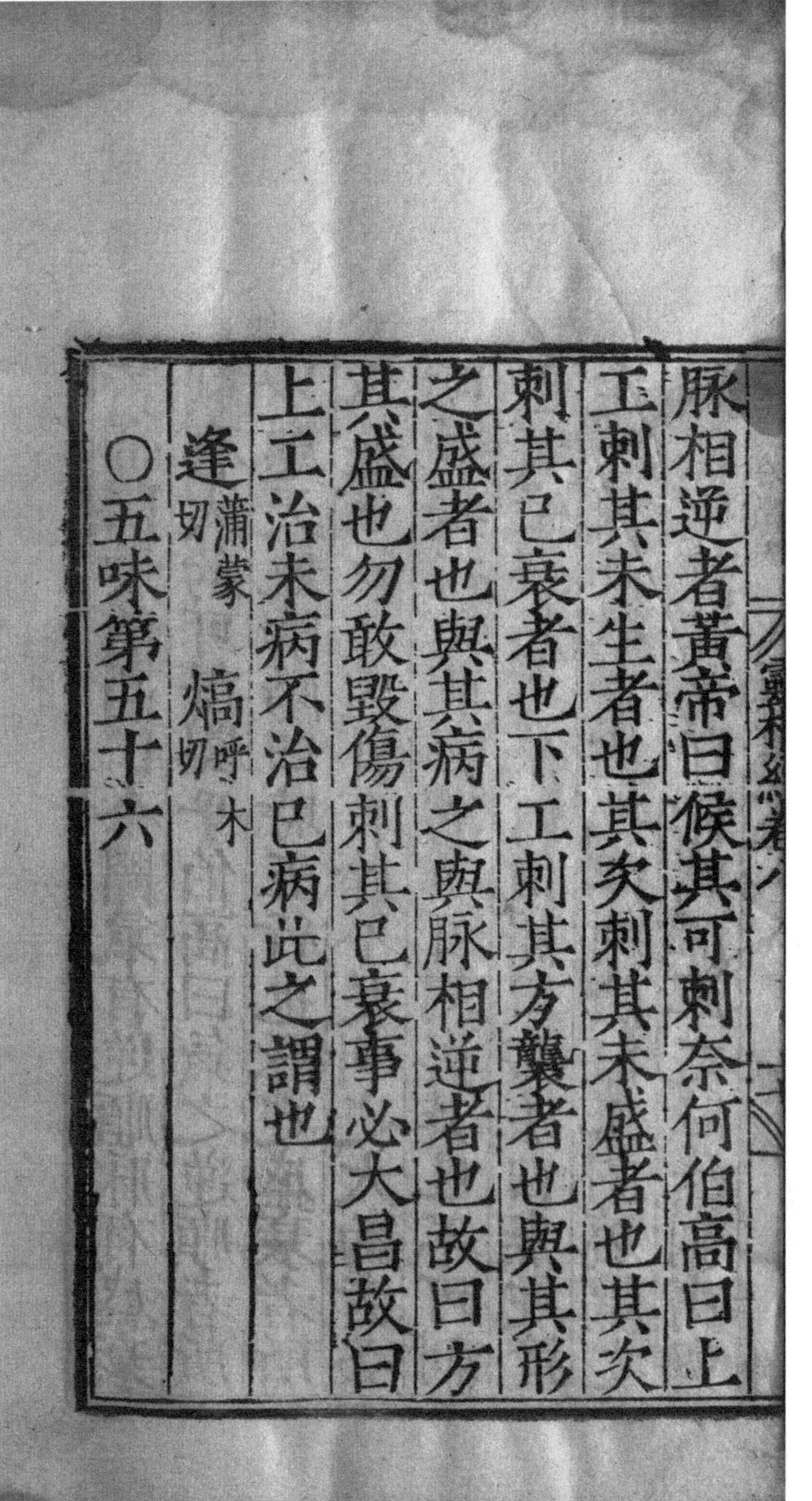

脉相逆者黄帝曰候其可刺奈何伯高曰上工刺其未生者也其次刺其未盛者也其次刺其已衰者也下工刺其方襲者也與其形之盛者也與其病之與脉相逆者也故曰方其盛也勿敢毁傷刺其已衰事必大昌故曰上工治未病不治已病此之謂也

逢蒲蒙切　熇呼木切

○五味第五十六

黃帝曰願聞穀氣有五味其入五藏分別柰何伯高曰胃者五藏六府之海也水穀皆入于胃五藏六府皆稟氣于胃五味各走其所喜穀味酸先走肝穀味苦先走心穀味甘先走脾穀味辛先走肺穀味鹹先走腎穀氣津液巳行營衛大通乃化糟粕以次傳下黃帝曰營衛之行柰何伯高曰穀始入于胃其精微者先出于胃之兩焦以溉五藏别出兩行

營衛之道其大氣之摶而不行者積于胷中命曰氣海出于肺循喉咽故呼則出吸則入天地之精氣其大數常出三入一故穀不入半日則氣衰一日則氣少矣黃帝曰穀之五味可得聞乎伯高曰請盡言之五穀秔米甘麻酸大豆鹹麥苦黃黍辛五果棗甘李酸栗鹹杏苦桃辛五畜牛甘犬酸猪鹹羊苦雞辛五菜葵甘韭酸藿鹹薤苦葱辛五色黃色宜

甘青色宜酸黑色宜鹹赤色宜苦白色宜辛
凡此五者各有所宜五宜所言五色者脾病
者宜食秔米飯牛肉棗葵心病者宜食麥羊
肉杏薤腎病者宜食大豆黃卷猪肉栗藿肝
病者宜食麻犬肉李韭肺病者宜食黃黍雞
肉桃葱五禁肝病禁辛心病禁鹹脾病禁酸
腎病禁甘肺病禁苦肝色青宜食甘秔米飯
牛肉棗葵皆甘心色赤宜食酸犬肉麻李韭

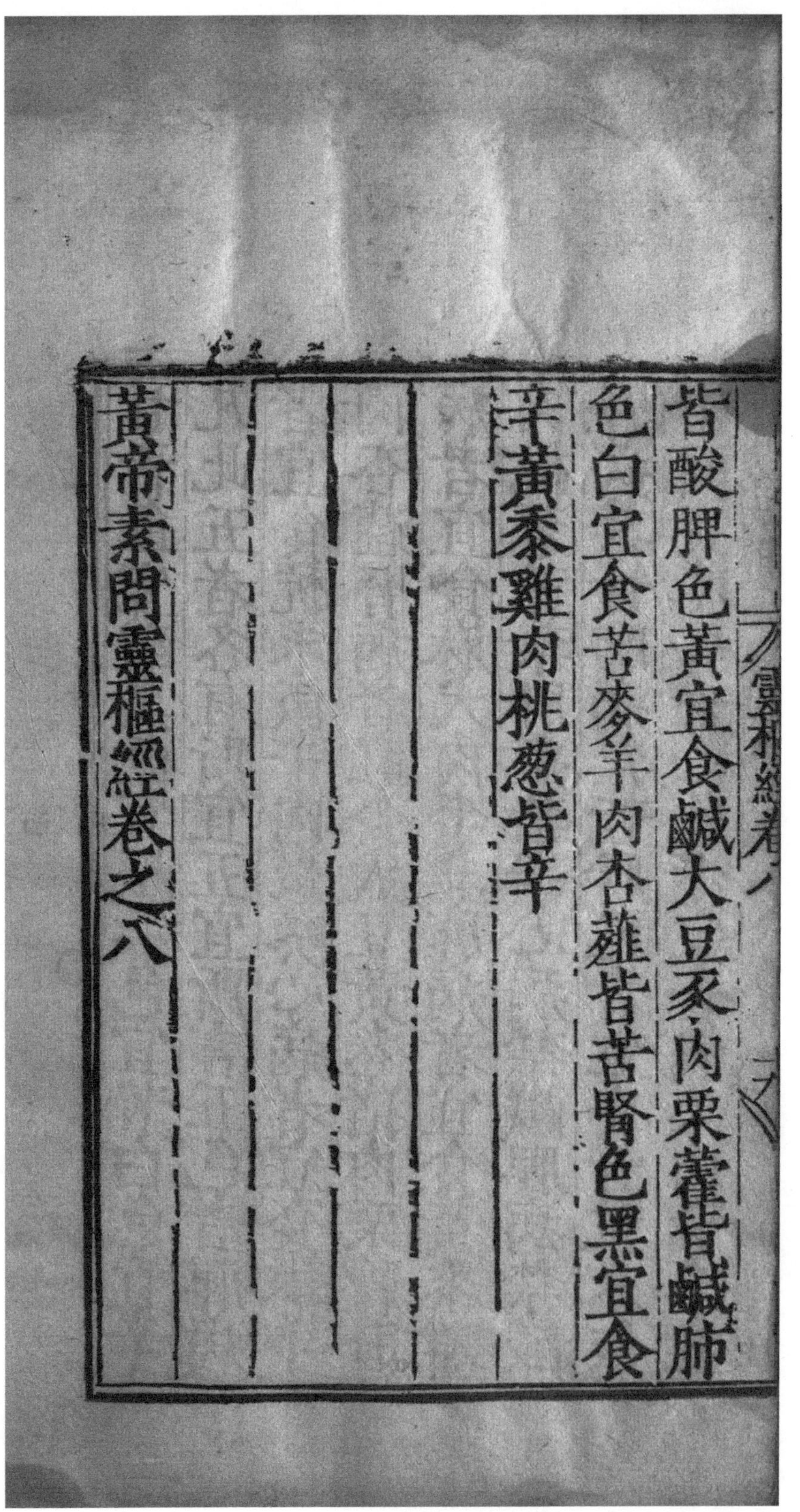

皆酸脾色黄宜食鹹大豆豕肉栗藿皆鹹肺
色白宜食苦麥羊肉杏薤皆苦腎色黑宜食
辛黄黍雞肉桃葱皆辛

黄帝素問靈樞經卷之八

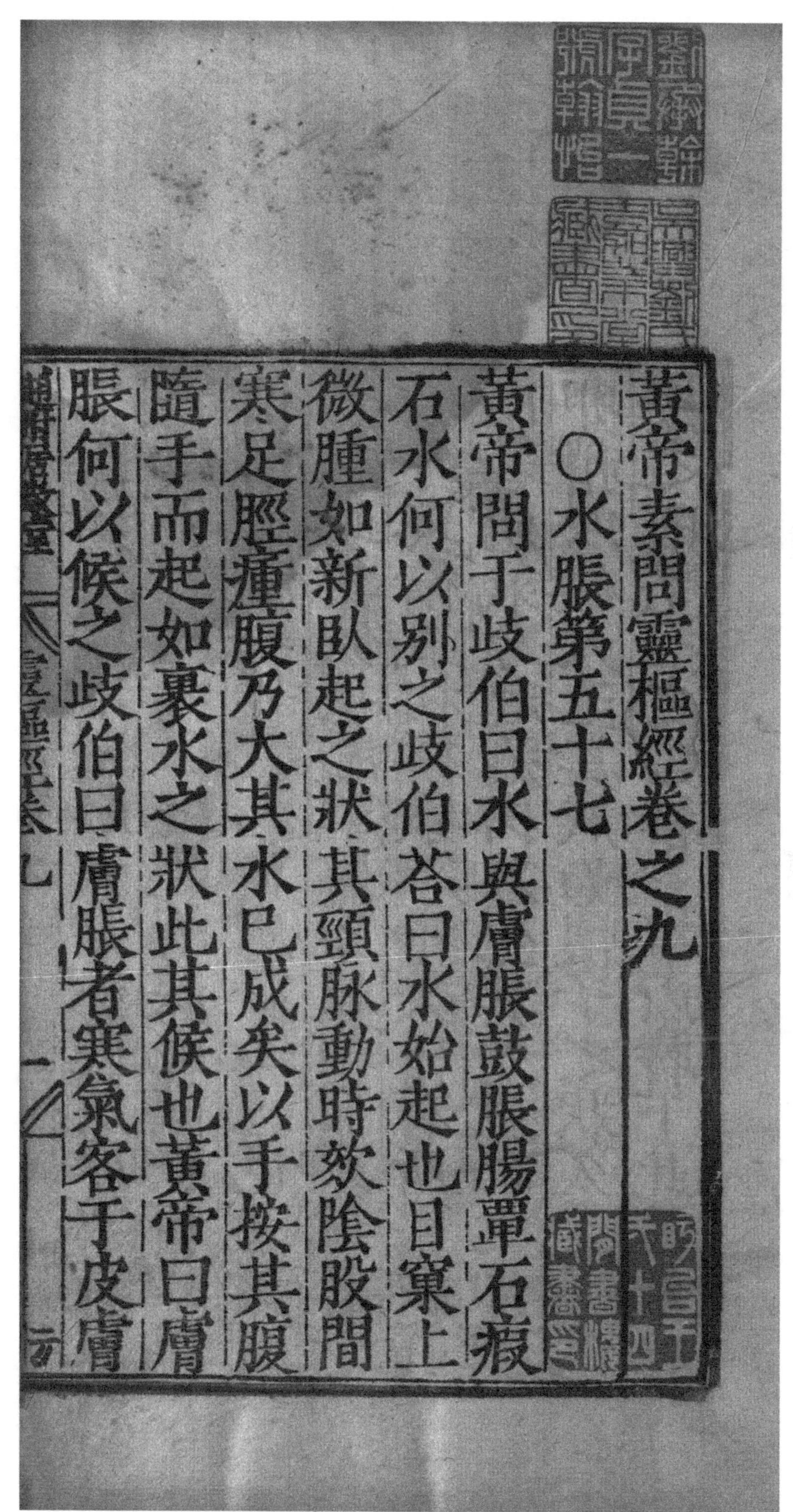

黃帝素問靈樞經卷之九

○水脹第五十七

黃帝問于岐伯曰水與膚脹鼓脹腸覃石瘕石水何以別之岐伯荅曰水始起也目窠上微腫如新臥起之狀其頸脉動時欬陰股間寒足脛瘇腹乃大其水已成矣以手按其腹隨手而起如裹水之狀此其候也黃帝曰膚脹何以候之岐伯曰膚脹者寒氣客于皮膚

之間鼛鼛然不堅腹大身盡腫皮厚按其腹窅而不起腹色不變此其候也鼓脹何如岐伯曰腹脹身皆大大與膚脹等也色蒼黃腹筋起此其候也腸覃何如岐伯曰寒氣客于腸外與衛氣相搏氣不得榮因有所繫癖而内著惡氣乃起瘜肉乃生其始生也大如雞卵稍以益大至其成如懷子之狀久者離歲按之則堅推之則移月事以時下此其候也

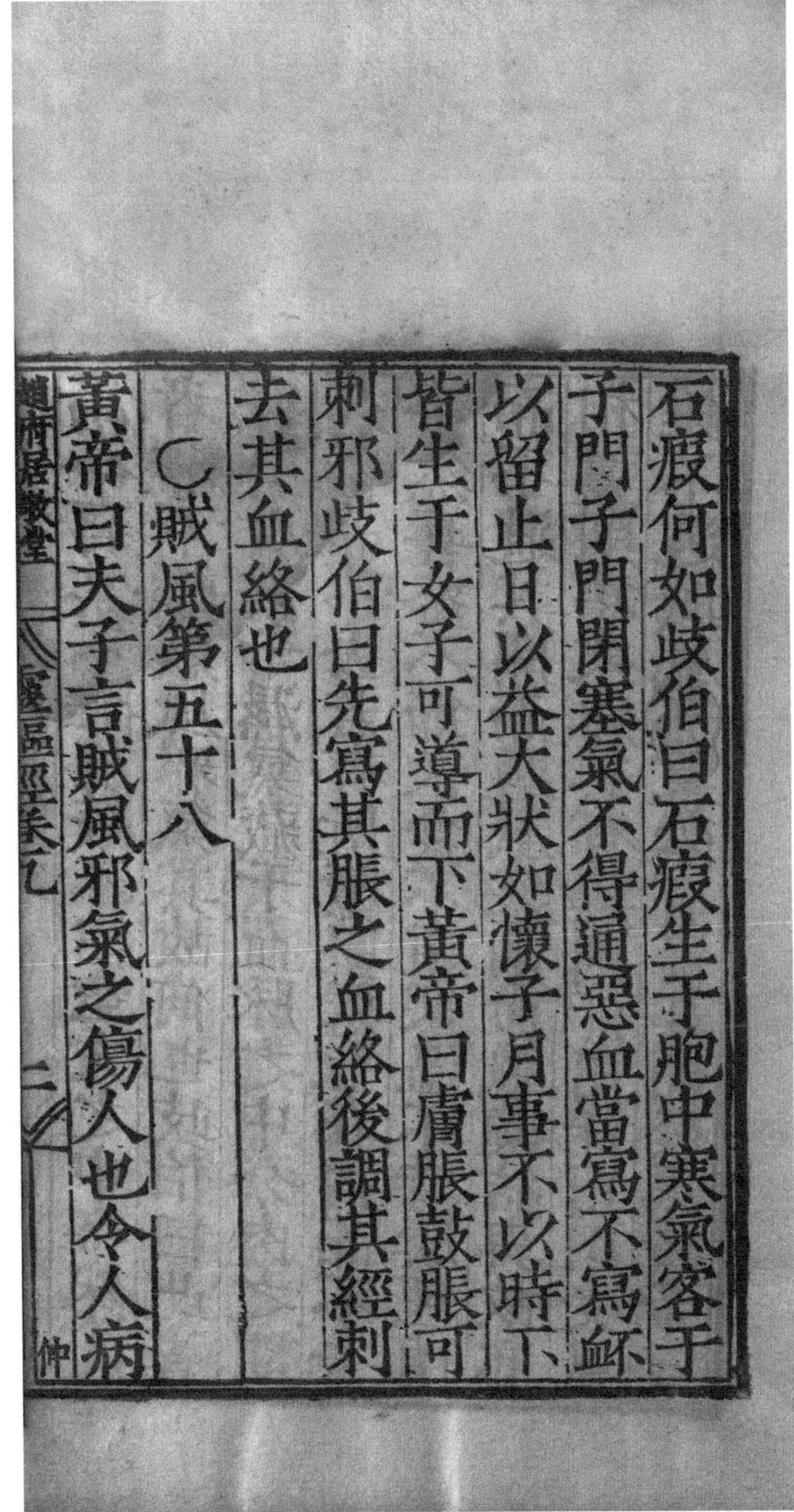

石瘕何如岐伯曰石瘕生于胞中寒氣客于子門子門閉塞氣不得通惡血當寫不寫衃以留止日以益大狀如懷子月事不以時下皆生于女子可導而下黄帝曰膚脹鼓脹可刺邪岐伯曰先寫其脹之血絡後調其經刺去其血絡也

賊風第五十八

黄帝曰夫子言賊風邪氣之傷人也令人病

焉今有其不離屏蔽不出空穴之中卒然病者非不離賊風邪氣其故何也岐伯曰此皆嘗有所傷于濕氣藏于血脉之中分肉之間久留而不去若有所墮墜惡血在内而不去卒然喜怒不節飲食不適寒溫不時腠理閉而不通其開而遇風寒則血氣凝結與故邪相襲則爲寒痺其有熱則汗出汗出則受風雖不遇賊風邪氣必有因加而發焉黄帝曰

今夫子之所言者皆病人之所自知也其毋所遇邪氣又毋怵惕之所志卒然而病者其故何也唯有因鬼神之事乎歧伯曰此亦有故邪留而未發因而志有所惡及有所慕血氣内亂兩氣相摶其所從來者微視之不見聽而不聞故似鬼神黄帝曰其祝而已者其故何也歧伯曰先巫者因知百病之勝先知其病之所從生者可祝而已也

○衛氣失常第五十九

黄帝曰衛氣之留于腹中搐積不行苑藴不得常所使人肢脇胃中滿喘呼逆息者何以去之伯高曰其氣積于胷中者上取之積于腹中者下取之上下皆滿者傍取之黄帝曰取之奈何伯高對曰積于上寫人迎天突喉中積于下者寫三里與氣街上下皆滿者上下取之與季脇之下一寸一本云季脇之下深一寸重者

雞足取之診視其脉大而弦急及絶不至者及腹皮急甚者不可刺也黄帝曰善黄帝問于伯高曰何以知皮肉氣血筋骨之病也伯高曰色起兩眉薄澤者病在皮脣色青黄赤白黑者病在肌肉營氣濡然者病在血氣目色青黄赤白黑者病在筋耳焦枯受塵垢病在骨黄帝曰病形何如取之奈何伯高曰夫百病變化不可勝數然皮有部肉有柱血氣

有輸骨有屬黄帝曰願聞其故伯高曰皮之
部輸于四末肉之柱在臂脛諸陽分肉之間
與足少陰分間血氣之輸輸于諸絡氣血留
居則盛而起筋部無陰無陽無左無右候病
所在骨之屬者骨空之所以受益而益腦髓
者也黄帝曰取之奈何伯高曰夫病變化浮
沉深淺不可勝窮各在其處病間者淺之甚
者深之間者小之甚者衆之隨變而調氣故

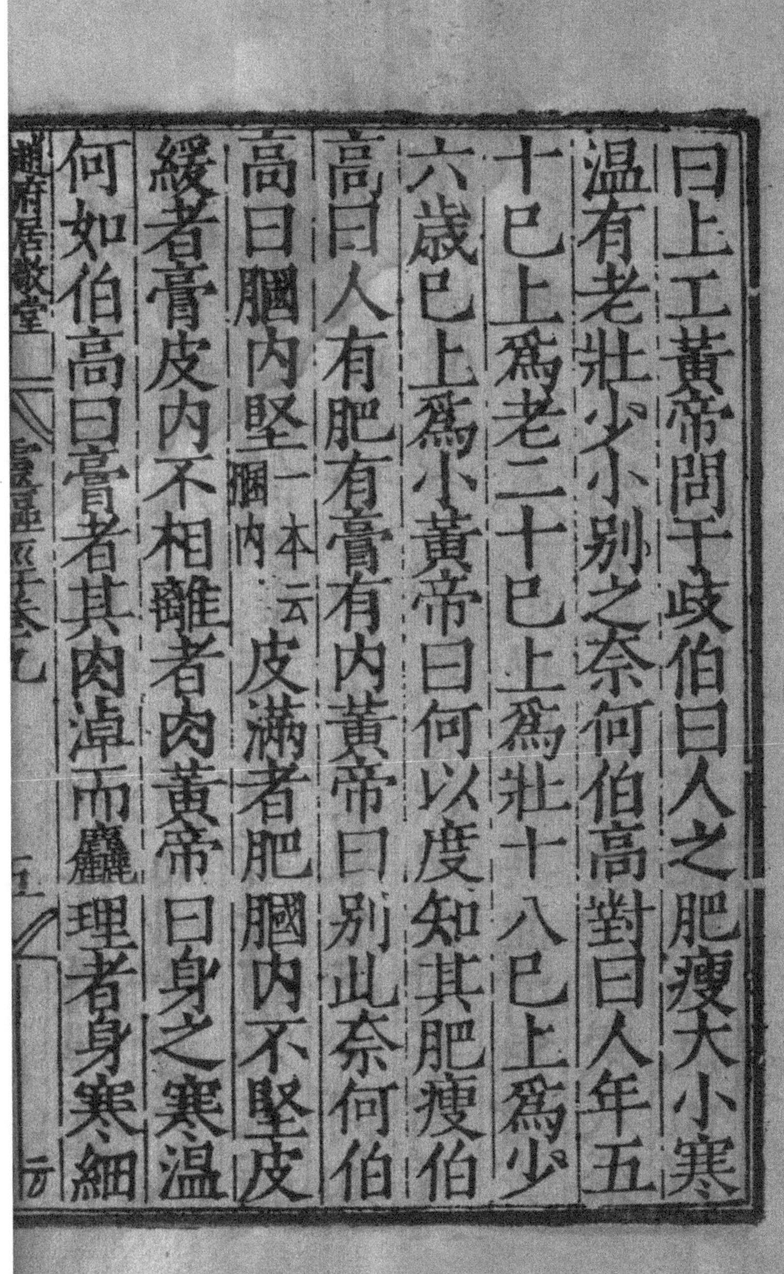

曰上工黃帝問于岐伯曰人之肥瘦大小寒溫有老壯少小別之奈何伯高對曰人年五十已上爲老二十已上爲壯十八已上爲少六歲已上爲小黃帝曰何以度知其肥瘦伯高曰人有肥有膏有肉黃帝曰別此奈何伯高曰䐃肉堅一本云䐃肉皮滿者肥䐃肉不堅皮緩者膏皮肉不相離者肉黃帝曰身之寒溫何如伯高曰膏者其肉淖而麤理者身寒細

理者身熱脂者其肉堅細理者熱麤理者寒
黃帝曰其肥瘦大小奈何伯高曰膏者多氣
而皮縱緩故能縱腹垂腴肉者身體容大脂
者其身收小黃帝曰三者之氣血多少何如
伯高曰膏者多氣多氣者熱熱者耐寒肉者
多血則充形充形則平脂者其血清氣滑少
故不能大此別于衆人者也黃帝曰衆人奈
何伯高曰衆人皮肉脂膏不能相加也血與

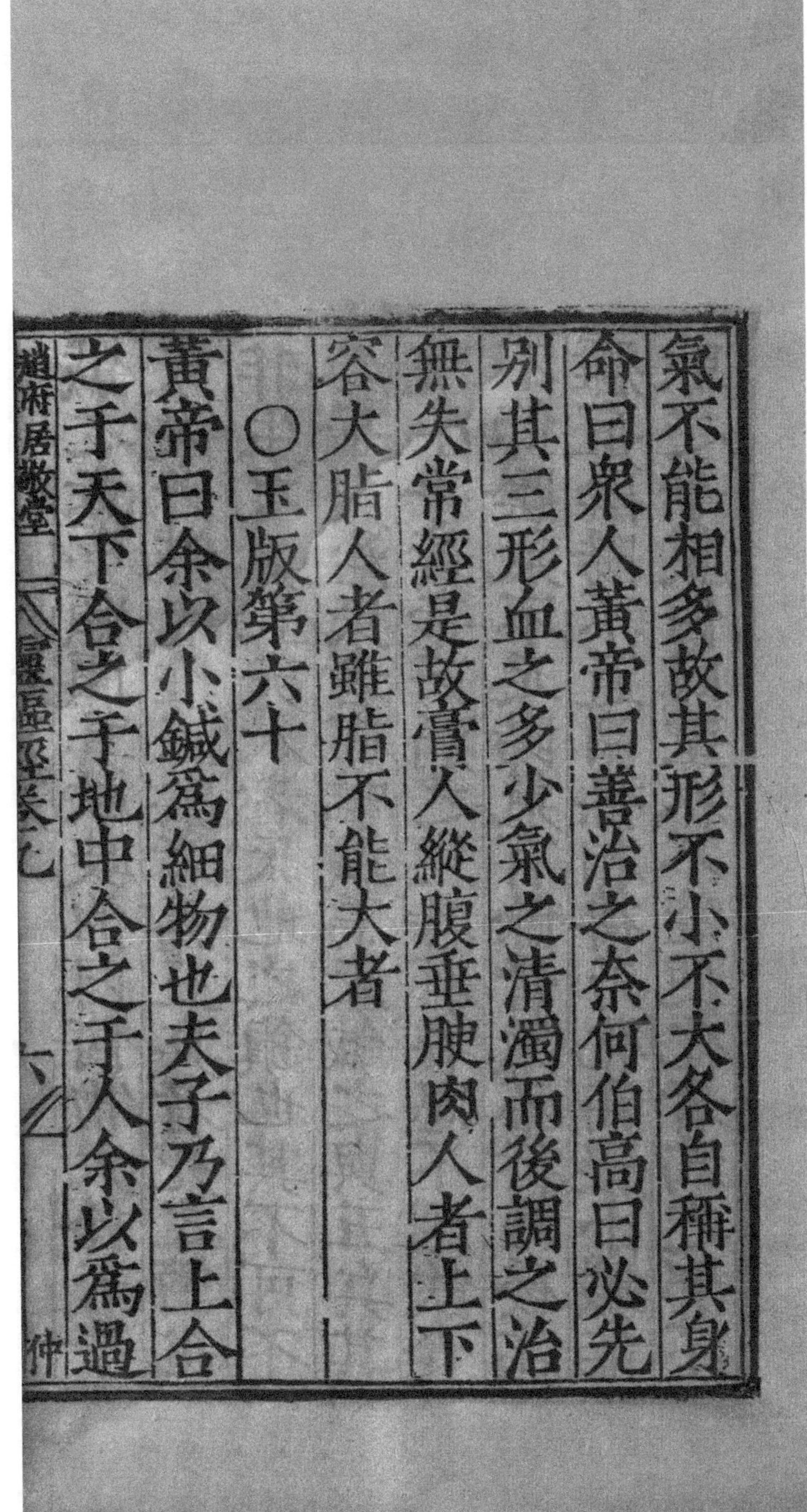

氣不能相多故其形不小不大各自稱其身命曰衆人黄帝曰善治之奈何伯高曰必先别其三形血之多少氣之清濁而後調之治無失常經是故膏人縱腹垂腴肉人者上下容大脂人者雖脂不能大者

○玉版第六十

黄帝曰余以小鍼爲細物也夫子乃言上合之于天下合之于地中合之于人余以爲過

鍼之意矣願聞其故岐伯曰何物大於天乎夫大于鍼者惟五兵者焉五兵者死之備也非生之具且夫人者天地之鎮也其不可不參乎夫治民者亦唯鍼焉夫鍼之與五兵其孰小乎黄帝曰病之生時有喜怒不測飲食不節陰氣不足陽氣有餘營氣不行乃發爲癰疽陰陽不通兩熱相搏乃化爲膿小鍼能取之乎岐伯曰聖人不能使化者爲之邪不

可留也故兩軍相當旗幟相望白刃陳于中野者此非一日之謀也能使其民令行禁止士卒無白刃之難者非一日之教也須臾之得也夫至使身被癰疽之病膿血之聚者不亦離道遠乎夫癰疽之生膿血之成也不從天下不從地出積微之所生也故聖人自治于未有形也愚者遭其已成也黄帝曰其已形不予遭膿已成不予見爲之奈何岐伯曰

膿已成十死一生故聖人弗使已成而明爲良方著之竹帛使能者踵而傳之後世無有終時者爲其不予遭也黃帝曰其已有膿血而後遭乎不導之以小鍼治乎岐伯曰以小治小者其功小以大治大者多害故其已成膿血者其唯砭石鈹鋒之所取也黃帝曰多害者其不可全乎岐伯曰其在逆順焉黃帝曰願聞逆順岐伯曰以爲傷者其白眼青黑

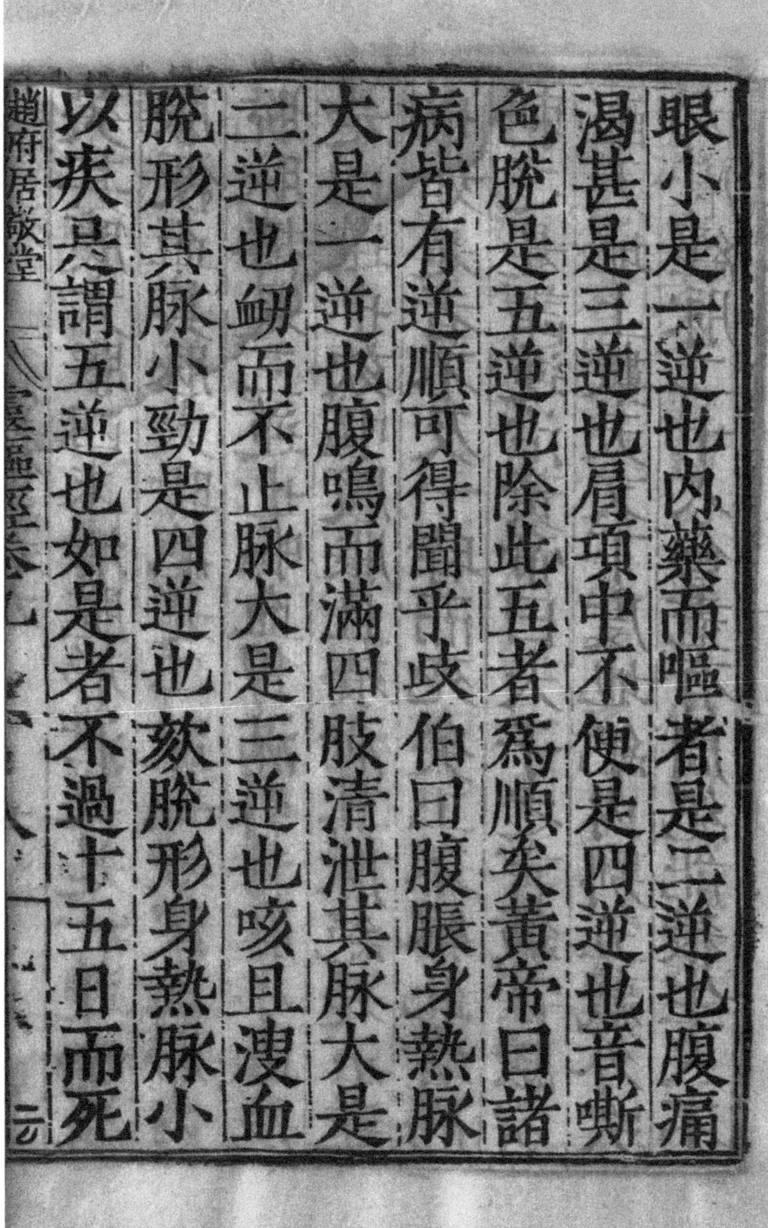
眼小是一逆也内藥而嘔者是二逆也腹痛渴甚是三逆也肩項中不便是四逆也音嘶色脱是五逆也除此五者爲順矣黄帝曰諸病皆有逆順可得聞乎歧伯曰腹脹身熱脉大是一逆也腹鳴而滿四肢清泄其脉大是二逆也衄而不止脉大是三逆也咳且溲血脱形其脉小勁是四逆也欬脱形身熱脉小以疾是謂五逆也如是者不過十五日而死

矣其腹大脹四末清脫形泄甚是一逆也腹脹便血其脉大時絶是二逆也欬溲血形内脫脉搏是三逆也嘔血胷滿引背脉小而疾是四逆也欬嘔腹脹且飧泄其脉絶是五逆也如是者不及一時而死矣工不察此者而刺之是謂逆治黄帝曰夫子之言鍼甚駿以配天地上數天文下度地紀内别五藏外次六府經脉二十八會盡有周紀能殺生人不

能起死者子能反之乎岐伯曰能殺生人不
能起死者也黃帝曰余聞之則爲不仁然願
聞其道弗行於人岐伯曰是明道也其必然
也其如刀劒之可以殺人如飲酒使人醉也
雖勿診猶可知矣黃帝曰願卒聞之岐伯曰
人之所受氣者穀也穀之所注者胃也胃者
水穀氣血之海也海之所行雲氣者天下也
胃之所出氣血者經隧也經隧者五藏六府

之大絡也迎而奪之而已矣黄帝曰上下有數乎岐伯曰迎之五里中道而止五至而已五往而藏之氣盡矣故五五二十五而竭其輸矣此所謂奪其天氣者也非能絶其命而傾其壽者也黄帝曰願卒聞之岐伯曰闚門而刺之者死于家中入門而刺之者死于堂上黄帝曰善乎方朙哉道請著之玉版以爲重寶傳之後世以爲刺禁令民勿敢犯也

○五禁第六十一

黄帝問于岐伯曰余聞刺有五禁何謂五禁岐伯曰禁其不可刺也黄帝曰余聞刺有五奪岐伯曰無寫其不可奪者也黄帝曰余聞刺有五過岐伯曰補寫無過其度黄帝曰余聞刺有五逆岐伯曰病與脉相逆命曰五逆黄帝曰余聞刺有九宜岐伯曰明知九鍼之論是謂九宜黄帝曰何謂五禁願聞其不可

刺之時歧伯曰甲乙日自乘無刺頭無發矇于耳内丙丁日自乘無振埃于肩喉廉泉戊己日自乘四季無刺腹去爪寫水庚辛日自乘無刺關節于股膝壬癸日自乘無刺足脛是謂五禁黃帝曰何謂五奪歧伯曰形肉已奪是一奪也大奪血之後是二奪也大汗出之後是三奪也大泄之後是四奪也新產及大血之後是五奪也此皆不可寫黃帝曰何

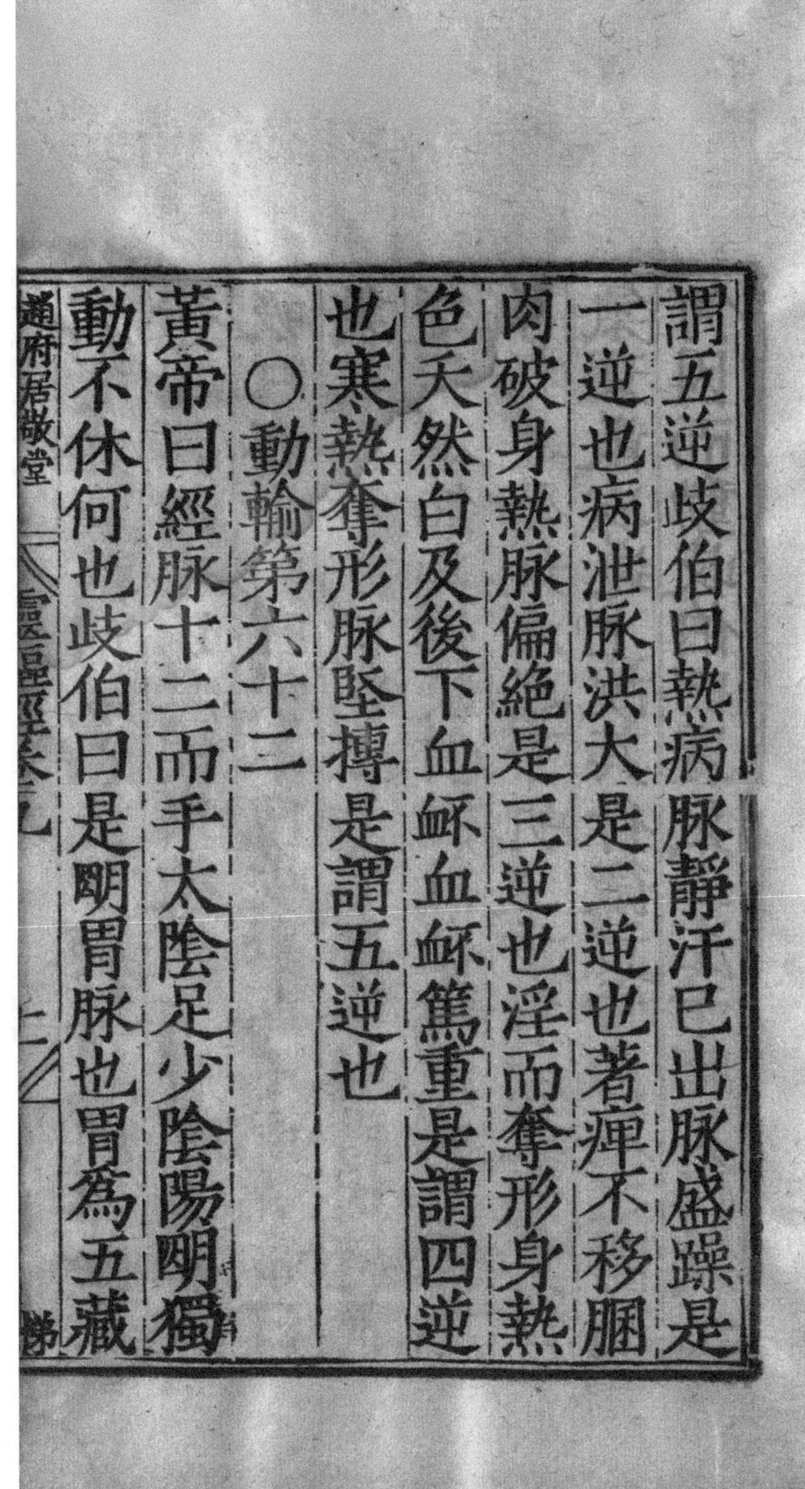

謂五逆岐伯曰熱病脉静汗已出脉盛躁是一逆也病泄脉洪大是二逆也著痺不移䐃肉破身熱脉偏絶是三逆也淫而奪形身熱色夭然白及後下血衃血衃篤重是謂四逆也寒熱奪形脉堅搏是謂五逆也

○動輸第六十二

黄帝曰經脉十二而手太陰足少陰陽明獨動不休何也岐伯曰是明胃脉也胃爲五藏

六府之海其清氣上注于肺肺氣從太陰而行之其行也以息往來故人一呼脉再動一吸脉亦再動呼吸不已故動而不止黃帝曰氣之過于寸口也上十焉息下八焉伏何道從還不知其極岐伯曰氣之離藏也卒然如弓弩之發如水之下岸上于魚以反衰其餘氣衰散以逆上故其行微黃帝曰足之陽明何因而動岐伯曰胃氣上注于肺其悍氣上

衝頭者循咽上走空竅循眼系入絡腦出顑下客主人循牙車合陽明并下人迎此胃氣别走于陽明者也故陰陽上下其動也若一故陽病而陽脉小者爲逆陰病而陰脉大者爲逆故陰陽俱静俱動若引繩相傾者病黄帝曰足少陰何因而動岐伯曰衝脉者十二經之海也與少陰之大絡起于腎下出于氣街循陰股内廉邪入膕中循脛骨内廉並少

陰之經下入內踝之後入足下其別者邪入踝出屬跗上入大指之間注諸絡以溫足脛此脉之常動者也黃帝曰營衛之行也上下相貫如環之無端今有其卒然遇邪氣及逢大寒手足懈惰其脉陰陽之道相輸之會行相失也氣何由還岐伯曰夫四末陰陽之會者此氣之大絡也四街者氣之徑路也故絡絕則徑通四末解則氣從合相輸如環黃帝

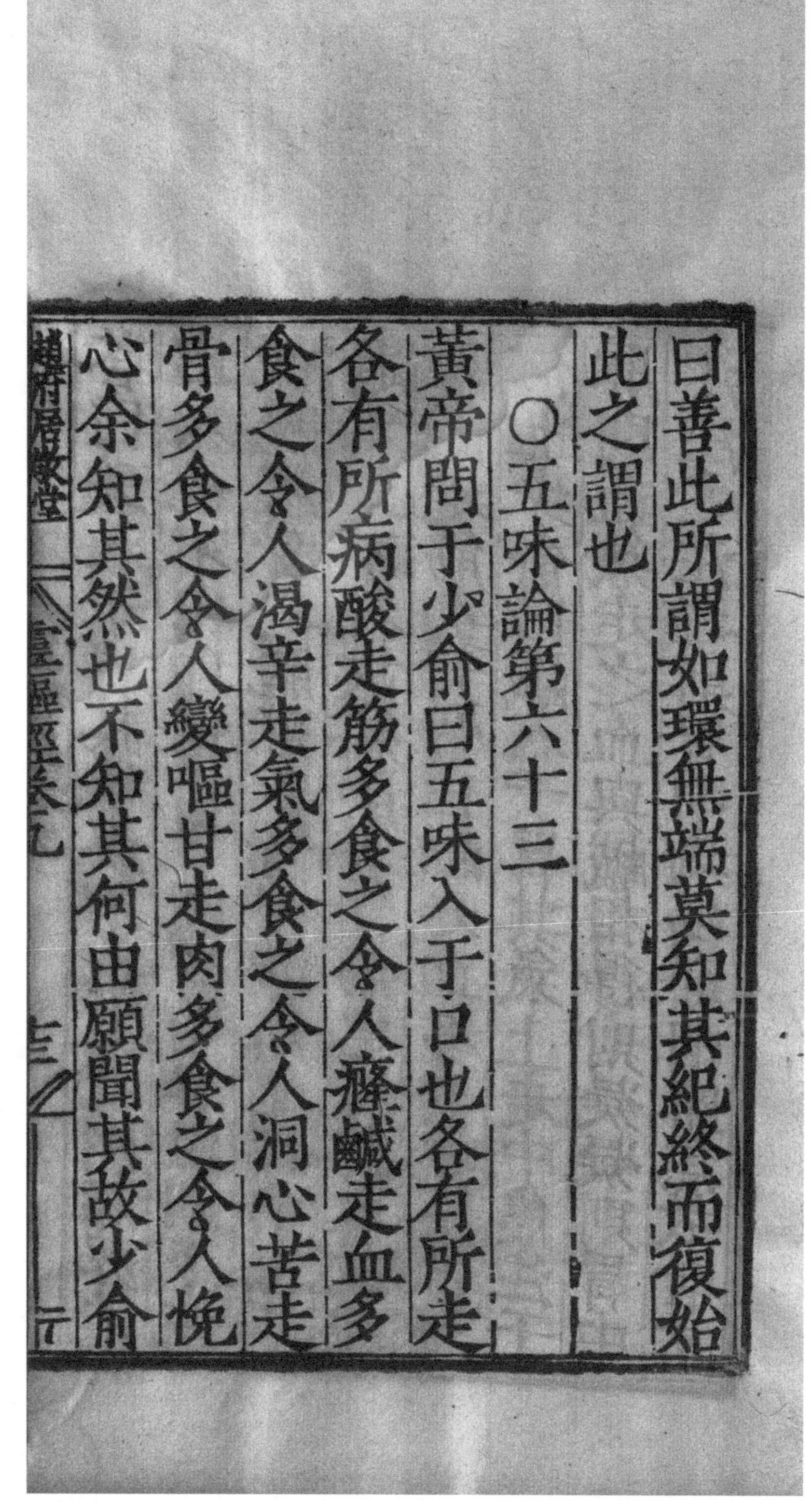

曰善此所謂如環無端莫知其紀終而復始此之謂也

○五味論第六十三

黄帝問于少俞曰五味入于口也各有所走各有所病酸走筋多食之令人癃鹹走血多食之令人渴辛走氣多食之令人洞心苦走骨多食之令人變嘔甘走肉多食之令人悗心余知其然也不知其何由願聞其故少俞

趙府居敬堂　靈樞經卷九　十三

荅曰酸入于胃其氣澀以收上之兩焦弗能出入也不出卽留于胃中胃中和溫則下注膀胱膀胱之胞薄以懦得酸則縮綣約而不通水道不行故癃陰者積筋之所終也故酸入而走筋矣黃帝曰鹹走血多食之令人渴何也少俞曰鹹入于胃其氣上走中焦注于脉則血氣走之血與鹹相得則凝凝則胃中汁注之注之則胃中竭竭則咽路焦故舌本

乾而善渴血脈者中焦之道也故鹹入而走
血矣黃帝曰辛走氣多食之令人洞心何也
少俞曰辛入于胃其氣走于上焦上焦者受
氣而營諸陽者也薑韭之氣薰之營衛之氣
不時受之久留心下故洞心辛與氣俱行故
辛入而與汗俱出黃帝曰苦走骨多食之令
人變嘔何也少俞曰苦入于胃五穀之氣皆
不能勝苦苦入下脘三焦之道皆閉而不通

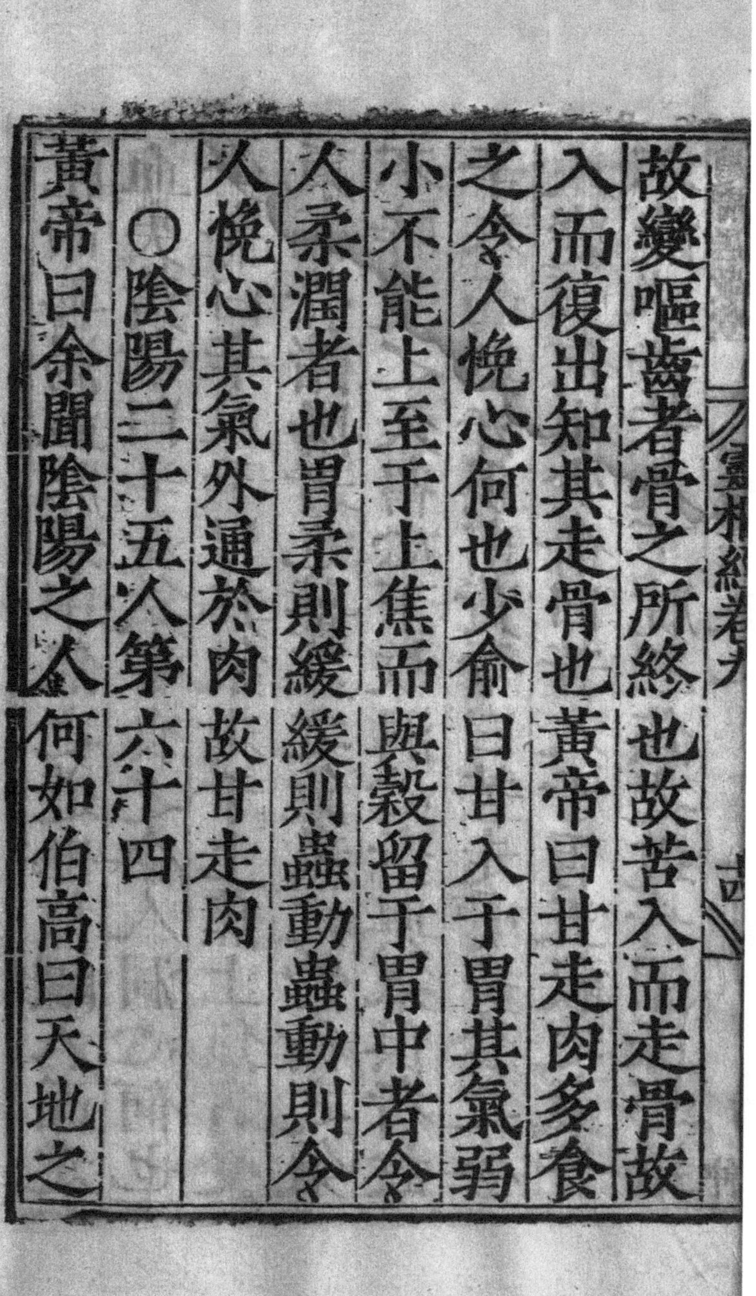

靈樞經卷九

故變嘔齒者骨之所終也故苦入而走骨故入而復出知其走骨也黃帝曰甘走肉多食之令人悗心何也少俞曰甘入于胃其氣弱小不能上至于上焦而與穀留于胃中者令人柔潤者也胃柔則緩緩則蟲動蟲動則令人悗心其氣外通於肉故甘走肉

○陰陽二十五人第六十四

黃帝曰余聞陰陽之人何如伯高曰天地之

問六合之内不離于五人亦應之故五五二十五人之政而陰陽之人不與焉其態又不合于衆者五余已知之矣願聞二十五人之形血氣之所生别而以候從外知内何如歧伯曰悉乎哉問也此先師之秘也雖伯高猶不能明之也黄帝避席遵循而却曰余聞之得其人弗教是謂重失得而洩之天將厭之余願得而明之金櫃藏之不敢揚之歧伯曰

先立五形金木水火土别其五色異其五形
之人而二十五人具矣黄帝曰願卒聞之岐
伯曰慎之慎之臣請言之○木形之人比於
上角似於蒼帝其爲人蒼色小頭長面大肩
背直身小手足好有才勞心少力多憂勞於
事能春夏不能秋冬感而病生足厥陰佗佗
然○大角之人比於左足少陽少陽之上遺
遺然○左角之人比於右足少陽少陽之下

隨隨然一曰少角○釱角之人比於右足少陽少陽之上推推然一曰右角○判角之人比於左足少陽少陽之下栝栝然○火形之人比於上徵似於赤帝其爲人赤色廣𦙶脫面小頭好肩背髀腹小手足行安地疾心行搖肩背肉滿有氣輕財少信多慮見事明好顏急心不壽暴死能春夏不能秋冬秋冬感而病生手少陰核核然○質徵之人比於左手太陽太

陽之上肌肌然一曰質之人○少徵之人比
於右手太陽太陽之下慆慆然一曰大徵○右徵之人
比於右手太陽太陽之上鮫鮫然一曰熊熊然○
質判之人比於左手太陽太陽之下支支頤
頤然一曰質徵○土形之人比於上宮似於上古
黃帝其爲人黃色圓面大頭美肩背大腹美
股脛小手足多肉上下相稱行安地舉足浮
安心好利人不喜權勢善附人也能秋冬不

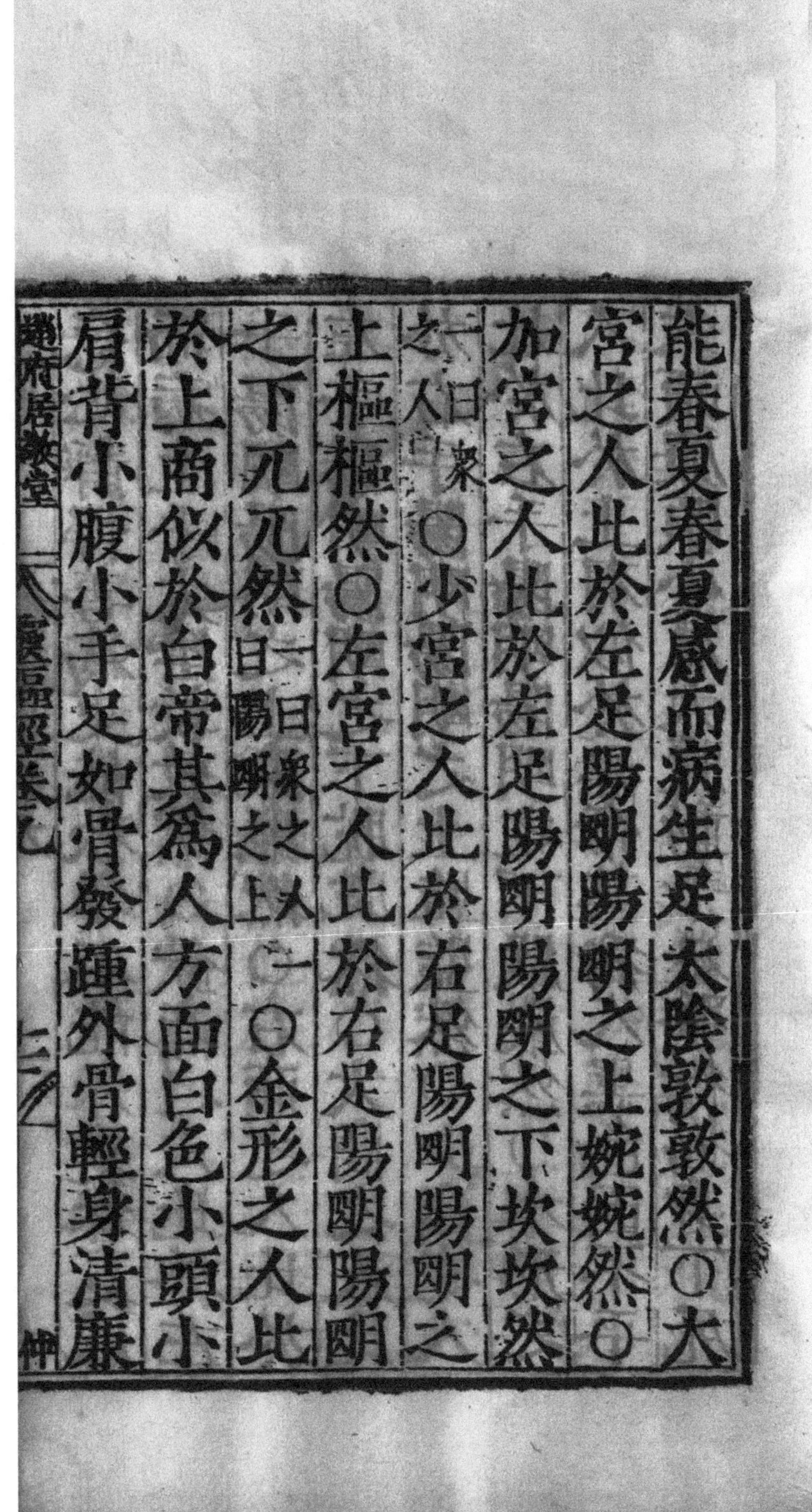

能春夏春夏感而病生足太陰敦敦然○大宮之人比於左足陽明陽明之上婉婉然○加宮之人比於左足陽明陽明之下坎坎然一曰衆之人○少宮之人比於右足陽明陽明之上樞樞然○左宮之人比於右足陽明陽明之下兀兀然一曰衆之人一曰陽明之上○金形之人比於上商似於白帝其爲人方面白色小頭小肩背小腹小手足如骨發踵外骨輕身清廉

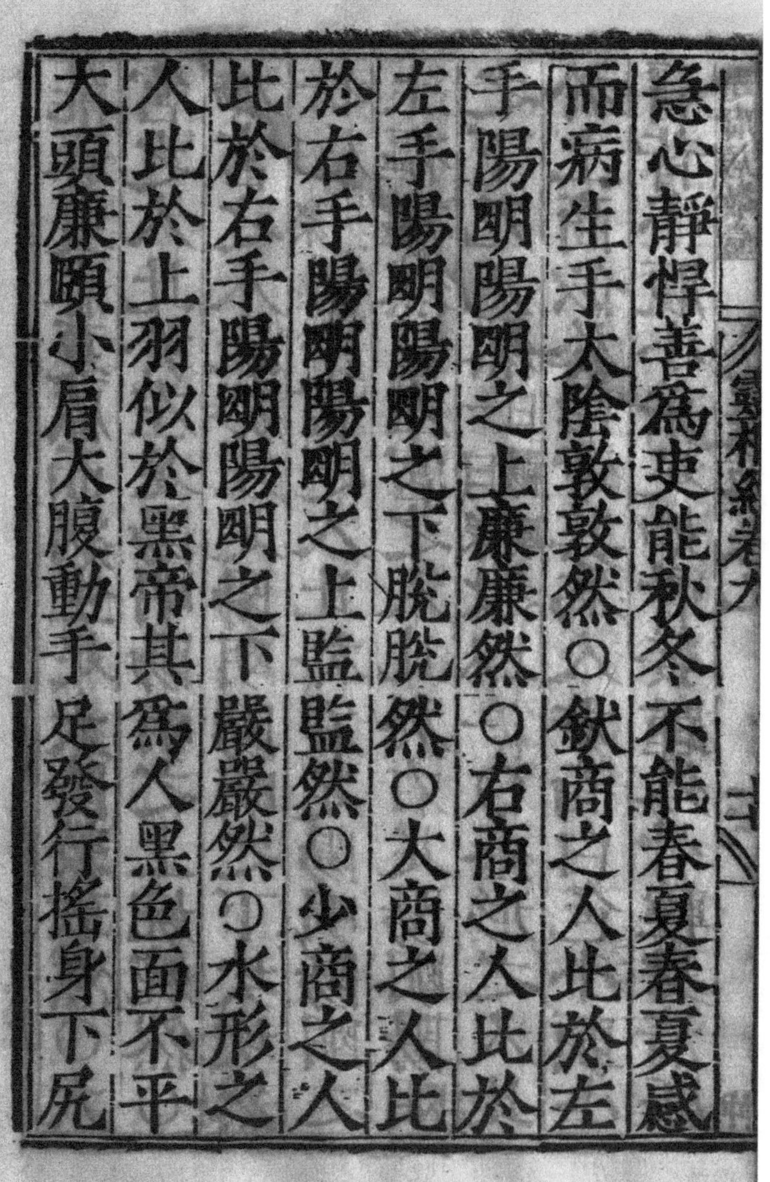
急心靜悍善爲吏能秋冬不能春夏春夏感而病生手太陰敦敦然○釱商之人比於左手陽明陽明之上廉廉然○右商之人比於左手陽明陽明之下脫脫然○大商之人比於右手陽明陽明之上監監然○少商之人比於右手陽明陽明之下嚴嚴然○水形之人比於上羽似於黑帝其爲人黑色面不平大頭廉頤小肩大腹動手足發行摇身下尻

長背延延然不敬畏善欺紿人戮死能秋冬
不能春夏春夏感而病生足少陰汗汗然○
大羽之人比於右足太陽太陽之上頰頰然
○少羽之人比於左足太陽太陽之下紆紆
然○衆之爲人比於右足太陽太陽之下潔
潔然一日加之人○桎之爲人比於左足太陽太
陽之上安安然○是故五形之人二十五變
者衆之所以相欺者是也黃帝曰得其形不

得其色何如岐伯曰形勝色色勝形者至其勝時年加感則病行失則憂矣形色相得者富貴大樂黃帝曰其形色相勝之時年加可知乎岐伯曰凡年忌下上之人大忌常加七歲十六歲二十五歲三十四歲四十三歲五十二歲六十一歲皆人之大忌不可不自安也感則病行失則憂矣當此之時無爲姦事是謂年忌黃帝曰夫子之言脉之上下血氣

之候以知形氣奈何岐伯曰足陽明之上血氣盛則髯美長血少氣多則髯短故氣少血多則髯少血氣皆少則無髯兩吻多畫足陽明之下血氣盛則下毛美長至胷血多氣少則下毛美短至臍行則善高舉足足指少肉足善寒血少氣多則肉而善瘃血氣皆少則無毛有則稀枯悴善痿厥足痺足少陽之上氣血盛則通髯美長血多氣少則通髯美短

血少氣多則少髯血氣皆少則無鬚感於寒
濕則善痺骨痛爪枯也足少陽之下血氣盛
則脛毛美長外踝肥血多氣少則脛毛美短
外踝皮堅而厚血少氣多則胻毛少外踝皮
薄而軟血氣皆少則無毛外踝瘦無肉足太
陽之上血氣盛則美眉眉有毫毛血多氣少
則惡眉面多少理血少氣多則面多肉血氣
和則美色足太陰之下血氣盛則跟肉滿踵

堅氣少血多則瘦跟空血氣皆少則喜轉筋踵下痛手陽明之上血氣盛則髭美血少氣多則髭惡血氣皆少則無髭手陽明之下血氣盛則腋下毛美手魚肉以溫氣血皆少則手瘦以寒手少陽之上血氣盛則眉美以長耳色美血氣皆少則耳焦惡色手少陽之下血氣盛則手捲多肉以溫血氣皆少則寒以瘦氣少血多則瘦以多脉手太陽之上血氣

盛則有多鬚面多肉以平血氣皆少則面瘦
惡色手太陽之下血氣盛則掌肉充滿血氣
皆少則掌瘦以寒黃帝曰二十五人者刺之
有約乎岐伯曰美眉者足太陽之脉氣血多
惡眉者血氣少其肥而澤者血氣有餘肥而
不澤者氣有餘血不足瘦而無澤者氣血俱
不足審察其形氣有餘不足而調之可以知
逆順矣黃帝曰刺其諸陰陽奈何岐伯曰按

其寸口人迎以調陰陽切循其經絡之凝濇結而不通者此於身皆爲痛痺甚則不行故凝濇凝濇者致氣以溫之血和乃止其結絡者脉結血不和決之乃行故曰氣有餘於上者導而下之氣不足於上者推而休之其稽留不至者因而迎之必明於經隧乃能持之寒與熱爭者導而行之其宛陳血不結者則而予之必先明知二十五人則血氣之所在

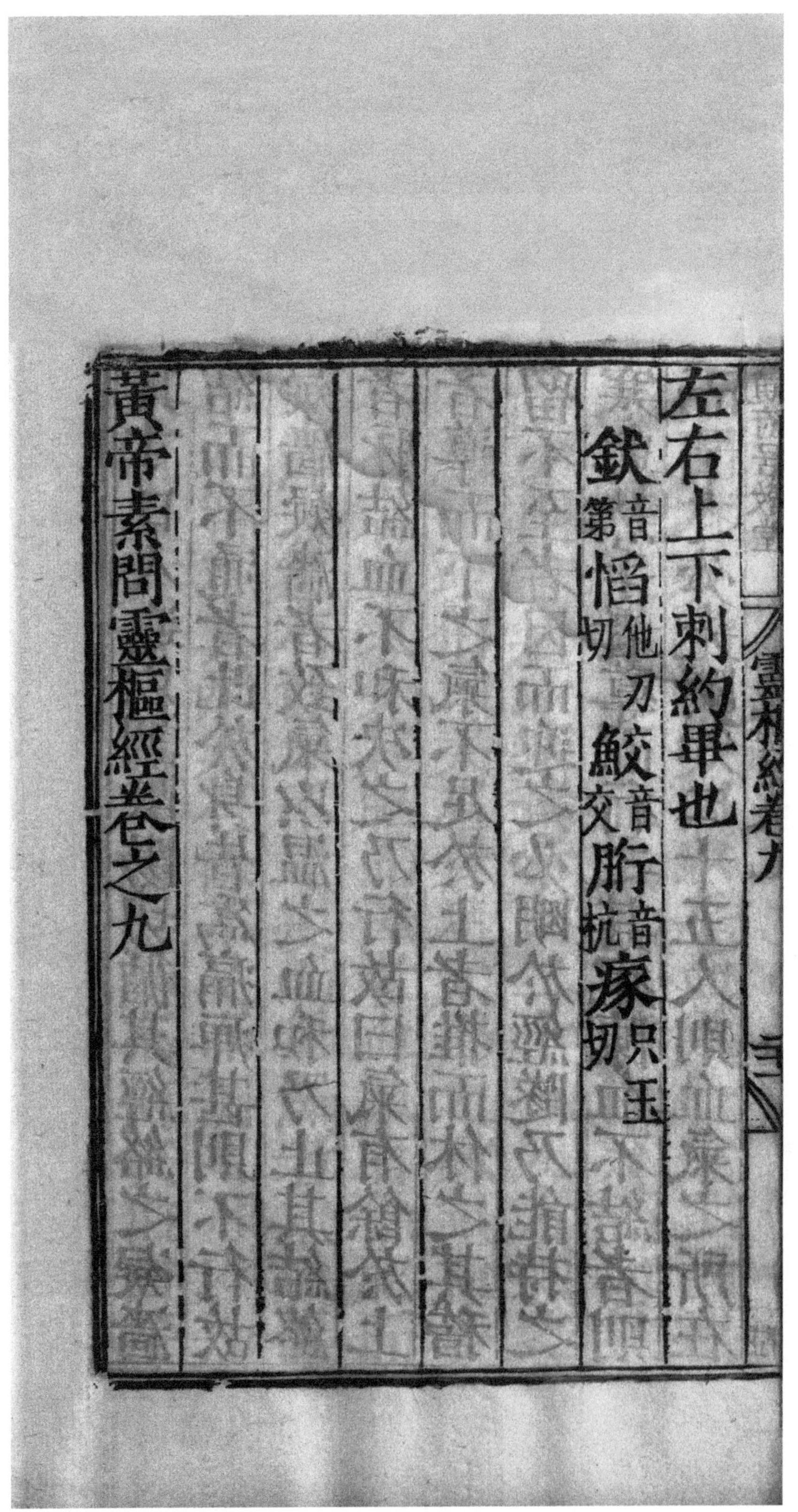
左右上下刺約畢也

欽音第　慆他刀切　鮫音交　胻音杭　瘃只玉切

黃帝素問靈樞經卷之九

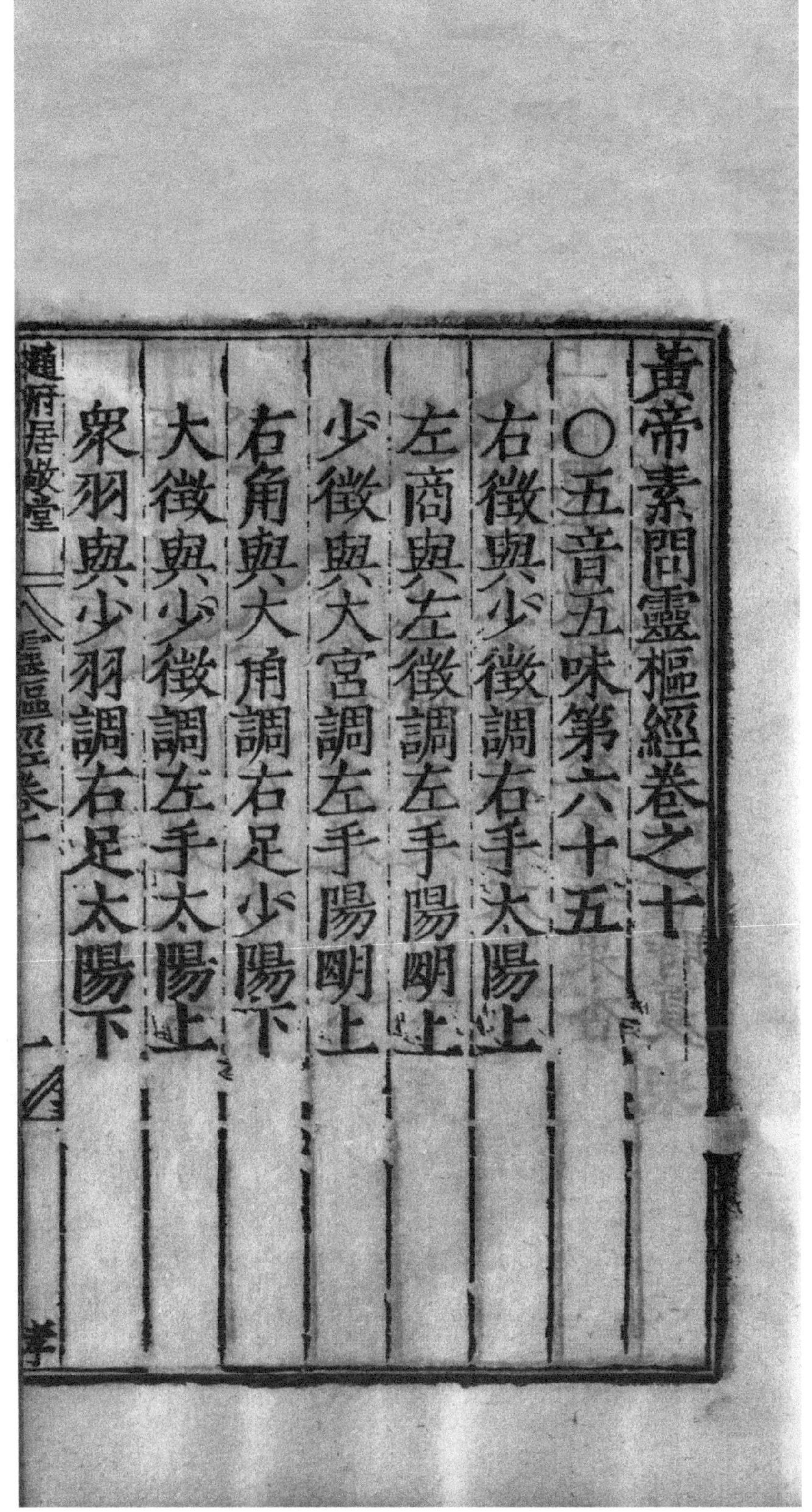

黄帝素問靈樞經卷之十

〇五音五味第六十五

右徵與少徵調右手太陽上

左商與左徵調左手陽明上

少徵與大宫調左手陽明上

右角與大角調右足少陽下

大徵與少徵調左手太陽上

衆羽與少羽調右足太陽下

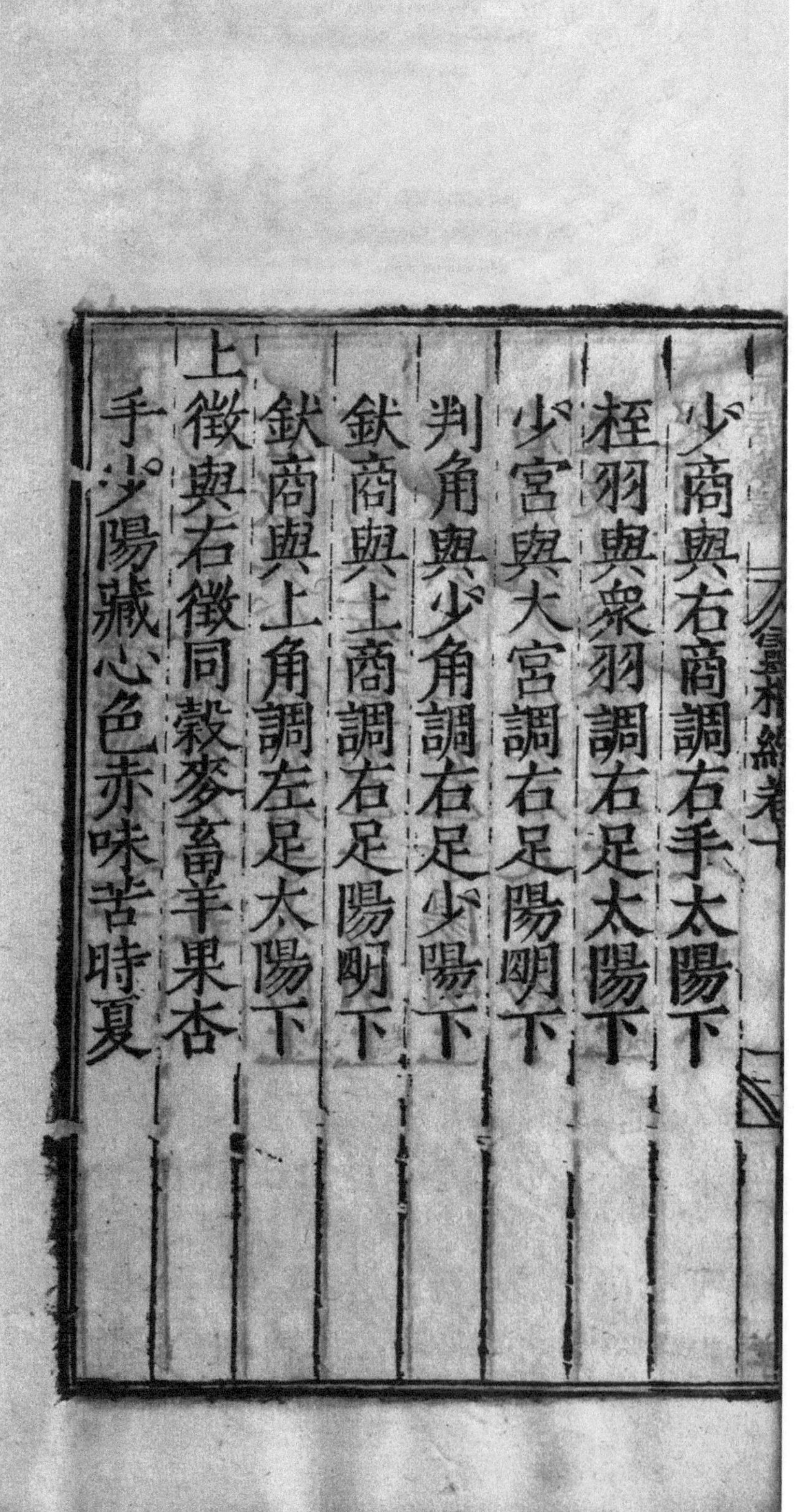

少商與右商調右手太陽下
桎羽與衆羽調右足太陽下
少宫與大宫調右足陽明下
判角與少角調右足少陽下
釱商與上商調右足陽明下
釱商與上角調左足太陽下
上徵與右徵同穀麥畜羊果杏
手少陽藏心色赤味苦時夏

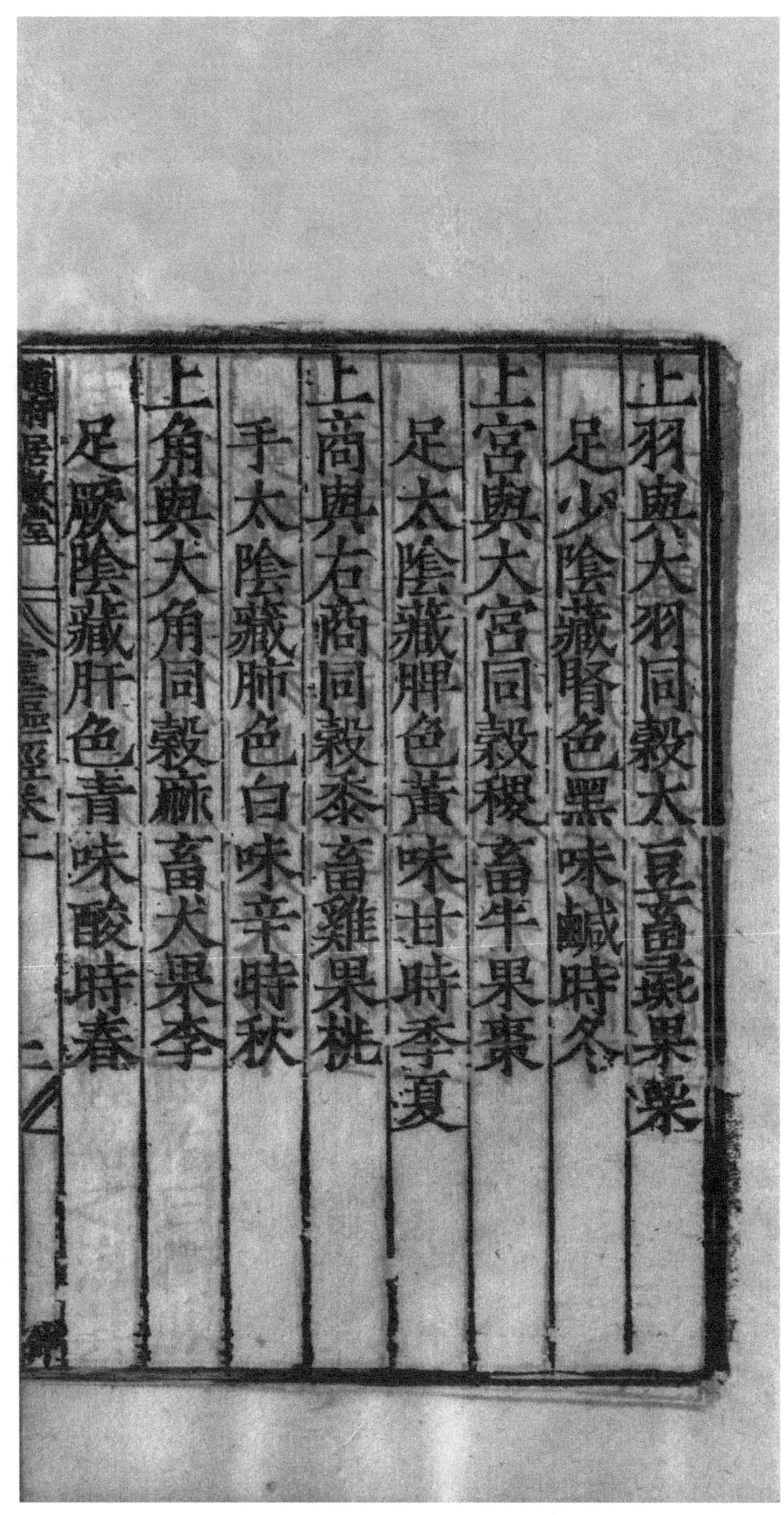

上羽與大羽同穀大豆畜彘果栗
足少陰藏腎色黑味鹹時冬
上宮與大宮同穀稷畜牛果棗
足太陰藏脾色黄味甘時季夏
上商與右商同穀黍畜雞果桃
手太陰藏肺色白味辛時秋
上角與大角同穀麻畜犬果李
足厥陰藏肝色青味酸時春

大宫與上角同右足陽明上
左角與大角同左足陽明上
少羽與大羽同右足大陽下
左商與右商同左手陽明上
加宫與大宫同左足少陽上
質判與大宫同左手太陽下
判角與大角同左足少陽下
大羽與大角同右足太陽上

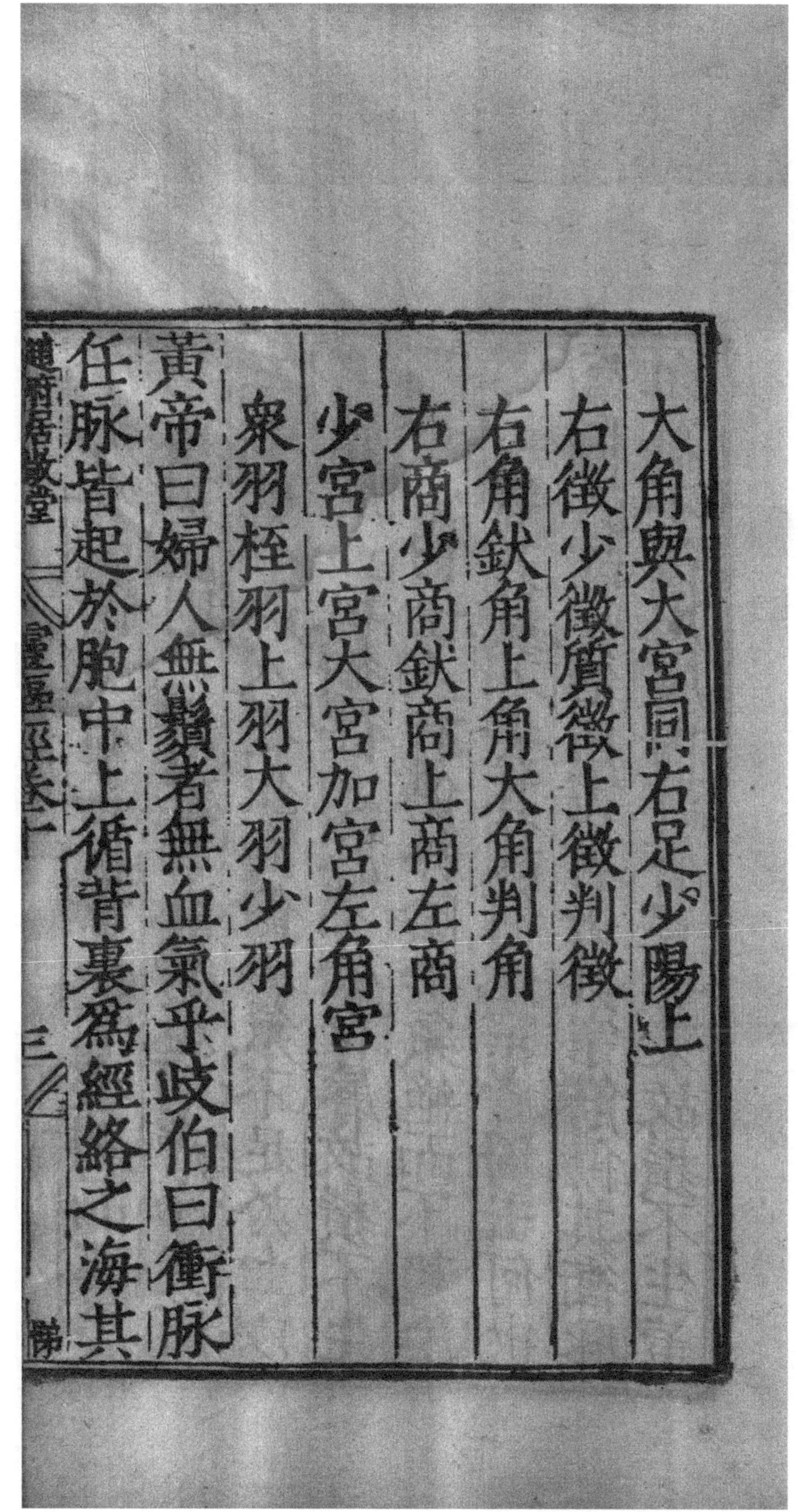

大角與大宫同，右足少陽上

右徵少徵質徵上徵判徵

右角釱角上角大角判角

右商少商釱商上商左商

少宫上宫大宫加宫左角宫

衆羽桎羽上羽大羽少羽

黄帝曰：婦人無鬚者，無血氣乎？岐伯曰：衝脉任脉皆起於胞中，上循背裏，爲經絡之海。其

浮而外者循腹右上行會於咽喉別而絡脣
口血氣盛則充膚熱肉血獨盛則澹滲皮膚
生毫毛今婦人之生有餘於氣不足於血以
其數脫血也衝任之脉不榮口脣故鬚不生
焉黃帝曰士人有傷於陰陰氣絕而不起陰
不用然其鬚不去其故何也宦者獨去何也
願聞其故岐伯曰宦者去其宗筋傷其衝脉
血寫不復皮膚内結脣口不榮故鬚不生黃

帝曰其有天宦者未嘗被傷不脫於血然其
鬚不生其故何也岐伯曰此天之所不足也
其任衝不盛宗筋不成有氣無血脣口不榮
故鬚不生黄帝曰善乎哉聖人之通萬物也
若日月之光影音聲鼓響聞其聲而知其形
其非夫子孰能明萬物之精是故聖人視其
顏色黄赤者多熱氣青白者少熱氣黑色者
多血少氣美眉者太陽多血通髯極鬚者少

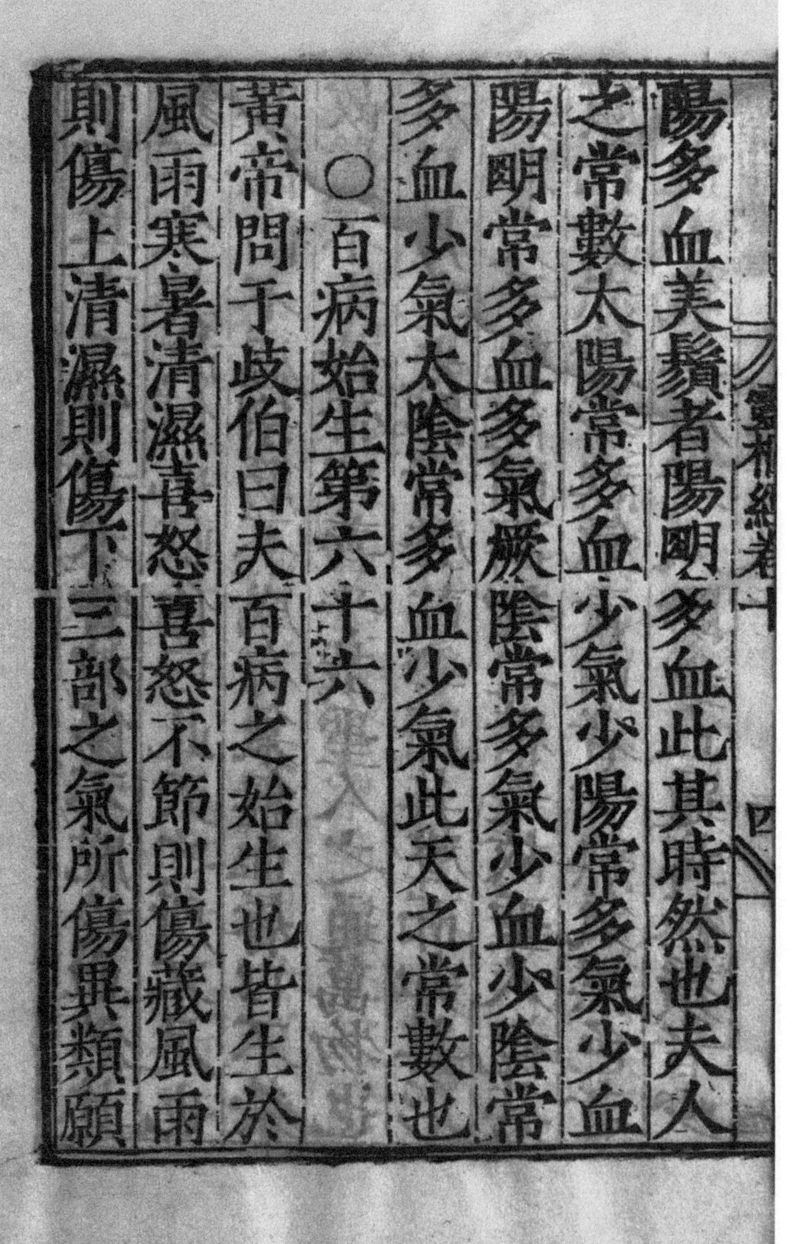

靈樞經卷十　四

陽多血美鬚者陽明多血此其時然也夫人之常數太陽常多血少氣少陽常多氣少血陽明常多血多氣厥陰常多氣少血少陰常多血少氣太陰常多血少氣此天之常數也

○百病始生第六十六

黃帝問于岐伯曰夫百病之始生也皆生於風雨寒暑清濕喜怒喜怒不節則傷藏風雨則傷上清濕則傷下三部之氣所傷異類願

聞其會岐伯曰三部之氣各不同或起於陰或起於陽請言其方喜怒不節則傷藏藏傷則病起於陰也清濕襲虛則病起於下風雨襲虛則病起於上是謂三部至於其淫泆不可勝數黃帝曰余固不能數故問先師願卒聞其道岐伯曰風雨寒熱不得虛邪不能獨傷人卒然逢疾風暴雨而不病者蓋無虛故邪不能獨傷人此必因虛邪之風與其身形

兩虚相得乃客其形兩實相逢衆人肉堅其
中於虚邪也因於天時與其身形參以虚實
大病乃成氣有定舍因處爲名上下中外分
爲三員是故虚邪之中人也始於皮膚皮膚
緩則腠理開開則邪從毛髮入入則抵深深
則毛髮立毛髮立則淅然故皮膚痛留而不
去則傳舍於絡脉在絡之時痛於肌肉其痛
之時息大經乃代留而不去傳舍於經在經

之時洒淅喜驚留而不去傳舍於輸在輸之
時六經不通四肢則肢節痛腰脊乃強留而
不去傳舍於伏衝之脉在伏衝之時體重身
痛留而不去傳舍於腸胃在腸胃之時賁響
腹脹多寒則腸鳴飧泄食不化多熱則溏出
麋留而不去傳舍於腸胃之外募原之間留
著於脉稽留而不去息而成積或著孫脉或
著絡脉或著經脉或著輸脉或著於伏衝之

脉或著於膂筋或著於腸胃之募原上連於緩筋邪氣淫泆不可勝論黄帝曰願盡聞其所由然岐伯曰其著孫絡之脉而成積者其積往來上下臂手孫絡之居也浮而緩不能句積而止之故往來移行腸胃之間水湊滲注灌濯濯有音有寒則䐜䐜滿雷引故時切痛其著於陽明之經則挾臍而居飽食則益大饑則益小其著於緩筋也似陽明之積飽

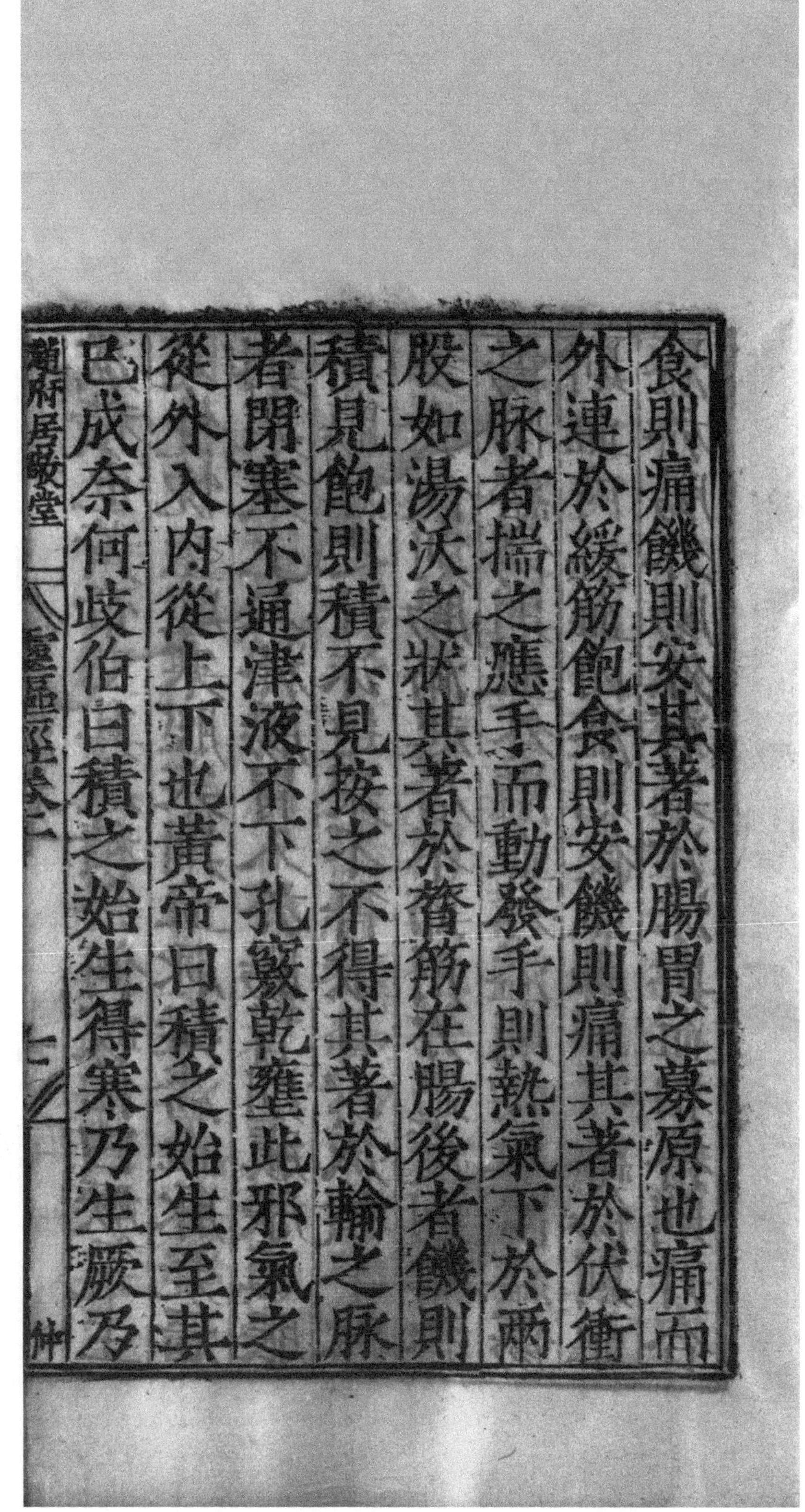

食則痛饑則安其著於腸胃之募原也痛而外連於緩筋飽食則安饑則痛其著於伏衝之脉者揣之應手而動發手則熱氣下於兩股如湯沃之狀其著於膂筋在腸後者饑則積見飽則積不見按之不得其著於輸之脉者閉塞不通津液不下孔竅乾壅此邪氣之從外入內從上下也黃帝曰積之始生至其已成奈何岐伯曰積之始生得寒乃生厥乃

成積也黃帝曰其成積奈何岐伯曰厥氣生足悗悗生脛寒脛寒則血脉凝澀血脉凝澀則寒氣上入於腸胃入於腸胃則䐜脹䐜脹則腸外之汁沫迫聚不得散日以成積卒然多食飲則腸滿起居不節用力過度則絡脉傷陽絡傷則血外溢血外溢則衄血陰絡傷則血内溢血内溢則後血腸胃之絡傷則血溢於腸外腸外有寒汁沫與血相搏則并合

凝聚不得散而積成矣卒然外中於寒若内
傷於憂怒則氣上逆氣上逆則六輸不通溫
氣不行凝血蘊裹而不散津液濇滲著而不
去而積皆成矣黄帝曰其生於陰者奈何岐
伯曰憂思傷心重寒傷肺忿怒傷肝醉以入
房汗出當風傷脾用力過度若入房汗出浴
則傷腎此内外三部之所生病者也黄帝曰
善治之奈何岐伯荅曰察其所痛以知其應

有餘不足當補則補當寫則寫毋逆天時是
謂至治　泆音亦

○行鍼第六十七

黄帝問于岐伯曰余聞九鍼於夫子而行之
於百姓百姓之血氣各不同形或神動而氣
先鍼行或氣與鍼相逢或鍼已出氣獨行或
數刺乃知或發鍼而氣逆或數刺病益劇凡
此六者各不同形願聞其方岐伯曰重陽之

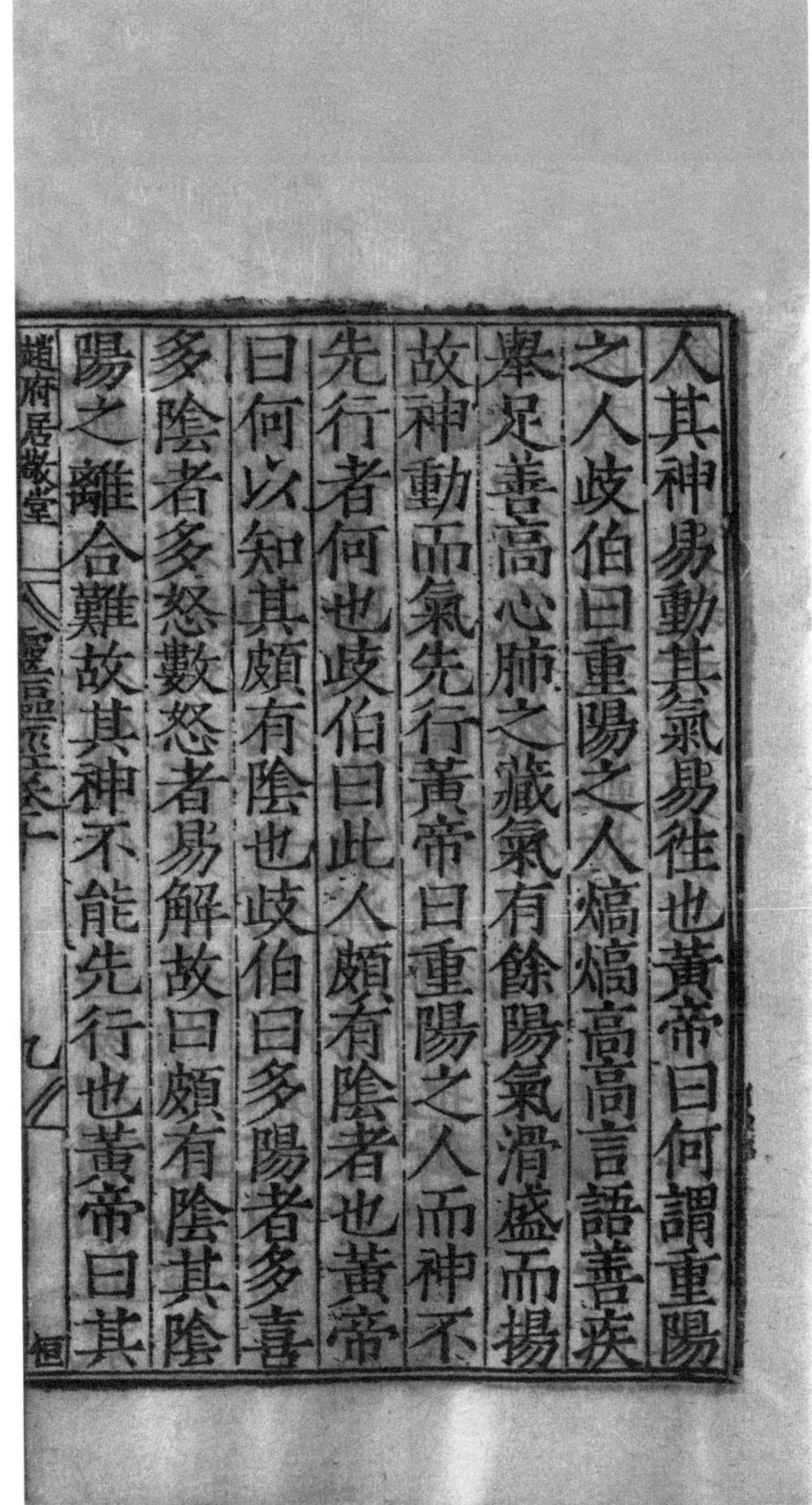

人其神易動其氣易往也黃帝曰何謂重陽之人岐伯曰重陽之人熇熇高高言語善疾舉足善高心肺之藏氣有餘陽氣滑盛而揚故神動而氣先行黃帝曰重陽之人而神不先行者何也岐伯曰此人頗有陰者也黃帝曰何以知其頗有陰也岐伯曰多陽者多喜多陰者多怒數怒者易解故曰頗有陰其陰陽之離合難故其神不能先行也黃帝曰其

氣與鍼相逢柰何岐伯曰陰陽和調而血氣淖澤滑利故鍼入而氣出疾而相逢也黃帝曰鍼已出而氣獨行者何氣使然岐伯曰其陰氣多而陽氣少陰氣沉而陽氣浮者內藏故鍼已出氣乃隨其後故獨行也黃帝曰數刺乃知何氣使然岐伯曰此人之多陰而少陽其氣沉而氣往難故數刺乃知也黃帝曰鍼入而氣逆者何氣使然岐伯曰其氣逆與

其數刺病益甚者非陰陽之氣浮沉之勢也
此皆麤之所敗上之所失其形氣無過焉
○上膈第六十八
黄帝曰氣爲上膈上膈者食飲入而還出余已知
之矣蟲爲下膈下膈者食晬時乃出余未得
其意願卒聞之岐伯曰喜怒不適食飲不節
寒温不時則寒汁流於腸中流於腸中則蟲
寒蟲寒則積聚守於下管則腸胃充郭衛氣

不營邪氣居之人食則蟲上食蟲上食則下
管虛下管虛則邪氣勝之積聚以留留則癰
成癰成則下管約其癰在管内者卽而痛深
其癰在外者則癰外而痛浮癰上皮熱黃帝
曰刺之奈何岐伯曰微按其癰視氣所行先
淺刺其傍稍内益深還而刺之毋過三行察
其沉浮以爲深淺巳刺必熨令熱入中日使
熱内邪氣益衰大癰乃潰伍以參禁以除其

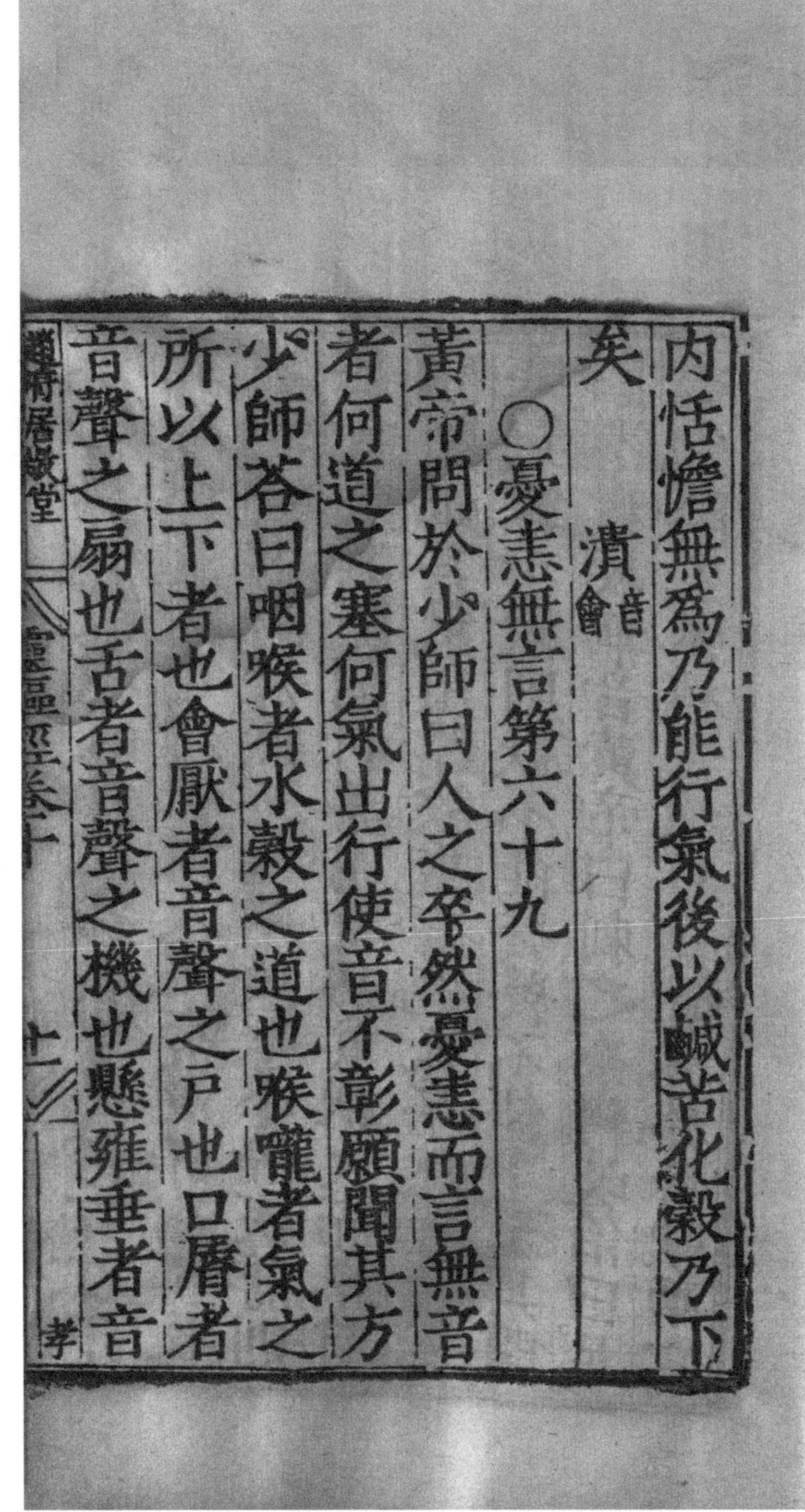

內恬憺無爲乃能行氣後以鹹苦化穀乃下
矣　濆音會
○憂恚無言第六十九
黃帝問於少師曰人之卒然憂恚而言無音
者何道之塞何氣出行使音不彰願聞其方
少師荅曰咽喉者水穀之道也喉嚨者氣之
所以上下者也會厭者音聲之戶也口脣者
音聲之扇也舌者音聲之機也懸雍垂者音

聲之關也頏顙者分氣之所泄也橫骨者神氣所使主發舌者也故人之鼻洞涕出不收者頏顙不開分氣失也是故厭小而疾薄則發氣疾其開闔利其出氣易其厭大而厚則開闔難其氣出遲故重言也人卒然無音者寒氣客于厭則厭不能發發不能下至其開闔不致故無音黃帝曰刺之奈何岐伯曰足之少陰上繫於舌絡於橫骨終於會厭兩寫

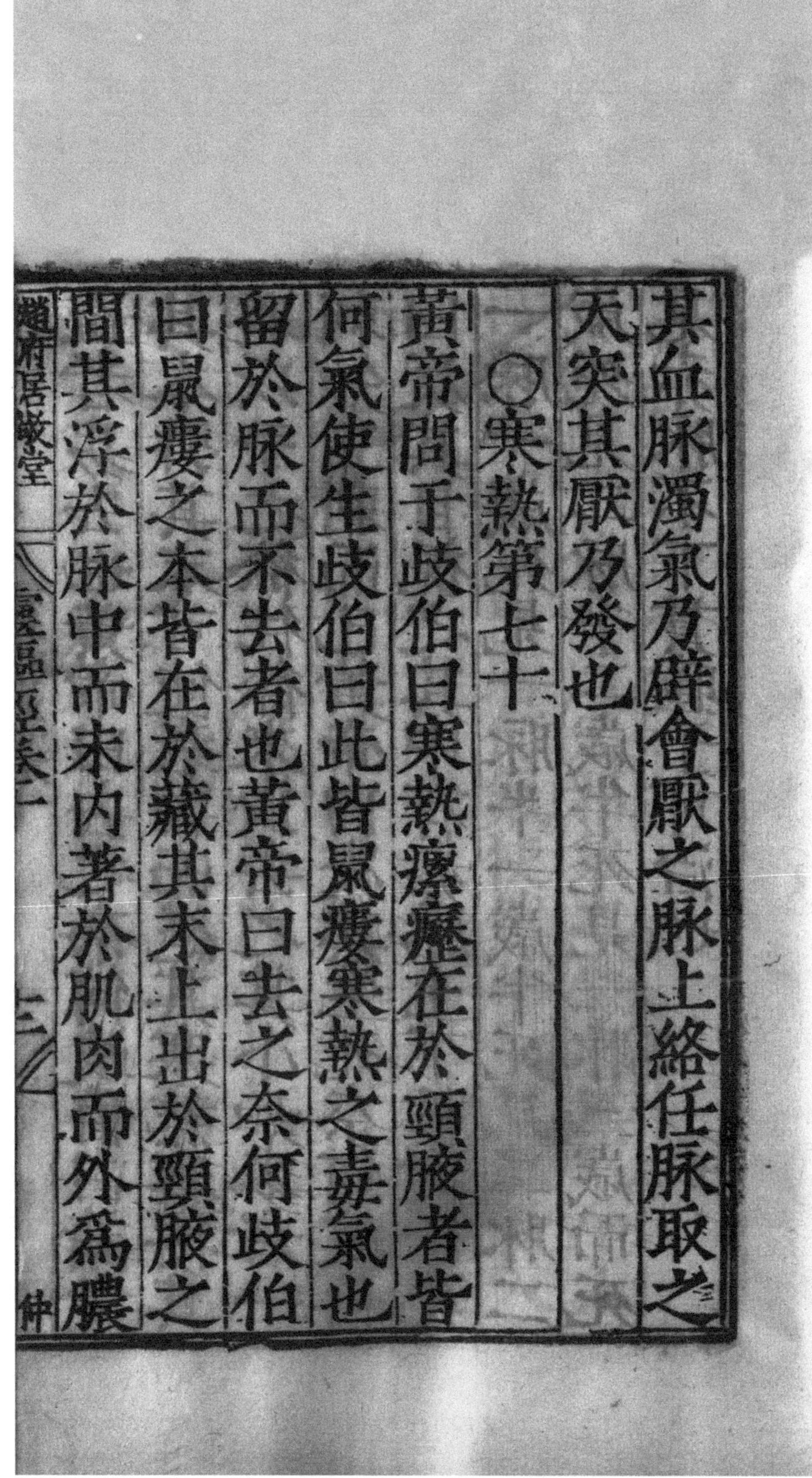

其血脉濁氣乃辟會厭之脉上絡任脉取之天突其厭乃發也

○寒熱第七十

黄帝問于歧伯曰寒熱瘰癧在於頸腋者皆何氣使生歧伯曰此皆鼠瘻寒熱之毒氣也留於脉而不去者也黄帝曰去之奈何歧伯曰鼠瘻之本皆在於藏其末上出於頸腋之間其浮於脉中而未内著於肌肉而外爲膿

血者易去也黄帝曰去之奈何岐伯曰請從
其本引其末可使衰去而絶其寒熱審按其
道以予之徐往徐來以去之其小如麥者一
刺知三刺而已黄帝曰决其生死奈何岐伯
曰反其目視之其中有赤脉上下貫瞳子見
一脉一歲死見一脉半一歲半死見二脉二
歲死見二脉半二歲半死見三脉三歲而死
見赤脉不下貫瞳子可治也

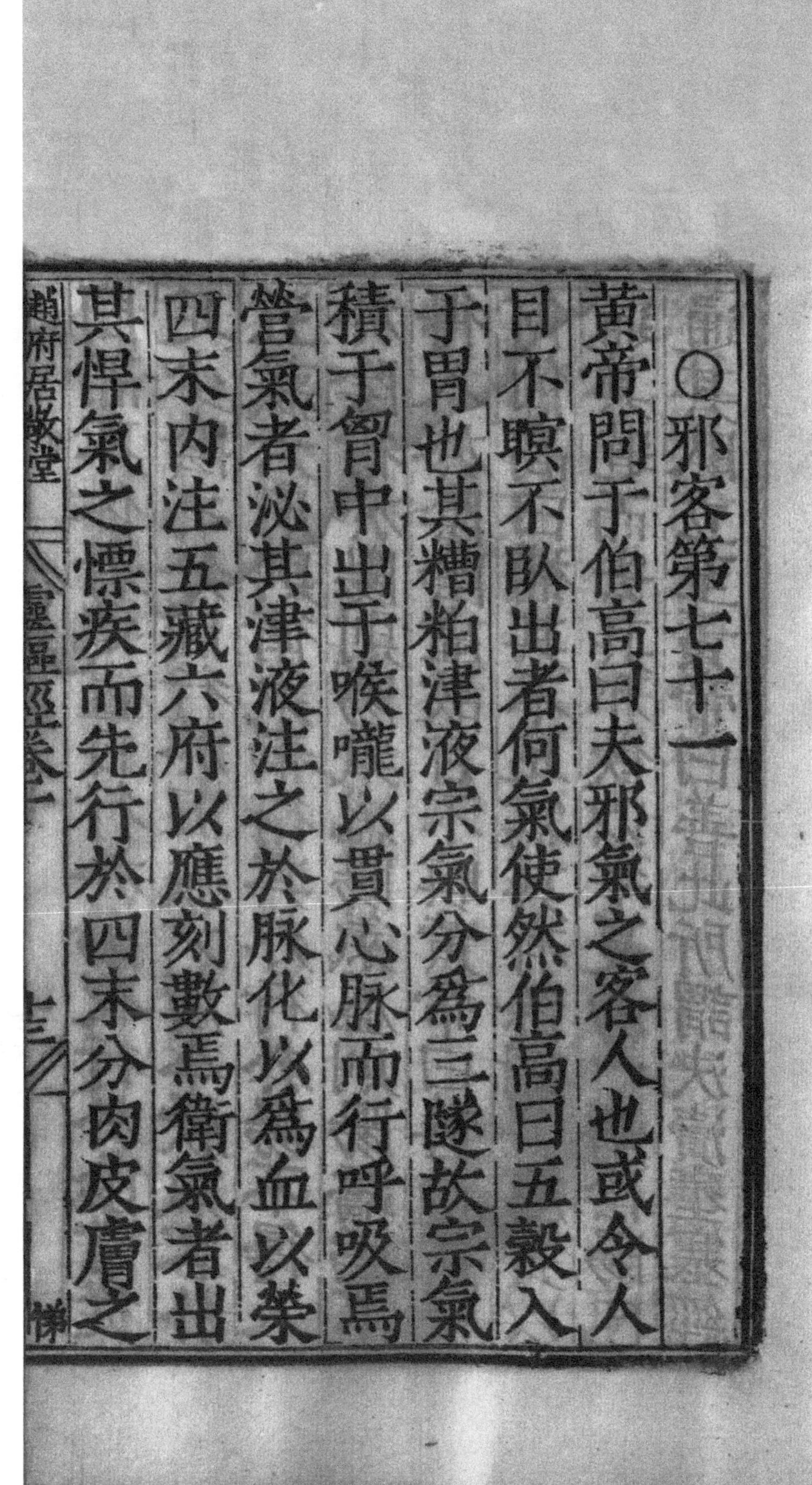

○邪客第七十一

黄帝問于伯高曰夫邪氣之客人也或令人目不瞑不臥出者何氣使然伯高曰五穀入于胃也其糟粕津液宗氣分爲三隧故宗氣積于胷中出于喉嚨以貫心脉而行呼吸焉營氣者泌其津液注之於脉化以爲血以榮四末内注五藏六府以應刻數焉衛氣者出其悍氣之慓疾而先行於四末分肉皮膚之

間而不休者也晝日行於陽夜行於陰常從足少陰之分間行於五藏六府今厥氣客於五藏六府則衛氣獨衛其外行於陽不得入於陰行於陽則陽氣盛陽氣盛則陽蹻陷不得入於陰陰虛故目不瞑黃帝曰善治之奈何伯高曰補其不足寫其有餘調其虛實以通其道而去其邪飲以半夏湯一劑陰陽已通其臥立至黃帝曰善此所謂決瀆壅塞經

絡大通陰陽和得者也願聞其方伯高曰其
湯方以流水千里以外者八升揚之萬遍取
其清五升煑之炊以葦薪火沸置秫米一升
治半夏五合徐炊令竭爲一升半去其滓飲
汁一小杯日三稍益以知爲度故其病新發
者覆杯則卧汗出則已矣久者三飲而已也
黄帝問於伯高曰願聞人之肢節以應天地
奈何伯高荅曰天圓地方人頭圓足方以應

之天有日月人有兩目地有九州人有九竅天有風雨人有喜怒天有雷電人有音聲天有四時人有四肢天有五音人有五藏天有六律人有六府天有冬夏人有寒熱天有十日人有手十指辰有十二人有足十指莖垂以應之女子不足二節以抱人形天有陰陽人有夫妻歲有三百六十五日人有三百六十節地有高山人有肩膝地有深谷人有腋

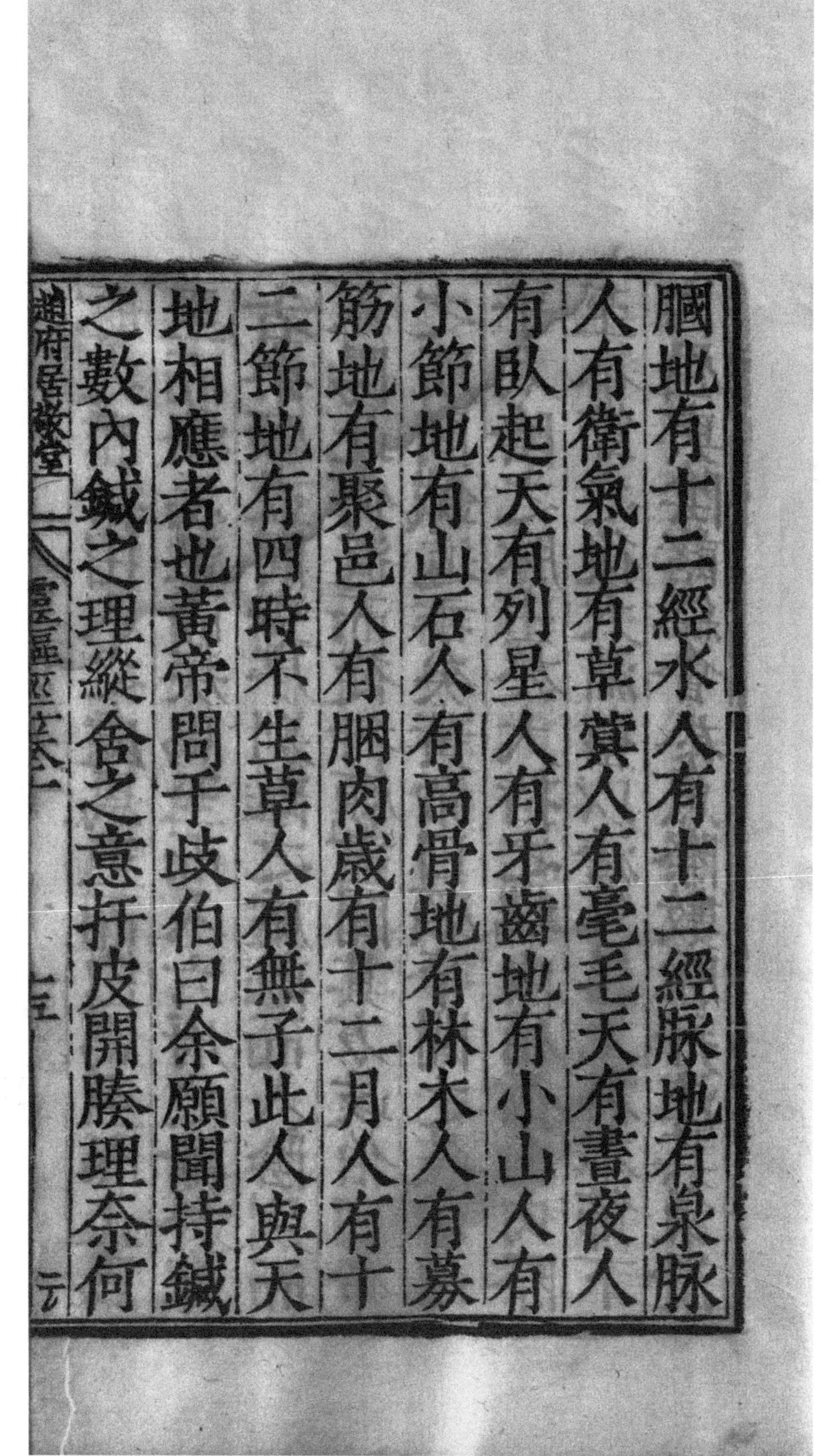

膕地有十二經水人有十二經脉地有泉脉人有衛氣地有草蓂人有毫毛天有晝夜人有卧起天有列星人有牙齒地有小山人有小節地有山石人有高骨地有林木人有募筋地有聚邑人有䐃肉歲有十二月人有十二節地有四時不生草人有無子此人與天地相應者也黄帝問于岐伯曰余願聞持鍼之數内鍼之理縱舍之意扦皮開腠理奈何

脉之屈折出入之處焉至而出焉至而止焉
至而徐焉至而疾焉至而入六府之輸於身
者余願盡聞少序别離之處離而入陰别而
入陽此何道而從行願盡聞其方岐伯曰帝
之所問鍼道畢矣黄帝曰願卒聞之岐伯曰
手太陰之脉出於大指之端内屈循白肉際
至本節之後大淵留以澹外屈上於本節下
内屈與陰諸絡會於魚際數脉并注其氣滑

利伏行壅骨之下外屈出於寸口而行上至於肘内廉入於大筋之下内屈上行臑陰入腋下内屈走肺此順行逆數之屈折也心主之脉出於中指之端内屈循中指内廉以上留於掌中伏行兩骨之間外屈出兩筋之間骨肉之際其氣滑利上二寸外屈出行兩筋之間上至肘内廉入於小筋之下留兩骨之會上入於胷中内絡於心脉黄帝曰手少陰

之脉獨無腧何也歧伯曰少陰心脉也心者五藏六府之大主也精神之所舍也其藏堅固邪弗能容也容之則心傷心傷則神去神去則死矣故諸邪之在於心者皆在於心之包絡包絡者心主之脉也故獨無腧焉黄帝曰少陰獨無腧者不病乎歧伯曰其外經病而藏不病故獨取其經於掌後鋭骨之端其餘脉出入屈折其行之徐疾皆如手少陰心

主之脉行也故本腧者皆因其氣之虚實疾徐以取之是謂因衝而寫因衰而補如是者邪氣得去眞氣堅固是謂因天之序黄帝曰持鍼縱舍奈何岐伯曰必先明知十二經脉之本末皮膚之寒熱脉之盛衰滑濇其脉滑而盛者病日進虚而細者久以持大以濇者爲痛痺陰陽如一者病難治其本末尚熱者病尚在其熱以衰者其病亦去矣持其尺察

其肉之堅脆大小滑澀寒溫燥濕因視目之
五色以知五藏而决死生視其血脉察其色
以知其寒熱痛痹黄帝曰持鍼縱舍余未得
其意也岐伯曰持鍼之道欲端以正安以静
先知虚實而行疾徐左手執骨右手循之無
與肉果寫欲端以正補必閉膚輔鍼導氣邪
得淫泆真氣得居黄帝曰扞皮開腠理奈何
岐伯曰因其分肉左别其膚微内而徐端之

適神不散邪氣得去黃帝問於岐伯曰人有八虛各何以候岐伯荅曰以候五藏黃帝曰候之奈何岐伯曰肺心有邪其氣留於兩肘肝有邪其氣流于兩腋脾有邪其氣留于兩髀腎有邪其氣留于兩膕凡此八虛者皆機關之室眞氣之所過血絡之所遊邪氣惡血固不得住留住留則傷筋絡骨節機關不得屈伸故痀攣也

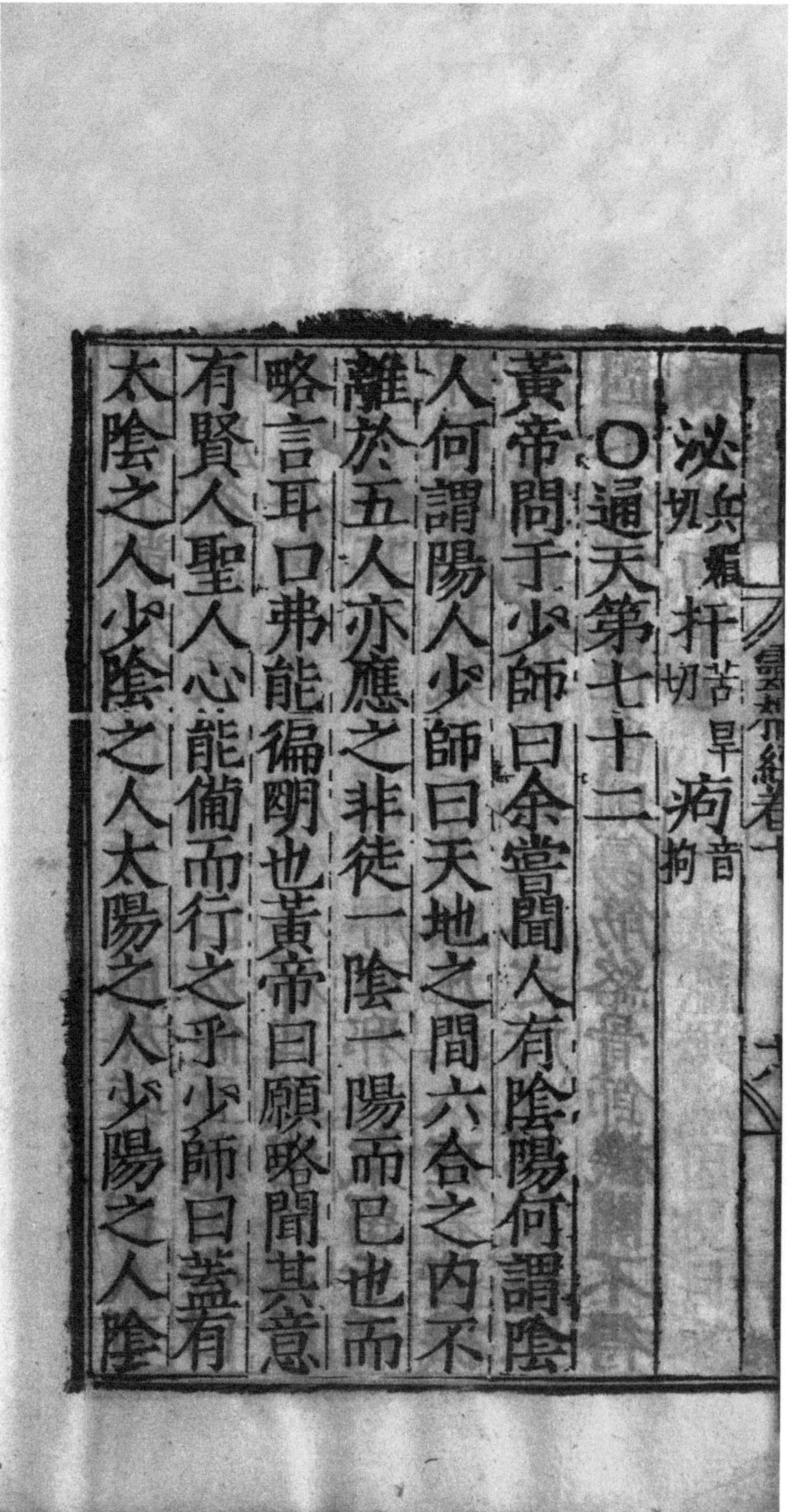

泓烏瓶切 扞苦旱切 痀音拘

○通天第七十二

黄帝問于少師曰余嘗聞人有陰陽何謂陰人何謂陽人少師曰天地之間六合之内不離於五人亦應之非徒一陰一陽而已也而略言耳口弗能徧明也黄帝曰願略聞其意有賢人聖人心能備而行之乎少師曰蓋有太陰之人少陰之人太陽之人少陽之人陰

陽和平之人凡五人者其態不同其筋骨氣
血各不等黃帝曰其不等者可得聞乎少師
曰太陰之人貪而不仁下齊湛湛好內而惡
出心和而不發不務於時動而後之此太陰
之人也○少陰之人小貪而賊心見人有亡
常若有得好傷好害見人有榮乃反慍怒心
疾而無恩此少陰之人也○太陽之人居處
于于好言大事無能而虛說志發於四野舉

措不顧是非爲事如常自用事雖敗而常無
悔此太陽之人也○少陽之人諟諦好自貴
有小小官則高自宜好爲外交而不内附此
少陽之人也○陰陽和平之人居處安靜無
爲懼懼無爲欣欣婉然從物或與不爭與時
變化尊則謙謙譚而不治是謂至治古之善
用鍼艾者視人五態乃治之盛者寫之虚者
補之黄帝曰治人之五態奈何少師曰太陰

之人多陰而無陽其陰血濁其衛氣濇陰陽不和緩筋而厚皮不之疾寫不能移之○少陰之人多陰少陽小胃而大腸六府不調其陽明脉小而太陽脉大必審調之其血易脫其氣易敗也○太陽之人多陽而少陰必謹調之無脫其陰而寫其陽陽重脫者易狂陰陽皆脫者暴死不知人也○少陽之人多陽少陰經小而絡大血在中而氣外實陰而虛

陽獨寫其絡脉則強氣脫而疾中氣不足病不起也○陰陽和平之人其陰陽之氣和血脉調謹診其陰陽視其邪正安容儀審有餘不足盛則寫之虛則補之不盛不虛以經取之此所以調陰陽別五態之人者也黃帝曰夫五態之人者相與毋故卒然新會未知其行也何以別之少師荅曰衆人之屬不如五態之人者故五五二十五人而五態之人不

與焉五態之人尤不合於衆者也黄帝曰别
五態之人奈何少師曰太陰之人其狀黮黮
然黑色念然下意臨臨然長大膕然未僂此
太陰之人也○少陰之人其狀清然竊然固
以陰賊立而躁嶮行而似伏此少陰之人也
○太陽之人其狀軒軒儲儲反身折膕此太
陽之人也○少陽之人其狀立則好仰行則
好搖其兩臂兩肘則常出於背此少陽之人

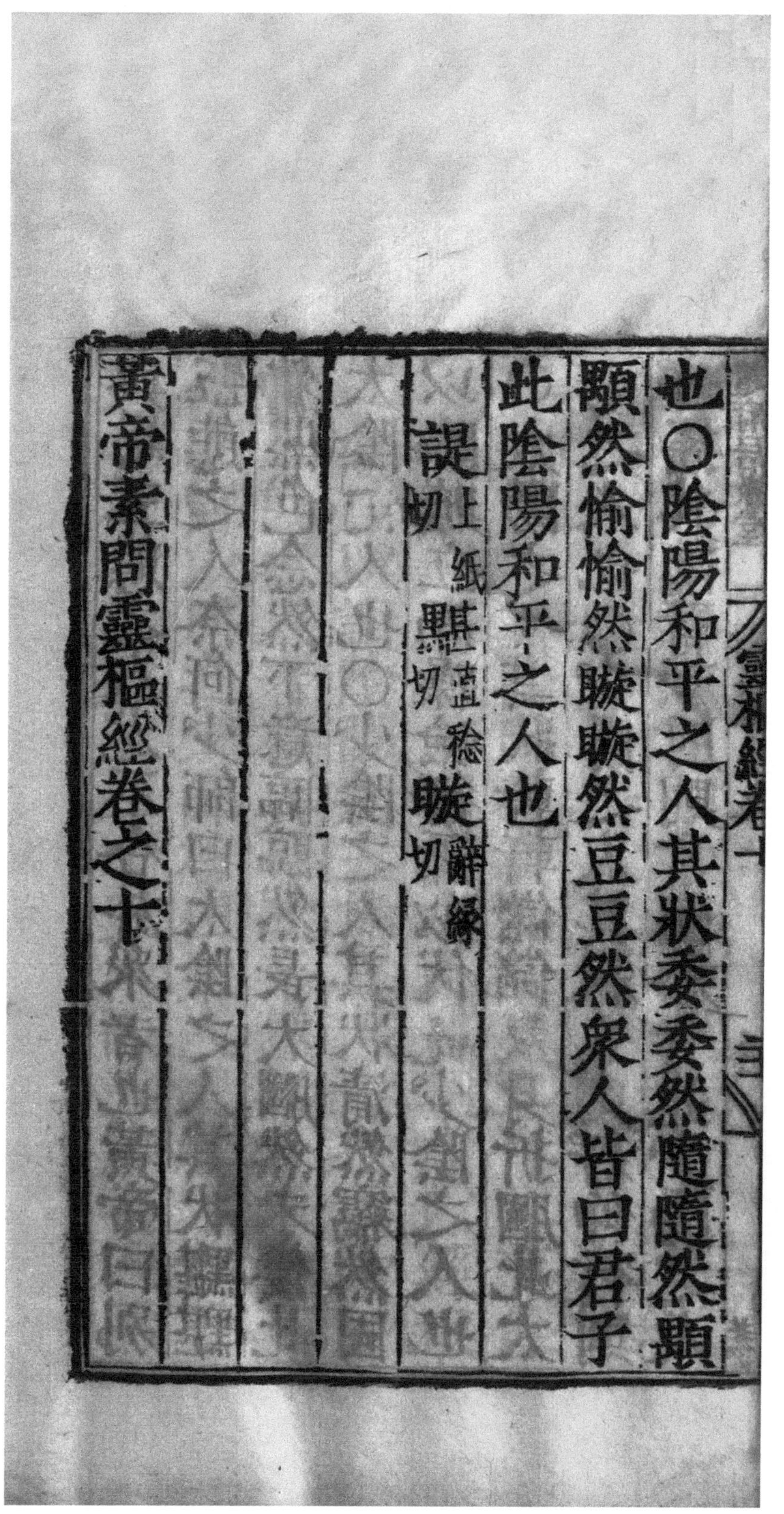

也○陰陽和平之人其狀委委然隨隨然顒顒然愉愉然暶暶然豆豆然衆人皆曰君子此陰陽和平之人也

諟上紙切 黮直稔切 暶辭緣切

黃帝素問靈樞經卷之十

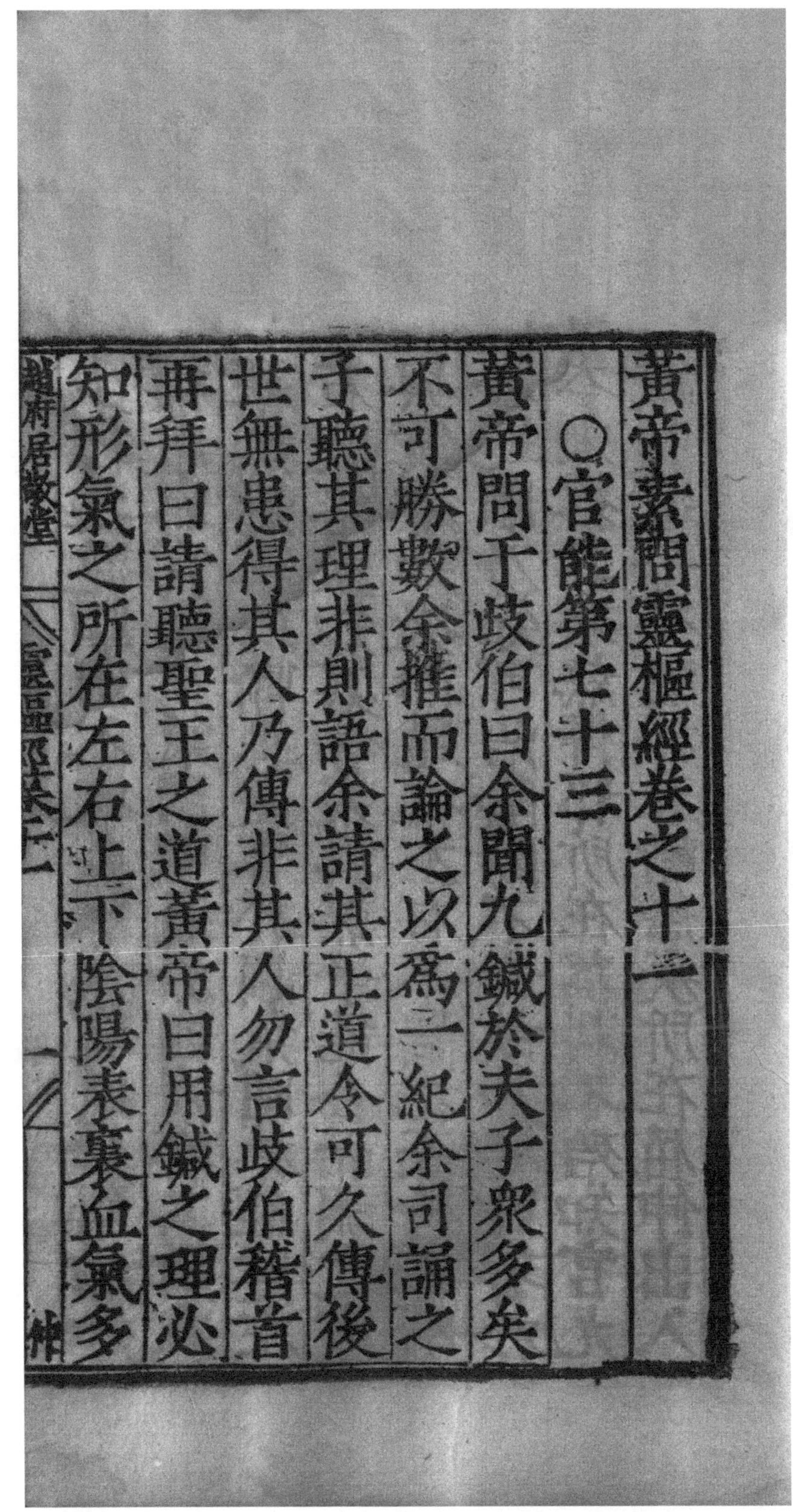

黄帝素問靈樞經卷之十二

○官能第七十三

黄帝問于岐伯曰余聞九鍼於夫子衆多矣不可勝數余推而論之以爲一紀余司誦之子聽其理非則語余請其正道令可久傳後世無患得其人乃傳非其人勿言岐伯稽首再拜曰請聽聖王之道黄帝曰用鍼之理必知形氣之所在左右上下陰陽表裏血氣多

少行之逆順出入之合謀伐有過知解結知補虛寫實上下氣門明通於四海審其所在寒熱淋露以輸異處審於調氣明於經隧左右肢絡盡知其會寒與熱爭能合而調之虛與實鄰知決而通之左右不調把而行之明於逆順乃知可治陰陽不奇故知起時審於本末察其寒熱得邪所在萬刺不殆知官九鍼刺道畢矣明於五輸徐疾所在屈伸出入

皆有條理言陰與五合於五行五藏六府亦有所藏四時八風盡有陰陽各得其位合於明堂各處色部五藏六府察其所痛左右上下知其寒温何經所在審皮膚之寒温滑濇知其所苦膈有上下知其氣所在先得其道稀而疎之稍深以留故能徐入之大熱在上推而下之從下上者引而去之視前痛者常先取之大寒在外留而補之入於中者從合

寫之鍼所不爲灸之所宜上氣不足推而揚
之下氣不足積而從之陰陽皆虚火自當之
厥而寒甚骨廉陷下寒過於膝下陵三里陰
絡所過得之留止寒入於中推而行之經陷
下者火則當之結絡堅緊火所治之不知所
苦兩蹻之下男陰女陽良工所禁鍼論畢矣
用鍼之服必有法則上視天光下司八正以
辟奇邪而觀百姓審於虚實無犯其邪是得

天之露遇歲之虛救而不勝反受其殃故曰必知天忌乃言鍼意法於往古驗於來今觀於窈冥通於無窮麤之所不見良工之所貴莫知其形若神髣髴邪氣之中人也洒淅動形正邪之中人也微先見於色不知於其身若在若無若亡若存有形無形莫知其情是故上工之取氣乃救其萌芽下工守其已成因敗其形是故工之用鍼也知氣之所在而

守其門戶明於調氣補寫所在徐疾之意所
取之處寫必用員切而轉之其氣乃行疾而
徐出邪氣乃出伸而迎之遥大其穴氣出乃
疾補必用方外引其皮令當其門左引其樞
右推其膚微旋而徐推之必端以正安以靜
堅心無解欲微以留氣下而疾出之推其皮
蓋其外門眞氣乃存用鍼之要無忘其神雷
公問於黄帝曰鍼論曰得其人乃傳非其人

勿言何以知其可傳黄帝曰各得其人任之其能故能明其事雷公曰願聞官能奈何黄帝曰明目者可使視色聰耳者可使聽音捷疾辭語者可使傳論語徐而安靜手巧而心審諦者可使行鍼艾理血氣而調諸逆順察陰陽而兼諸方緩節柔筋而心和調者可使導引行氣疾毒言語輕人者可使唾癰呪病爪苦手毒爲事善傷者可使按積抑痹各得

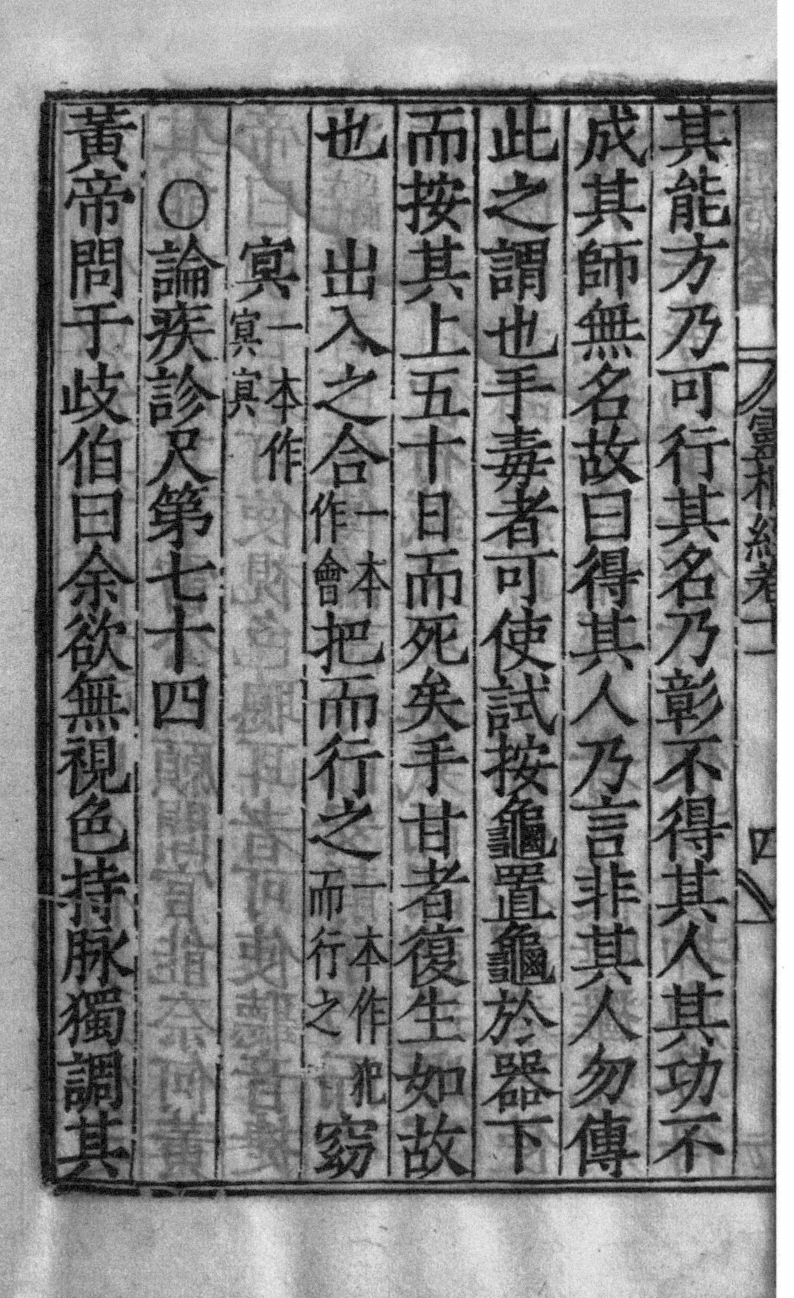

其能方乃可行其名乃彰不得其人其功不成其師無名故曰得其人乃言非其人勿傳此之謂也手毒者可使試按龜置龜於器下而按其上五十日而死矣手甘者復生如故也

出入之合一本作會把而行之一本作犯而行之窈冥一本作冥冥

○論疾診尺第七十四

黃帝問于歧伯曰余欲無視色持脉獨調其

尺以言其病從外知内爲之奈何岐伯曰審其尺之緩急小大滑濇肉之堅脆而病形定矣視人之目窠上微癰如新臥起狀其頸脉動時欬按其手足上窅而不起者風水膚脹也尺膚滑其淖澤者風也尺肉弱者解㑊安臥脱肉者寒熱不治尺膚滑而澤脂者風也尺膚濇者風痺也尺膚麤如枯魚之鱗者水泆飲也尺膚熱甚脉盛躁者病温也其脉盛

而滑者病且出也尺膚寒其脉小者泄少氣
尺膚炬然先熱後寒者寒熱也尺膚先寒久
大之而熱者亦寒熱也肘所獨熱者腰以上
熱手所獨熱者腰以下熱肘前獨熱者膺前
熱肘後獨熱者肩背熱臂中獨熱者腰腹熱
肘後麤以下三四寸熱者腸中有蟲掌中熱
者腹中熱掌中寒者腹中寒魚上白肉有青
血脉者胃中有寒尺炬然熱人迎大者當奪

血尺堅大脉小甚少氣悗有加立死目赤色者病在心白在肺青在肝黃在脾黑在腎黃色不可名者病在胷中診目痛赤脉從上下者太陽病從下上者陽明病從外走内者少陽病診寒熱赤脉上下至瞳子見一脉一歲死見一脉半一歲半死見二脉二歲死見二脉半二歲半死見三脉三歲死診齲齒痛按其陽之來有過者獨熱在左右熱在右右熱

在上上熱在下下熱診血脉者多赤多熱多青多痛多黑爲久痺多赤多黑多青皆見者寒熱身痛而色微黄齒垢黄爪甲上黄黄疸也安臥小便黄赤脉小而濇者不嗜食人病其寸口之脉與人迎之脉小大等及其浮沉等者病難已也女子手少陰脉動甚者姙子嬰兒病其頭毛皆逆上者必死耳間青脉起者掣痛大便赤瓣飧泄脉小者手足寒難已

飧泄脉小手足温泄易已四時之變寒暑之勝重陰必陽重陽必陰故陰主寒陽主熱故寒甚則熱熱甚則寒故曰寒生熱熱生寒此陰陽之變也故曰冬傷於寒春生癉熱春傷於風夏生後泄腸澼夏傷於暑秋生痎瘧秋傷於濕冬生咳嗽是謂四時之序也

目窠音科 窅音杳 炬然及許切亦作及然 齲丘禹切齒蠹 掣尺列切 痎瘧上音皆瘦瘧也

○刺節眞邪第七十五

黃帝問于岐伯曰余聞刺有五節奈何岐伯曰固有五節一曰振埃二曰發矇三曰去爪四曰徹衣五曰解惑黃帝曰夫子言五節余未知其意岐伯曰振埃者刺外經去陽病也發矇者刺府輸去府病也去爪者刺關節肢絡也徹衣者盡刺諸陽之奇輸也解惑者盡知調陰陽補寫有餘不足相傾移也黃帝曰刺

節言振埃夫子乃言刺外經去陽病余不知其所謂也願卒聞之歧伯曰振埃者陽氣大逆上滿於胷中憤䐜肩息大氣逆上喘喝坐伏病惡埃煙餲不得息請言振埃尚疾於振埃黄帝曰善取之何如歧伯曰取之天容黄帝曰其欬上氣窮詘胷痛者取之奈何歧伯曰取之廉泉黄帝曰取之有數乎歧伯曰取天容者無過一里取廉泉者血變而止帝曰

善哉黃帝曰刺節言發矇余不得其意夫發
矇者耳無所聞目無所見夫子乃言刺府輸
去府病何輸使然願聞其故歧伯曰妙乎哉
問也此刺之大約鍼之極也神明之類也口
說書卷猶不能及也請言發矇耳尚疾於發
矇也黃帝曰善願卒聞之歧伯曰刺此者必
於日中刺其聽宮中其眸子聲聞於耳此其
輸也黃帝曰善何謂聲聞於耳歧伯曰刺邪

以手堅按其兩鼻竅而疾偃其聲必應於鍼也黃帝曰善此所謂弗見爲之而無目視見而取之神明相得者也黃帝曰刺節善去爪夫子乃言刺關節肢絡願卒聞之歧伯曰腰脊者身之大關節也肢脛者人之管以趨翔也莖垂者身中之機陰精之候津液之道也故飲食不節喜怒不時津液內溢乃下留於睪血道不通日大不休俛仰不便趨翔不能

此病榮然有水不上不下鈹石所取形不可匿常不得蔽故命曰去爪帝曰善黄帝曰刺節言徹衣夫子乃言盡刺諸陽之奇輸未有常處也願卒聞之歧伯曰是陽氣有餘而陰氣不足陰氣不足則内熱陽氣有餘則外熱内熱相搏熱於懷炭外畏綿帛近不可近身又不可近席腠理閉塞則汗不出舌焦脣槁腊乾嗌燥飲食不讓美惡黄帝曰善取之奈

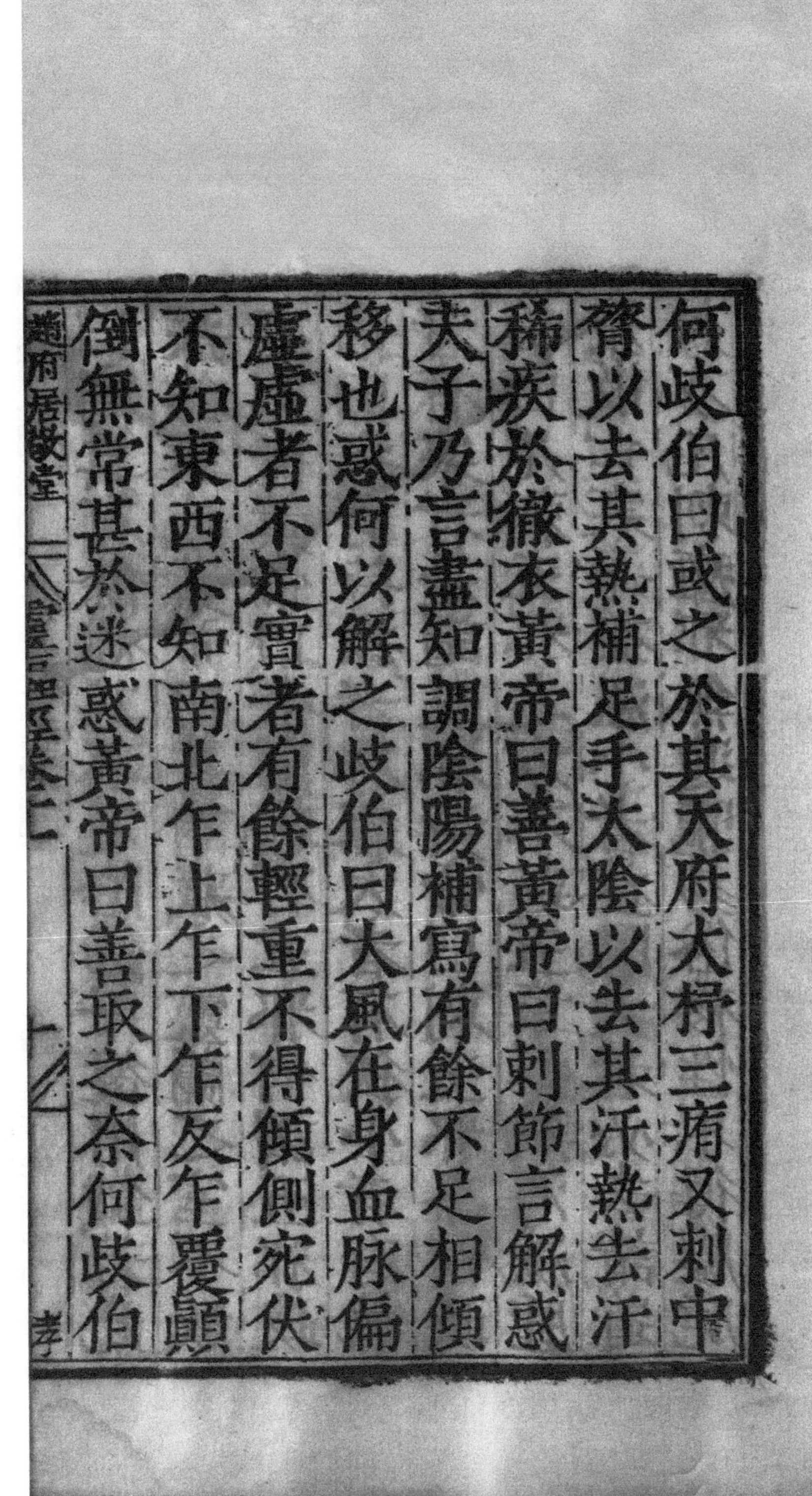

何岐伯曰或之於其天府大杼三痏又刺中
膂以去其熱補足手太陰以去其汗熱去汗
稀疾於徹衣黃帝曰善黃帝曰刺節言解惑
夫子乃言盡知調陰陽補寫有餘不足相傾
移也惑何以解之岐伯曰大風在身血脉偏
虚虚者不足實者有餘輕重不得傾側宛伏
不知東西不知南北乍上乍下乍反乍覆顛
倒無常甚於迷惑黃帝曰善取之奈何岐伯

曰寫其有餘補其不足陰陽平復用鍼若此
疾於解惑黃帝曰善請藏之靈蘭之室不敢
妄出也黃帝曰余聞刺有五邪何謂五邪歧
伯曰病有持癰者有容大者有狹小者有熱
者有寒者是謂五邪黃帝曰刺五邪奈何歧
伯曰凡刺五邪之方不過五章癉熱消滅腫
聚散亡寒痺益溫小者益陽大者必去請道
其方凡刺癰邪無迎隴易俗移性不得膿脆

道更行去其鄉不安處所乃散亡諸陰陽過
癰者取之其輸寫之凡刺大邪日以小泄奪
其有餘乃益虛剽其通鍼其邪肌肉親視之
毋有反其眞刺諸陽分肉間凡刺小邪日以
太補其不足乃無害視其所在迎之界遠近
盡至其不得外侵而行之乃自費刺分肉間
凡刺熱邪越而蒼出遊不歸乃無病爲開通
辟門戶使邪得出病乃已凡刺寒邪日以溫

徐往徐來致其神門戶已閉氣不分虛實得調其氣存也黃帝曰官鍼奈何歧伯曰刺癰者用鈹鍼刺大者用鋒鍼刺小者用員利鍼刺熱者用鑱鍼刺寒者用毫鍼也請言解論與天地相應與四時相副人參天地故可爲解下有漸洳上生葦蒲此所以知形氣之多少也陰陽者寒暑也熱則滋雨而在上根荄少汁人氣在外皮膚緩腠理開血氣減汁大

泄皮淖澤寒則地凍水冰人氣在中皮膚緻
腠理閉汗不出血氣強肉堅濇當是之時善
行水者不能往冰善穿地者不能鑿凍善用
鍼者亦不能取四厥血脉凝結堅搏不往來
者亦未可即柔故行水者必待天溫冰釋凍
解而水可行地可穿也人脉猶是也治厥者
必先熨調和其經掌與腋肘與脚項與脊以
調之火氣已通血脉乃行然後視其病脉淖

瀉者刺而平之堅緊者破而散之氣下乃止
此所謂以解結者也用鍼之類在於調氣氣
積於胃以通營衛各行其道宗氣留於海其
下者注於氣街其上者走於息道故厥在於
足宗氣不下脉中之血凝而留止弗之火調
弗能取之用鍼者必先察其經絡之實虛切
而循之按而彈之視其應動者乃後取之而
下之六經調者謂之不病雖病謂之自已也

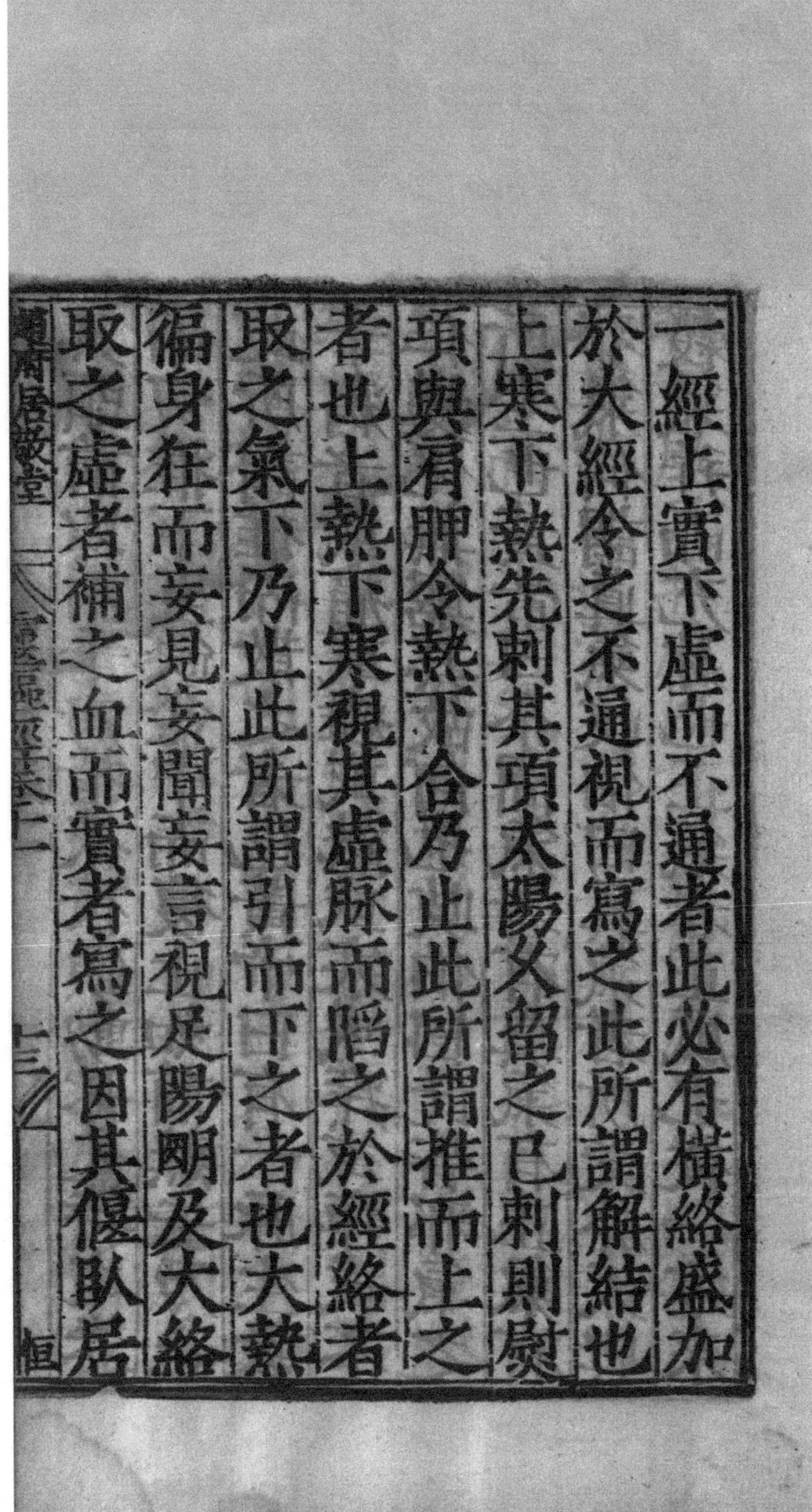

一經上實下虛而不通者此必有橫絡盛加於大經令之不通視而寫之此所謂解結也上寒下熱先刺其項太陽久留之已刺則熨項與肩胛令熱下合乃止此所謂推而上之者也上熱下寒視其虛脉而陷之於經絡者取之氣下乃止此所謂引而下之者也大熱徧身狂而妄見妄聞妄言視足陽明及大絡取之虛者補之血而實者寫之因其偃臥居

其頭前以兩手四指挾按頸動脉久持之卷而切推下至缺盆中而復止如前熱去乃止此所謂推而散之者也黄帝曰有一脉生數十病者或痛或癰或熱或寒或痒或痺或不仁變化無窮其故何也岐伯曰此皆邪氣之所生也黄帝曰余聞氣者有真氣有正氣有邪氣何謂真氣岐伯曰真氣者所受於天與穀氣并而充身也正氣者正風也從一方來

非實風又非虛風也邪氣者虛風之賊傷人也其中人也深不能自去正風者其中人也淺合而自去其氣來柔弱不能勝眞氣故自去虛邪之中人也洒淅動形起毫毛而發腠理其入深內搏於骨則爲骨痺搏於筋則爲筋攣搏於脉中則爲血閉不通則爲癰搏於肉與衛氣相搏陽勝者則爲熱陰勝者則爲寒寒則眞氣去去則虛虛則寒搏於皮膚之

間其氣外發腠理開毫毛搖氣往來行則爲
痒留而不去則痺衛氣不行則爲不仁虛邪
偏客於身半其入深內居榮衛榮衛稍衰則
眞氣去邪氣獨留發爲偏枯其邪氣淺者脉
偏痛虛邪之入於身也深寒與熱相搏久留
而內著寒勝其熱則骨疼肉枯熱勝其寒則
爛肉腐肌爲膿內傷骨內傷骨爲骨蝕有所
疾前筋筋屈不得伸邪氣居其間而不反發

於筋溜有所結氣歸之衛氣留之不得反津液久留合而爲腸溜久者數歲乃成以手按之柔已有所結氣歸之津液留之邪氣中之凝結日以易甚連以聚居爲昔瘤以手按之堅有所結深中骨氣因於骨骨與氣并日以益大則爲骨疽有所結中於肉宗氣歸之邪留而不去有熱則化而爲膿無熱則爲肉疽凡此數氣者其發無常處而有常名也

餲音噎窶　腊思亦月切　剽匹妙其切　漸洳上音

替下音如草根相牽引貌

○衛氣行第七十六

黄帝問於岐伯曰願聞衛氣之行出入之合何如岐伯曰歲有十二月日有十二辰子午爲經卯酉爲緯天周二十八宿而一面七星四七二十八星房昴爲緯虛張爲經是故房至畢爲陽昴至心爲陰陽主晝陰主夜故衛

氣之行一日一夜五十周於身晝日行於陽
二十五周夜行於陰二十五周周於五歲是
故平旦陰盡陽氣出於目目張則氣上行於
頭循項下足太陽循背下至小指之端其散
者别於目銳眥下手太陽下至手小指之間
外側其散者别於目銳眥下足少陽注小指
次指之間以上循手少陽之分側下至小指
之間别者以上至耳前合於頷脉注足陽明

以下行至跗上入五指之間其散者從耳下
下手陽明入大指之間入掌中其至於足也
入足心出内踝下行陰分復合於目故爲一
周是故日行一舍人氣行一周與十分身之
八日行二舍人氣行二周於身與十分身之
六日行三舍人氣行於身五周與十分身之
四日行四舍人氣行於身七周與十分身之
二日行五舍人氣行於身九周日行六舍人

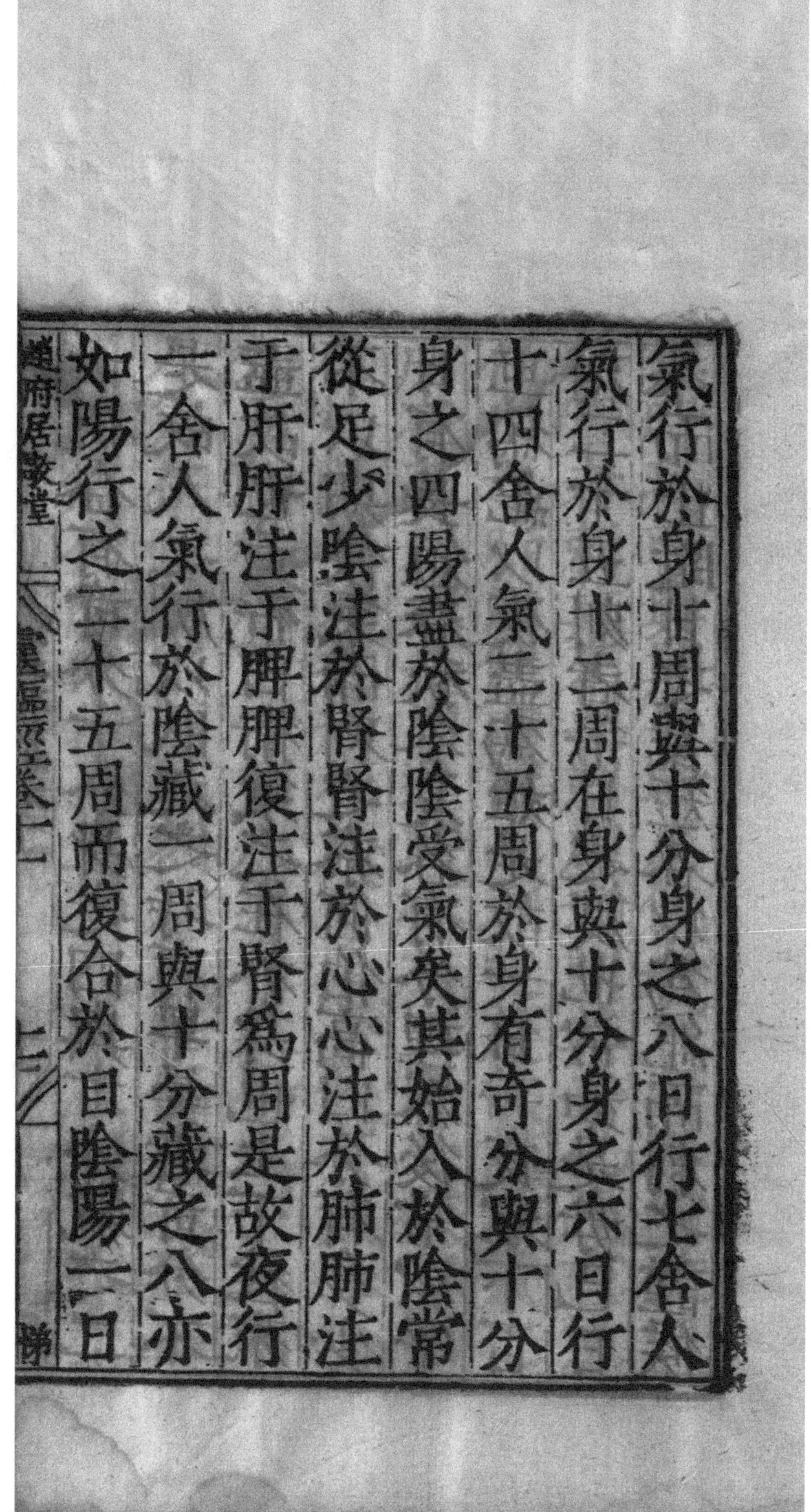

氣行於身十周與十分身之八日行七舍人氣行於身十二周在身與十分身之六日行十四舍人氣二十五周於身有奇分與十分身之四陽盡於陰陰受氣矣其始入於陰常從足少陰注於腎腎注於心心注於肺肺注于肝肝注于脾脾復注于腎爲周是故夜行一舍人氣行於陰藏一周與十分藏之八亦如陽行之二十五周而復合於目陰陽一日

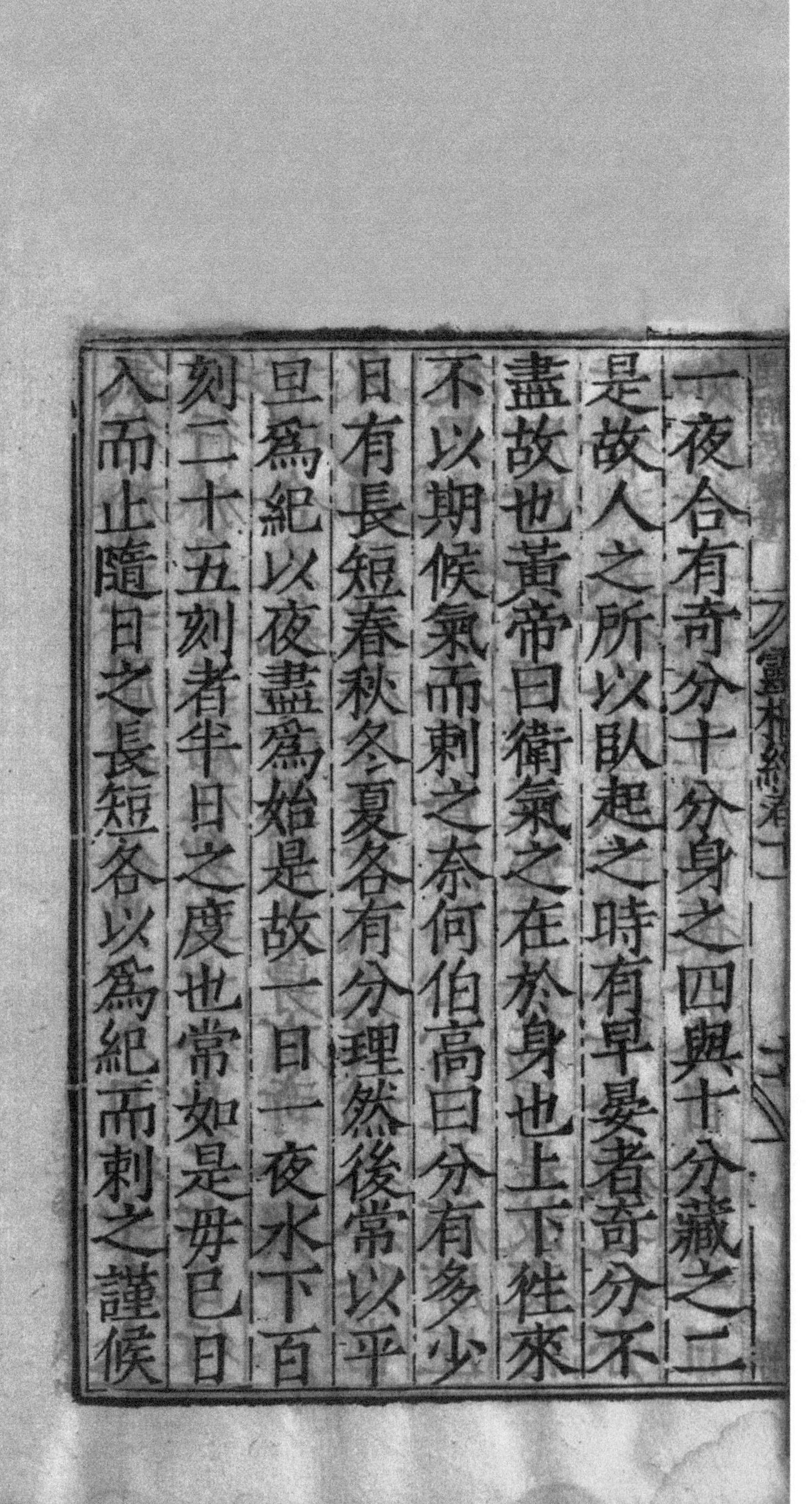

一夜合有奇分十分身之四與十分藏之二是故人之所以臥起之時有早晏者奇分不盡故也黄帝曰衛氣之在於身也上下往來不以期候氣而刺之奈何伯高曰分有多少日有長短春秋冬夏各有分理然後常以平旦爲紀以夜盡爲始是故一日一夜水下百刻二十五刻者半日之度也常如是毋已日入而止隨日之長短各以爲紀而刺之謹候

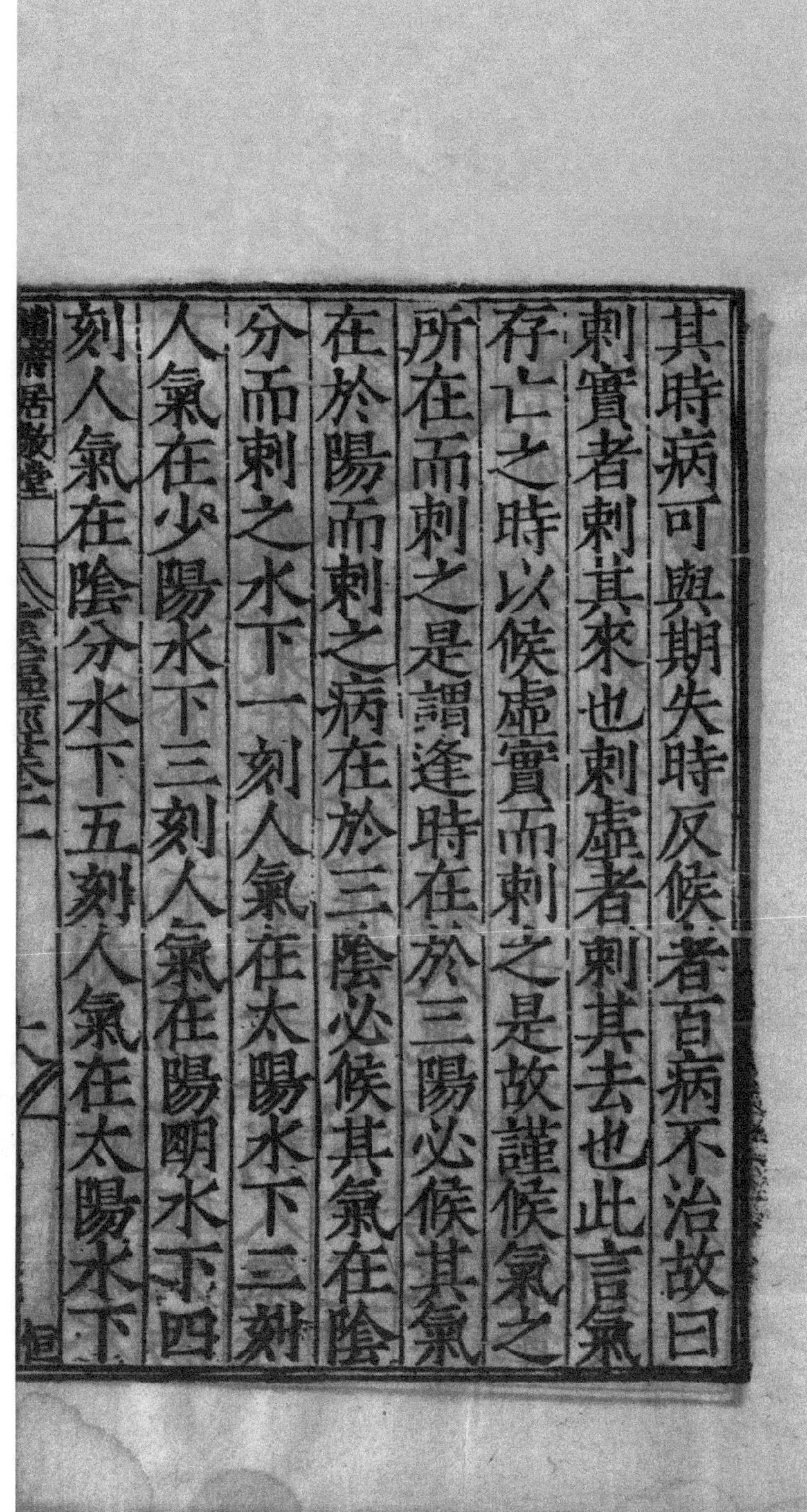

其時病可與期失時反候者百病不治故曰刺實者刺其來也刺虛者刺其去也此言氣存亡之時以候虛實而刺之是故謹候氣之所在而刺之是謂逢時在於三陽必候其氣在於陽而刺之病在於三陰必候其氣在陰分而刺之水下一刻人氣在太陽水下二刻人氣在少陽水下三刻人氣在陽明水下四刻人氣在陰分水下五刻人氣在太陽水下

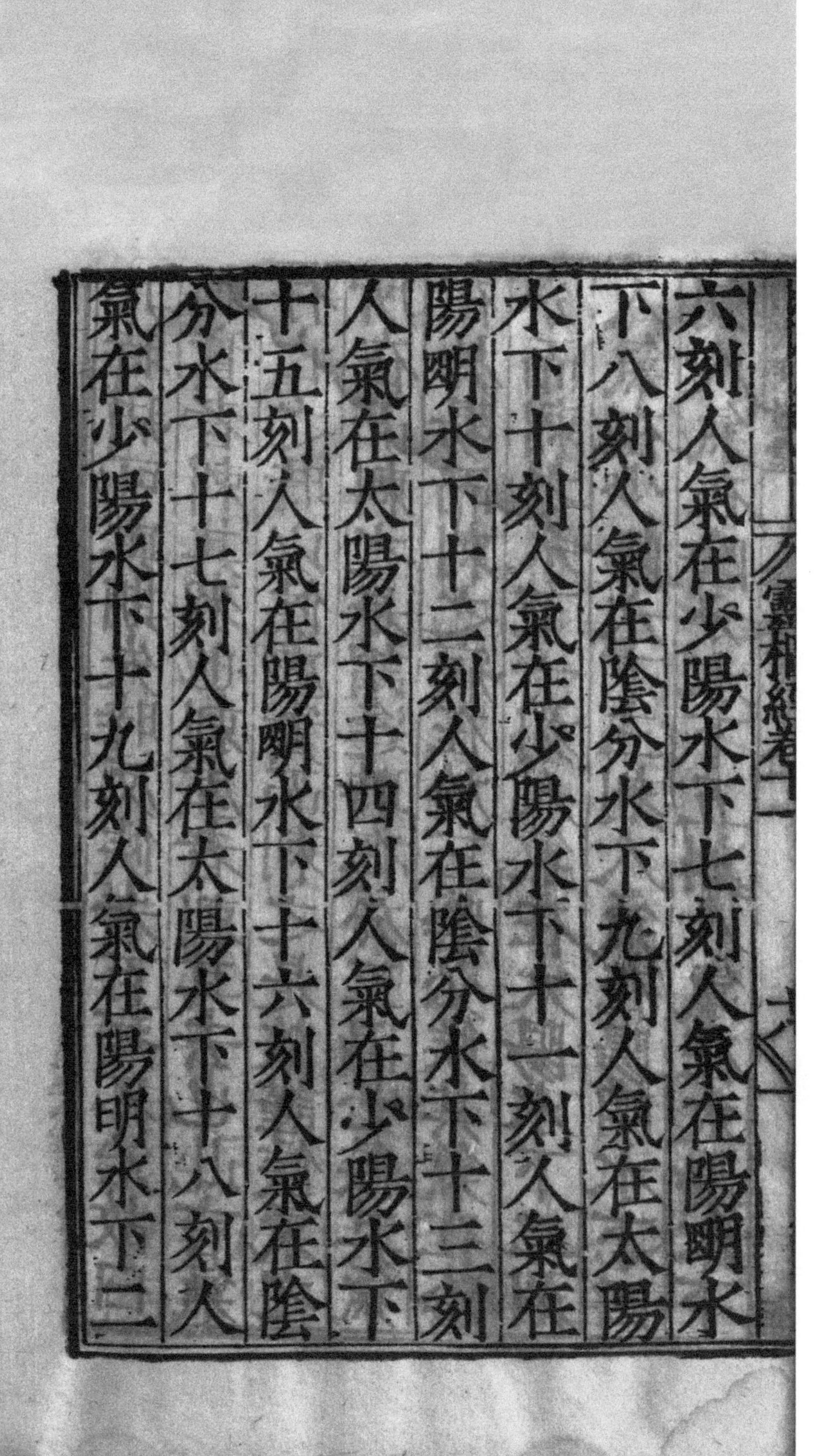

靈樞經卷十

六刻人氣在少陽水下七刻人氣在陽明水下八刻人氣在陰分水下九刻人氣在太陽水下十刻人氣在少陽水下十一刻人氣在陽明水下十二刻人氣在陰分水下十三刻人氣在太陽水下十四刻人氣在少陽水下十五刻人氣在陽明水下十六刻人氣在陰分水下十七刻人氣在太陽水下十八刻人氣在少陽水下十九刻人氣在陽明水下二

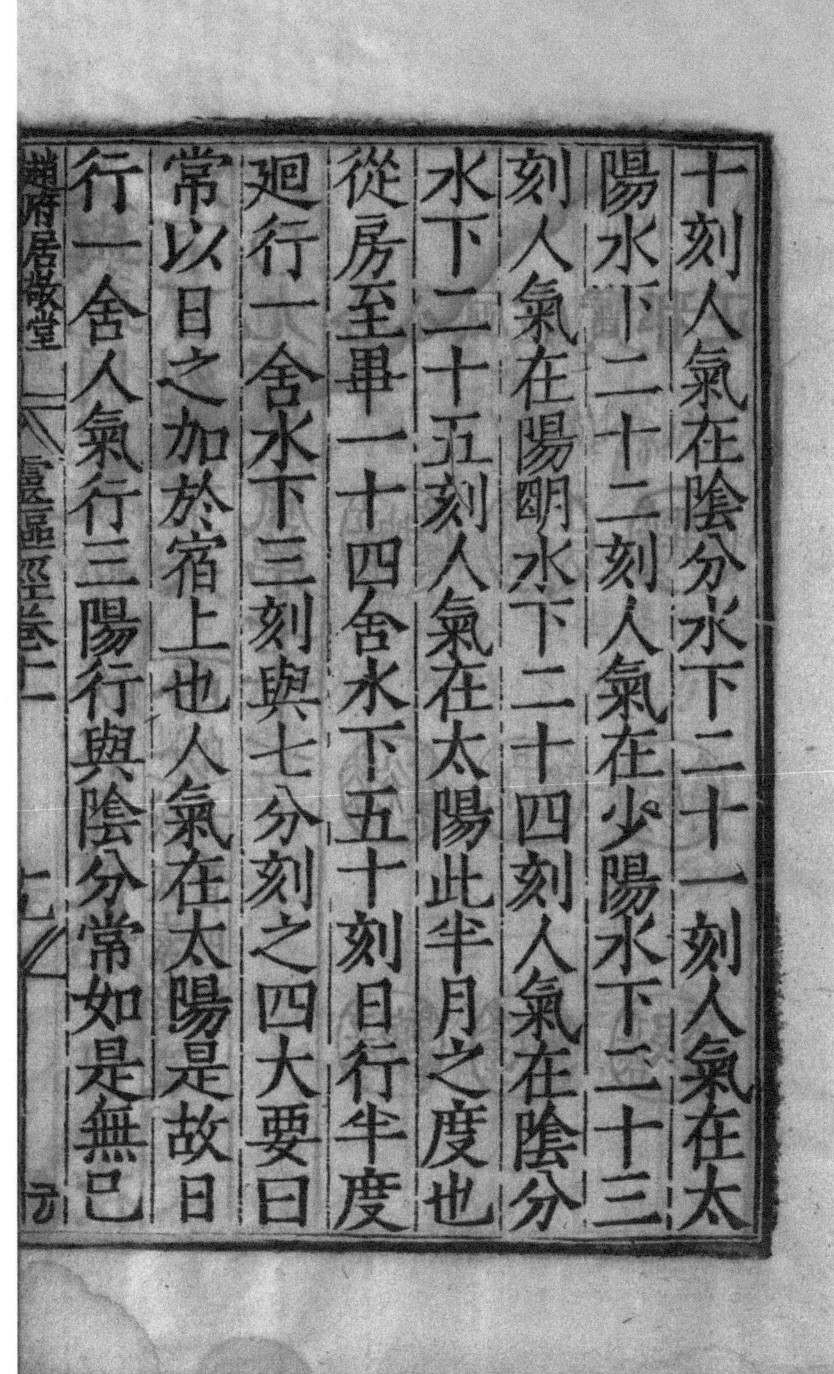

十刻人氣在陰分水下二十一刻人氣在太陽水下二十二刻人氣在少陽水下二十三刻人氣在陽明水下二十四刻人氣在陰分水下二十五刻人氣在太陽此半月之度也從房至畢一十四舍水下五十刻日行半度廻行一舍水下三刻與七分刻之四大要曰常以日之加於宿上也人氣在太陽是故日行一舍人氣行三陽行與陰分常如是無已

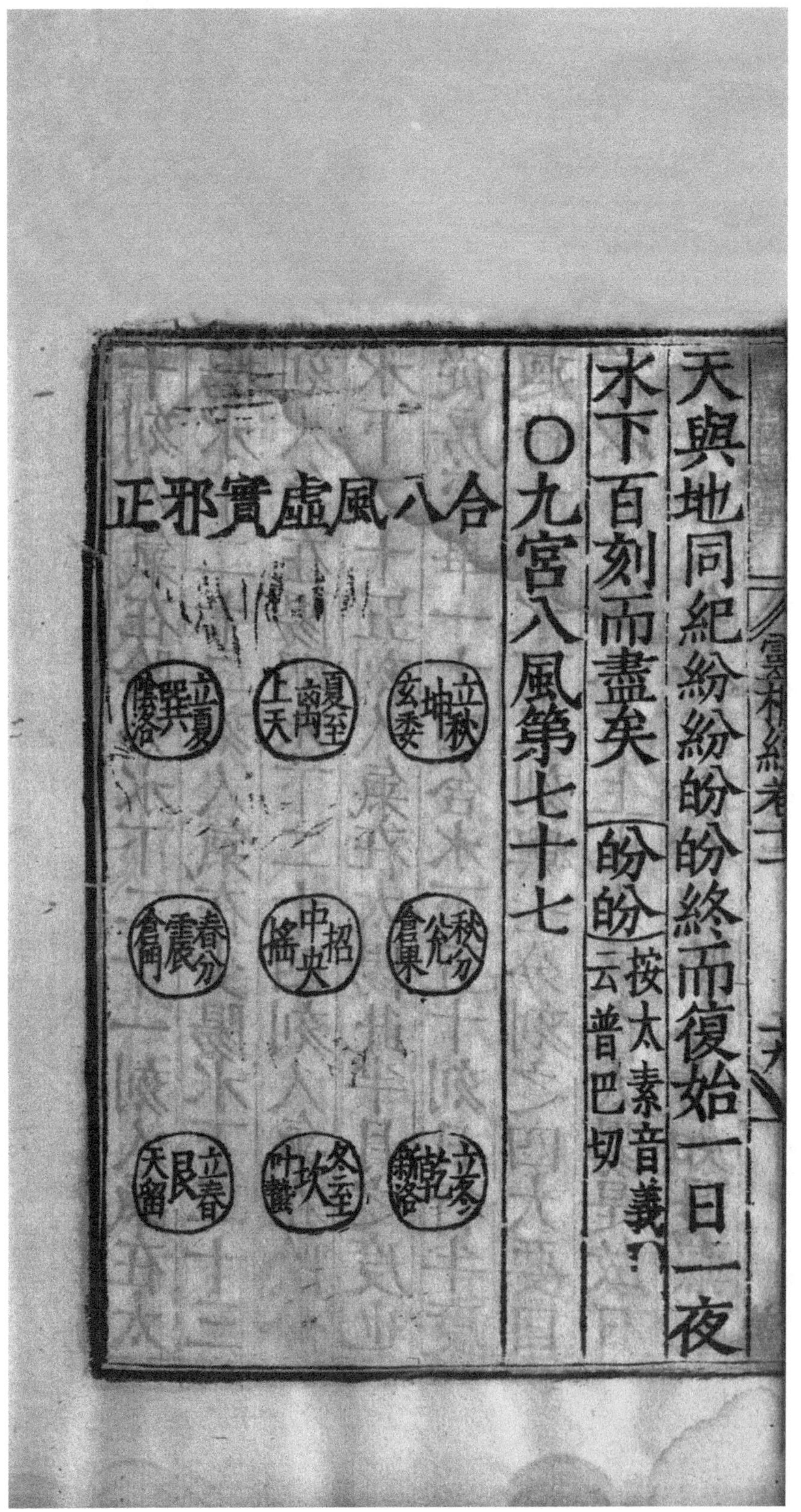

天與地同紀紛紛盼盼終而復始一日一夜水下百刻而盡矣【盼盼】按太素音義云普巴切

○九宮八風第七十七

合八風虛實邪正

立秋 坤 玄委　夏至 離 上天　立夏 巽 陰洛

秋分 兌 倉果　招搖 中央　春分 震 倉門

立冬 乾 新洛　冬至 坎 叶蟄　立春 艮 天留

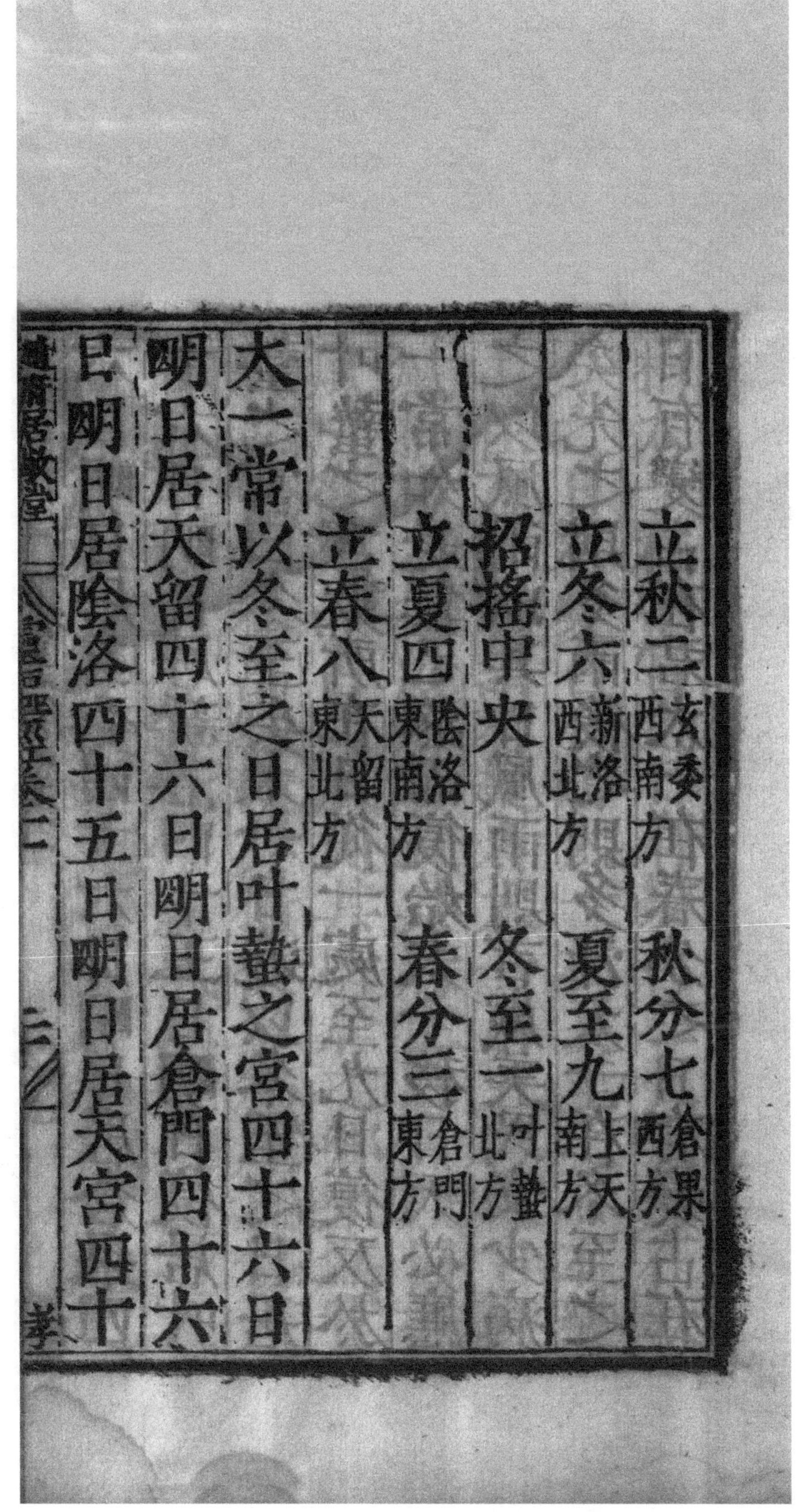

立秋二玄委西南方　秋分七倉果西方

立冬六新洛西北方　夏至九上天南方

招搖中央　冬至一叶蟄北方

立夏四陰洛東南方　春分三倉門東方

立春八天留東北方

太一常以冬至之日居叶蟄之宮四十六日

明日居天留四十六日明日居倉門四十六

日明日居陰洛四十五日明日居天宮四十

趙府居敬堂　靈樞經卷之十一　三　孝

六日明日居玄委四十六日明日居倉果四十六日明日居新洛四十五日明日復居叶蟄之宮曰冬至矣太一日遊以冬至之日居叶蟄之宮數所在日從一處至九日復反於一常如是無已終而復始太一移日天必應之以風雨以其日風雨則吉歲美民安少病矣先之則多雨後之則多汗太一在冬至之日有變占在君太一在春分之日有變占在

相太一在中宮之日有變占在吏太一在秋分之日有變占在將太一在夏至之日有變占在百姓所謂有變者太一居五宮之日病風折樹木揚沙石各以其所主占貴賤因視風所從來而占之風從其所居之鄉來爲實風主生長養萬物從其衝後來爲虛風傷人者也主殺主害者謹候虛風而避之故聖人日避虛邪之道如避矢石然邪弗能害此之

謂也是故太一入徙立於中宫乃朝八風以
占吉凶也風從南方來名曰大弱風其傷人
也内舍於心外在於脉氣主熱風從西南方
來名曰謀風其傷人也内舍於脾外在於肌
其氣主爲弱風從西方來名曰剛風其傷人
也内舍於肺外在於皮膚其氣主爲燥風從
西北方來名曰折風其傷人也内舍於小腸
外在於手太陽脉脉絶則溢脉閉則結不通

善暴死風從北方來名曰大剛風其傷人也
內舍於腎外在於骨與肩背之膂筋其氣主
爲寒也風從東北方來名曰凶風其傷人也
內舍於大腸外在於兩脅腋骨下及肢節風
從東方來名曰嬰兒風其傷人也內舍於肝
外在於筋紐其氣主爲身濕風從東南方來
名曰弱風其傷人也內舍於胃外在肌肉其
氣主體重此八風皆從其虛之鄉來乃能病

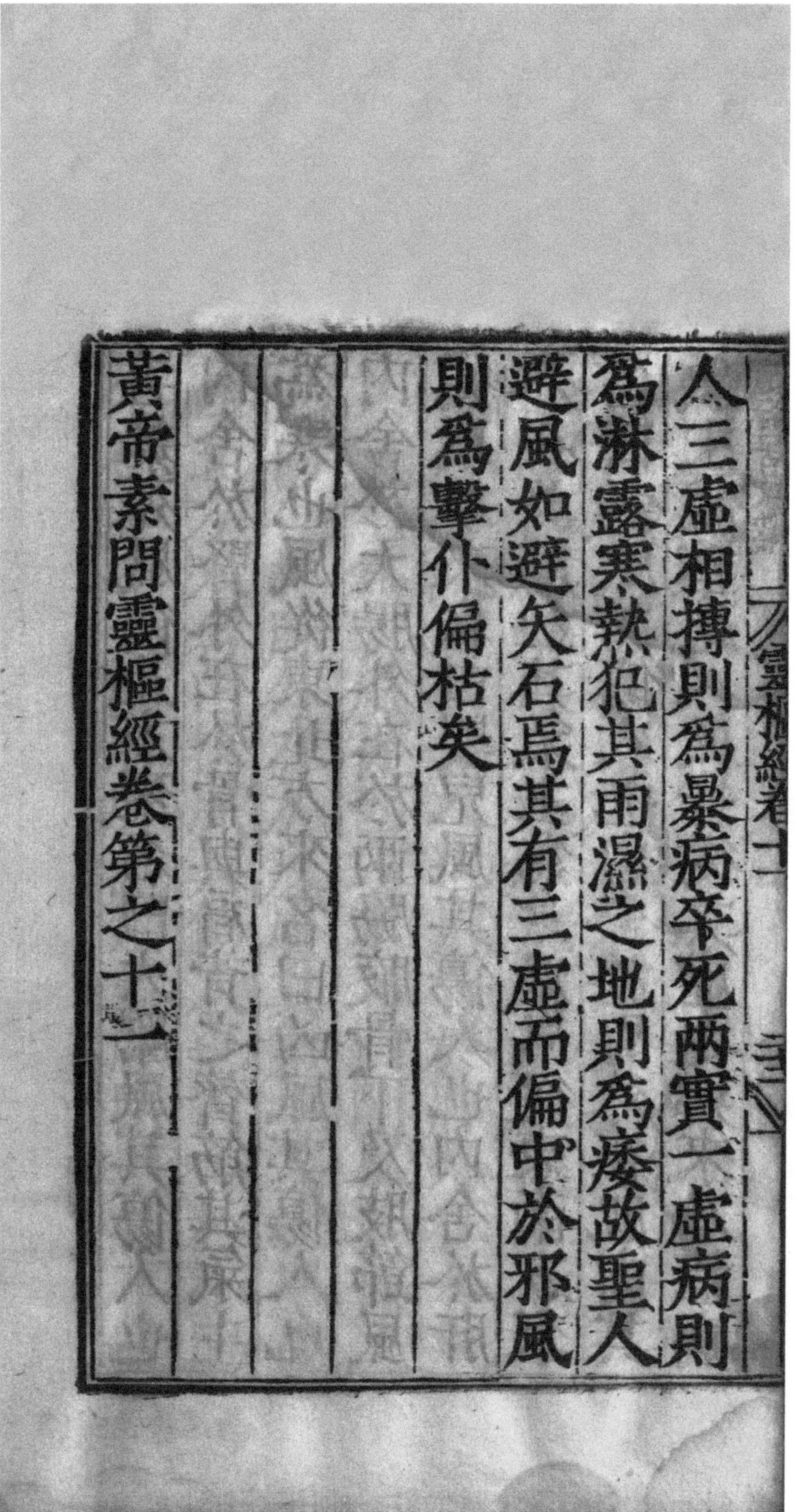
人三虚相搏則爲暴病卒死兩實一虚病則爲淋露寒熱犯其雨濕之地則爲痿故聖人避風如避矢石焉其有三虚而偏中於邪風則爲擊仆偏枯矣

黄帝素問靈樞經卷第之十二

黃帝素問靈樞經卷之十二

○九鍼論第七十八

黃帝曰余聞九鍼於夫子衆多博大矣余猶不能寤敢問九鍼焉生何因而有名岐伯曰九鍼者天地之大數也始於一而終於九故曰一以法天二以法地三以法人四以法時五以法音六以法律七以法星八以法風九以法野黃帝曰以鍼應九之數奈何岐伯曰

夫聖人之起天地之數也一而九之故以立九野九而九之九九八十一以起黃鍾數焉以鍼應數也一者天也天者陽也五藏之應天者肺肺者五藏六府之蓋也皮者肺之合也人之陽也故爲之治鍼必以大其頭而銳其末令無得深入而陽氣出二者地也人之所以應土者肉也故爲之治鍼必筩其身而員其末令無得傷肉分傷則氣得竭三者人

也人之所以成生者血脉也故爲之治鍼必
大其身而員其末令可以按脉勿陷以致其
氣令邪氣獨出四者時也時者四時八風之
客於經絡之中爲瘤病者也故爲之治鍼必
筩其身而鋒其末令可以寫熱出血而痼病
竭五者音也音者冬夏之分分於子午陰與
陽别寒與熱爭兩氣相搏合爲癰膿者也故
爲之治鍼必令其末如劒鋒可以取大膿六

者律也律者調陰陽四時而合十二經脉虛邪客於經絡而爲暴痺者也故爲之治鍼必令尖如氂且員且銳中身微大以取暴氣七者星也星者人之七竅邪之所客於經而爲痛痺舍於經絡者也故爲之治鍼令尖如蚊虻喙靜以徐往微以久留正氣因之眞邪俱往出鍼而養者也八者風也風者人之股肱八節也八正之虛風八風傷人内舍於骨解

腰脊節膝理之間爲深痺也故爲之治鍼必
長其身鋒其末可以取深邪遠痺九者野也
野者人之節解皮膚之間也淫邪流溢於身
如風水之狀而溜不能過於機關大節者也
故爲之治鍼令尖如挺其鋒微員以取大氣
之不能過於關節者也黃帝曰鍼之長短有
數乎岐伯曰一曰鑱鍼者取法於巾鍼去末
寸半卒銳之長一寸六分主熱在頭身也二

曰員鍼取法於絮鍼筩其身而卵其鋒長一寸六分主治分間氣三曰鍉鍼取法於黍粟之銳長三寸半主按脉取氣令邪出四曰鋒鍼取法於絮鍼筩其身鋒其末長一寸六分主癰熱出血五曰鈹鍼取法於劒鋒廣二分半長四寸主大癰膿兩熱爭者也六曰員利鍼取法於氂鍼微大其末反小其身令可深內也長一寸六分主取癰痹者也七曰毫鍼

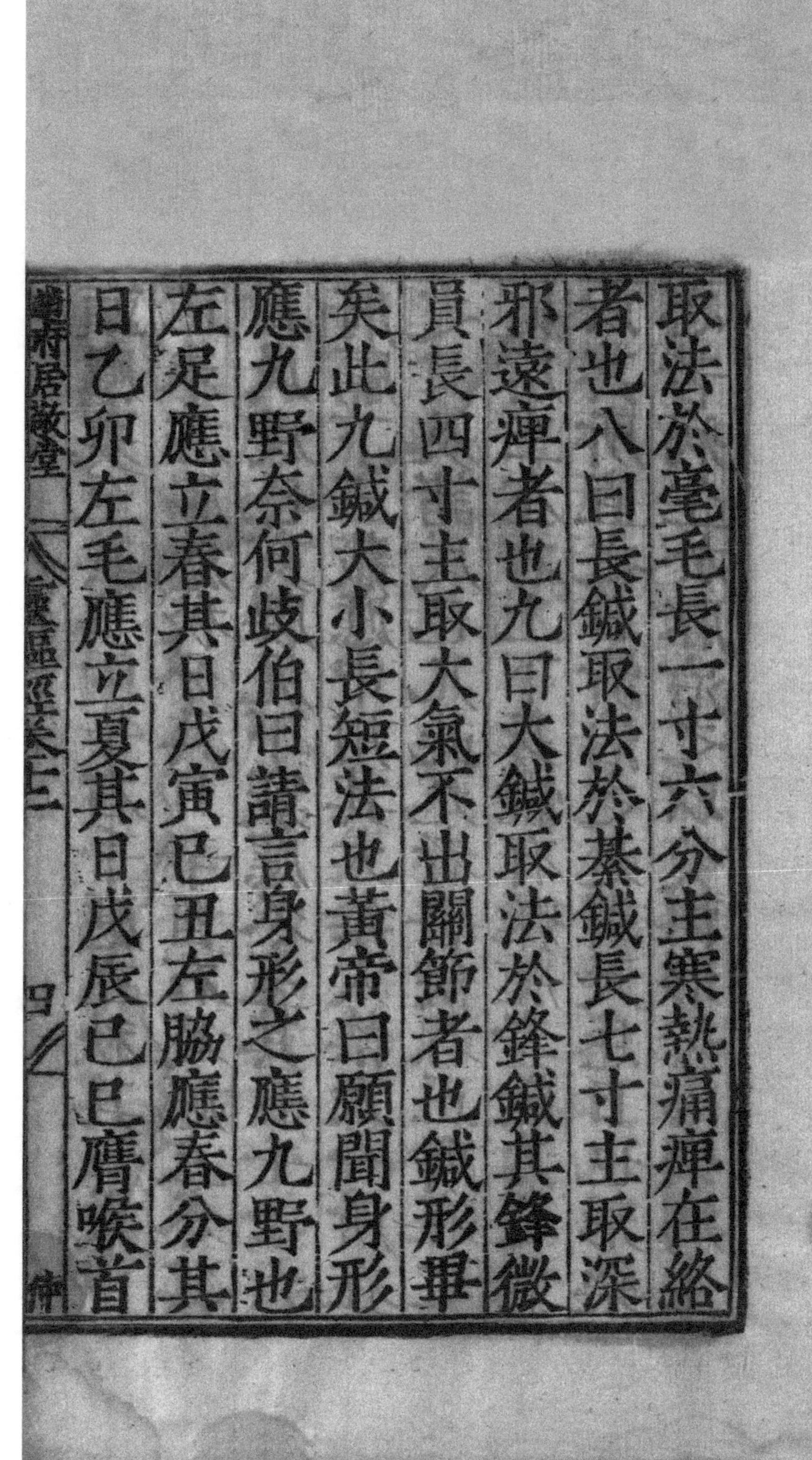

取法於毫毛長一寸六分主寒熱痛痺在絡
者也八曰長鍼取法於綦鍼長七寸主取深
邪遠痺者也九曰大鍼取法於鋒鍼其鋒微
員長四寸主取大氣不出關節者也鍼形畢
矣此九鍼大小長短法也黃帝曰願聞身形
應九野奈何歧伯曰請言身形之應九野也
左足應立春其日戊寅己丑左脇應春分其
日乙卯左手應立夏其日戊辰己巳膺喉首

頭應夏至其日丙午右手應立秋其日戊申己未右脇應秋分其日辛酉右足應立冬其日戊戌己亥腰尻下竅應冬至其日壬子六府膈下三藏應中州其大禁大禁太一所在之日及諸戊己凡此九者善候八正所在之處所主左右上下身體有癰腫者欲治之無以其所直之日潰治之是謂天忌日也形樂志苦病生於脉治之以灸刺形苦志樂病生

於筋治之以熨引形樂志樂病生於肉治之以鍼石形苦志苦病生於咽喝治之以甘藥形數驚恐筋脉不通病生於不仁治之以按摩醪藥是謂形五藏氣心主噫肺主欬肝主語脾主吞腎主欠六府氣膽爲怒胃爲氣逆噦大腸小腸爲泄膀胱不約爲遺溺下焦溢爲水五味酸入肝辛入肺苦入心甘入脾鹹入腎淡入胃是謂五味五幷精氣幷肝則憂

并心則喜并肺則悲并腎則恐并脾則畏是
謂五精之氣并於藏也五惡肝惡風心惡熱
肺惡寒腎惡燥脾惡濕此五藏氣所惡也五
液心主汗肝主泣肺主涕腎主唾脾主涎此
五液所出也五勞久視傷血久臥傷氣久坐
傷肉久立傷骨久行傷筋此五久勞所病也
五走酸走筋辛走氣苦走血鹹走骨甘走肉
是謂五走也五裁病在筋無食酸病在氣無

食辛病在骨無食鹹病在血無食苦病在肉
無食甘口嗜而欲食之不可多也必自裁也
命曰五裁五發陰病發於骨陽病發於血以
味發於氣陽病發於冬陰病發於夏五邪邪
入於陽則爲狂邪入於陰則爲血痺邪入於
陽轉則爲癲疾邪入於陰轉則爲瘖陽入之
於陰病靜陰出之於陽病喜怒五藏心藏神
肺藏魄肝藏魂脾藏意腎藏精志也五主心

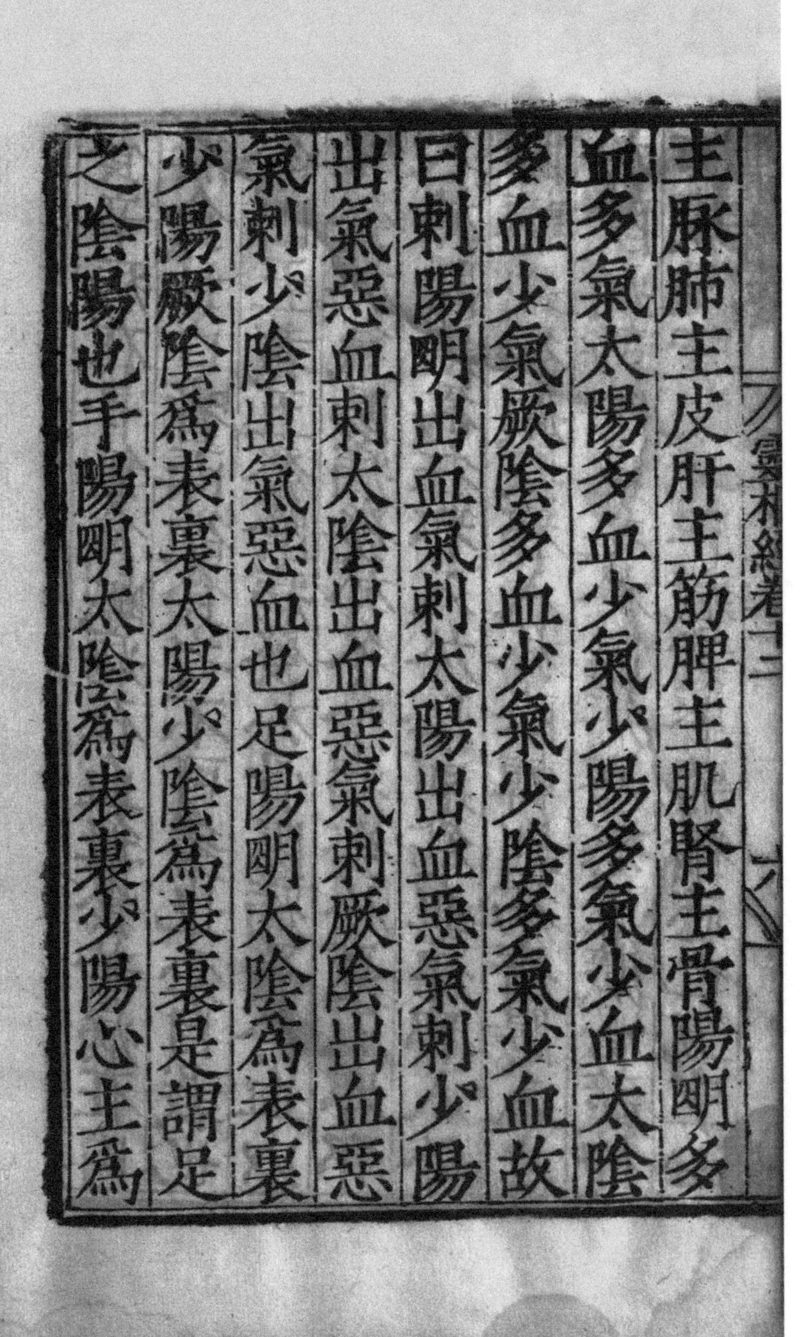

主脉肺主皮肝主筋脾主肌腎主骨陽明多
血多氣太陽多血少氣少陽多氣少血太陰
多血少氣厥陰多血少氣少陰多氣少血故
曰刺陽明出血氣刺太陽出血惡氣刺少陽
出氣惡血刺太陰出血惡氣刺厥陰出血惡
氣刺少陰出氣惡血也足陽明太陰爲表裏
少陽厥陰爲表裏太陽少陰爲表裏是謂足
之陰陽也手陽明太陰爲表裏少陽心主爲

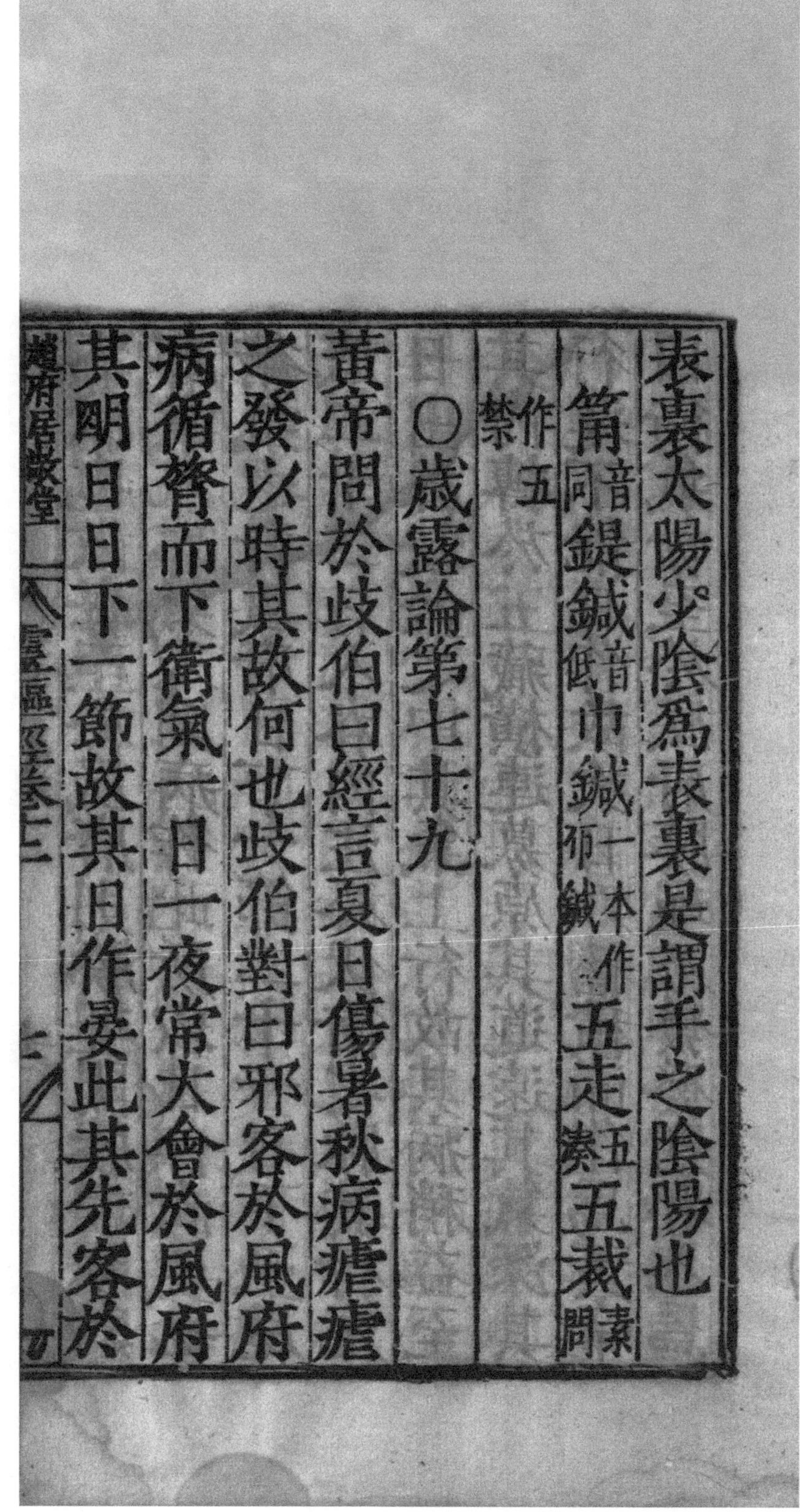

表裏太陽少陰爲表裏是謂手之陰陽也

篇音同鍉鍼音低巾鍼一本作鈽鍼五走五湊五裁素問作五禁

〇歲露論第七十九

黃帝問於岐伯曰經言夏日傷暑秋病瘧瘧之發以時其故何也岐伯對曰邪客於風府病循膂而下衛氣一日一夜常大會於風府其明日日下一節故其日作晏此其先客於

脊背也故每至於風府則腠理開腠理開則
邪氣入邪氣入則病作此所以日作尚晏也
衛氣之行風府日下一節二十一日下至尾
底二十二日入脊内注於伏衝之脉其行九
日出於缺盆之中其氣上行故其病稍益至
其内搏於五藏橫連募原其道遠其氣深其
行遲不能日作故次日乃稸積而作焉黄帝
曰衛氣每至於風府腠理乃發發則邪入焉

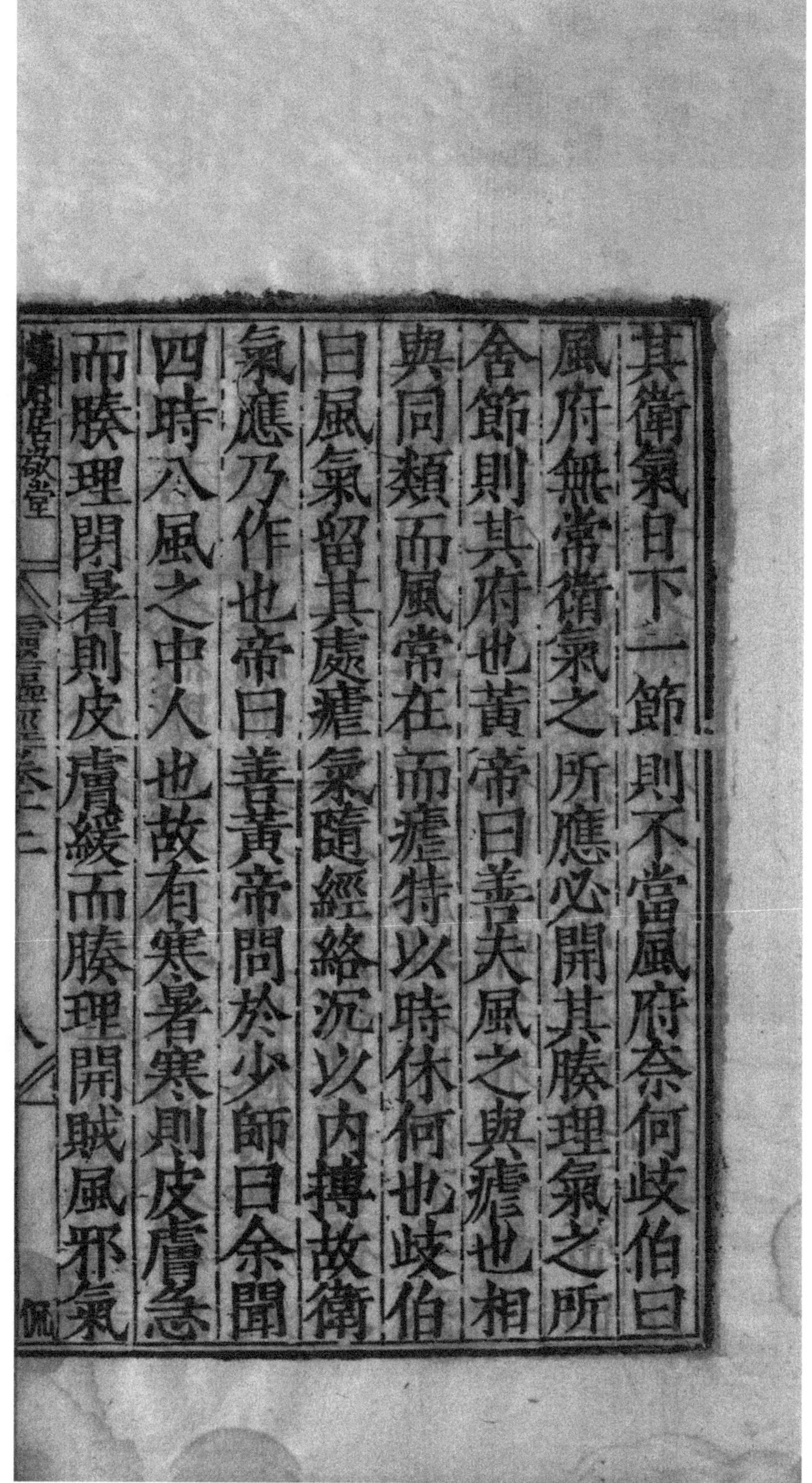

其衛氣日下一節則不當風府奈何岐伯曰風府無常衛氣之所應必開其腠理氣之所舍節則其府也黃帝曰善夫風之與瘧也相與同類而風常在而瘧特以時休何也岐伯曰風氣留其處瘧氣隨經絡沉以內搏故衛氣應乃作也帝曰善黃帝問於少師曰余聞四時八風之中人也故有寒暑寒則皮膚急而腠理閉暑則皮膚緩而腠理開賊風邪氣

因得以入乎將必須八正虛邪乃能傷人乎少師荅曰不然賊風邪氣之中人也不得以時然必因其開也其入深其内極病其病人也卒暴因其閉也其入淺以留其病也徐以遲黃帝曰有寒温和適腠理不開然有卒病者其故何也少師荅曰帝弗知邪入乎雖平居其腠理開閉緩急其故常有時也黃帝曰可得聞乎少師曰人與天地相參也與日月

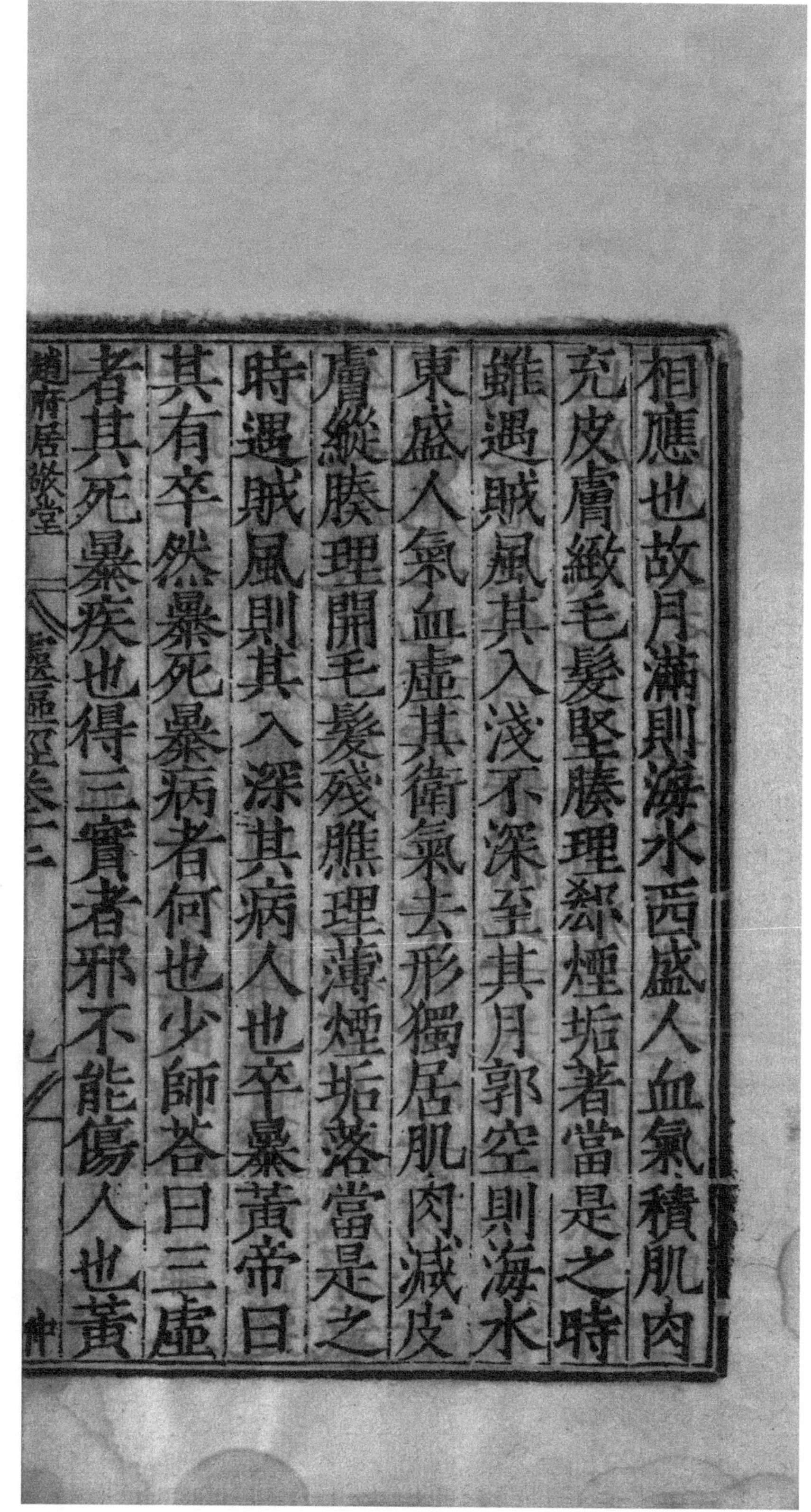

相應也故月滿則海水西盛人血氣積肌肉充皮膚緻毛髮堅腠理郄煙垢著當是之時雖遇賊風其入淺不深至其月郭空則海水東盛人氣血虛其衛氣去形獨居肌肉減皮膚縱腠理開毛髮殘膲理薄煙垢落當是之時遇賊風則其入深其病人也卒暴黃帝曰其有卒然暴死暴病者何也少師荅曰三虛者其死暴疾也得三實者邪不能傷人也黃

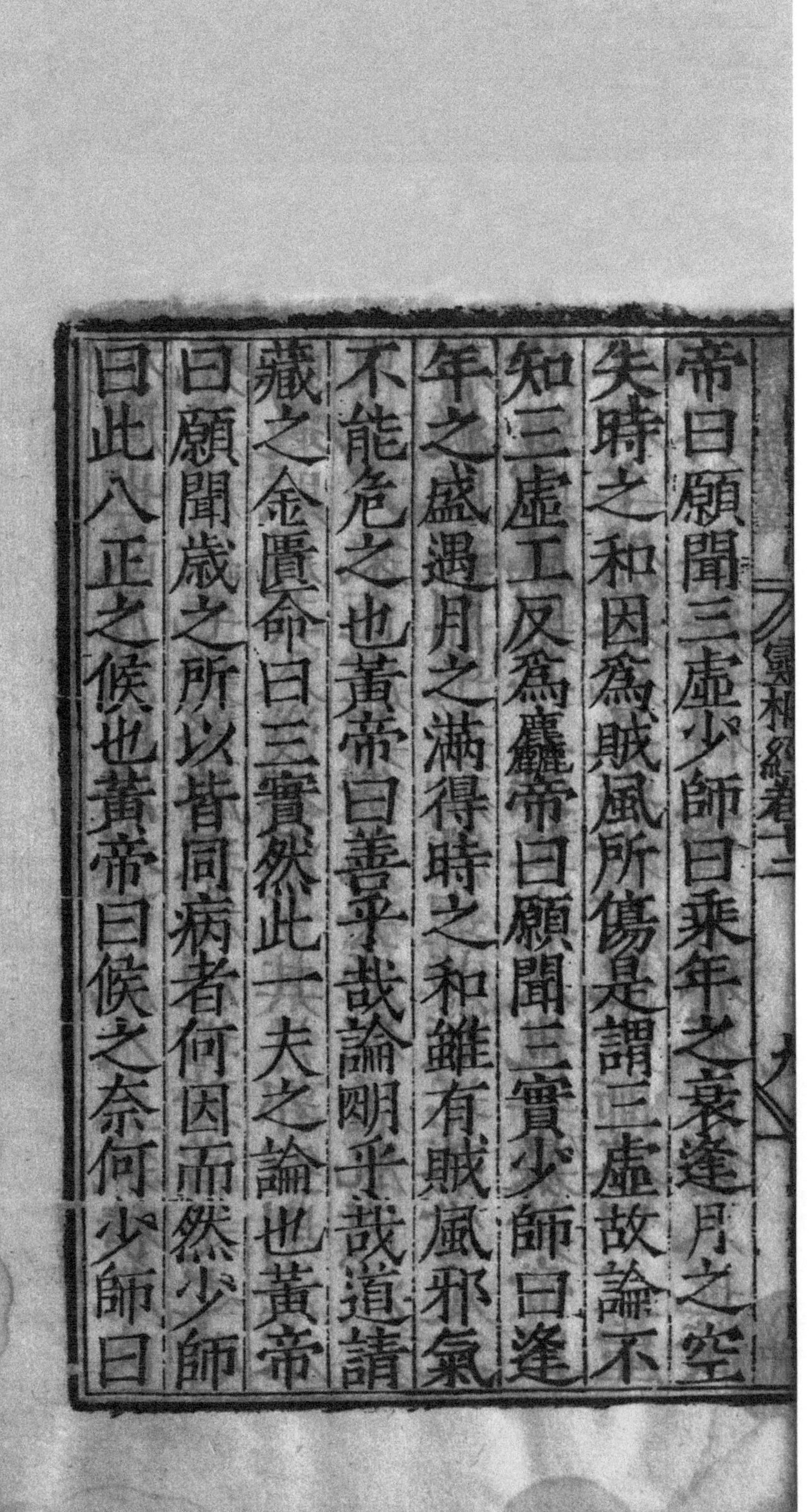

帝曰願聞三虛少師曰乘年之衰逢月之空失時之和因爲賊風所傷是謂三虛故論不知三虛工反爲麤帝曰願聞三實少師曰逢年之盛遇月之滿得時之和雖有賊風邪氣不能危之也黄帝曰善乎哉論明乎哉道請藏之金匱命曰三實然此一夫之論也黄帝曰願聞歲之所以皆同病者何因而然少師曰此八正之候也黄帝曰候之奈何少師曰

候此者常以冬至之日太一立於叶蟄之宮其至也天必應之以風雨者矣風雨從南方來者爲虛風賊傷人者也其以夜半至也萬民皆臥而弗犯也故其歲民小病其以晝至者萬民懈惰而皆中於虛風故萬民多病虛邪入客於骨而不發於外至其立春陽氣大發腠理開因立春之日風從西方來萬民又皆中於虛風此兩邪相搏經氣結代者矣故

諸逢其風而遇其雨者命曰遇歲露焉因歲
之和而少賊風者民少病而少死歲多賊風
邪氣寒温不和則民多病而死矣黄帝曰虚
邪之風其所傷貴賤何如候之奈何少師荅
曰正月朔日太一居天留之宫其日西北風
不雨人多死矣正月朔日平旦北風春民多
死正月朔日平旦北風行民病多者十有三
也正月朔日日中北風夏民多死正月朔日

夕時北風秋民多死終日北風大病死者十有六正月朔日風從南方來命曰旱鄉從西方來命曰白骨將國有殃人多死亡正月朔日風從東方來發屋揚沙石國有大災也正月朔日風從東南方行春有死亡正月朔天利温不風糴賤民不病天寒而風糴貴民多病此所謂候歲之風𩿦傷人者也二月丑不風民多心腹病三月戌不温民多寒熱四月

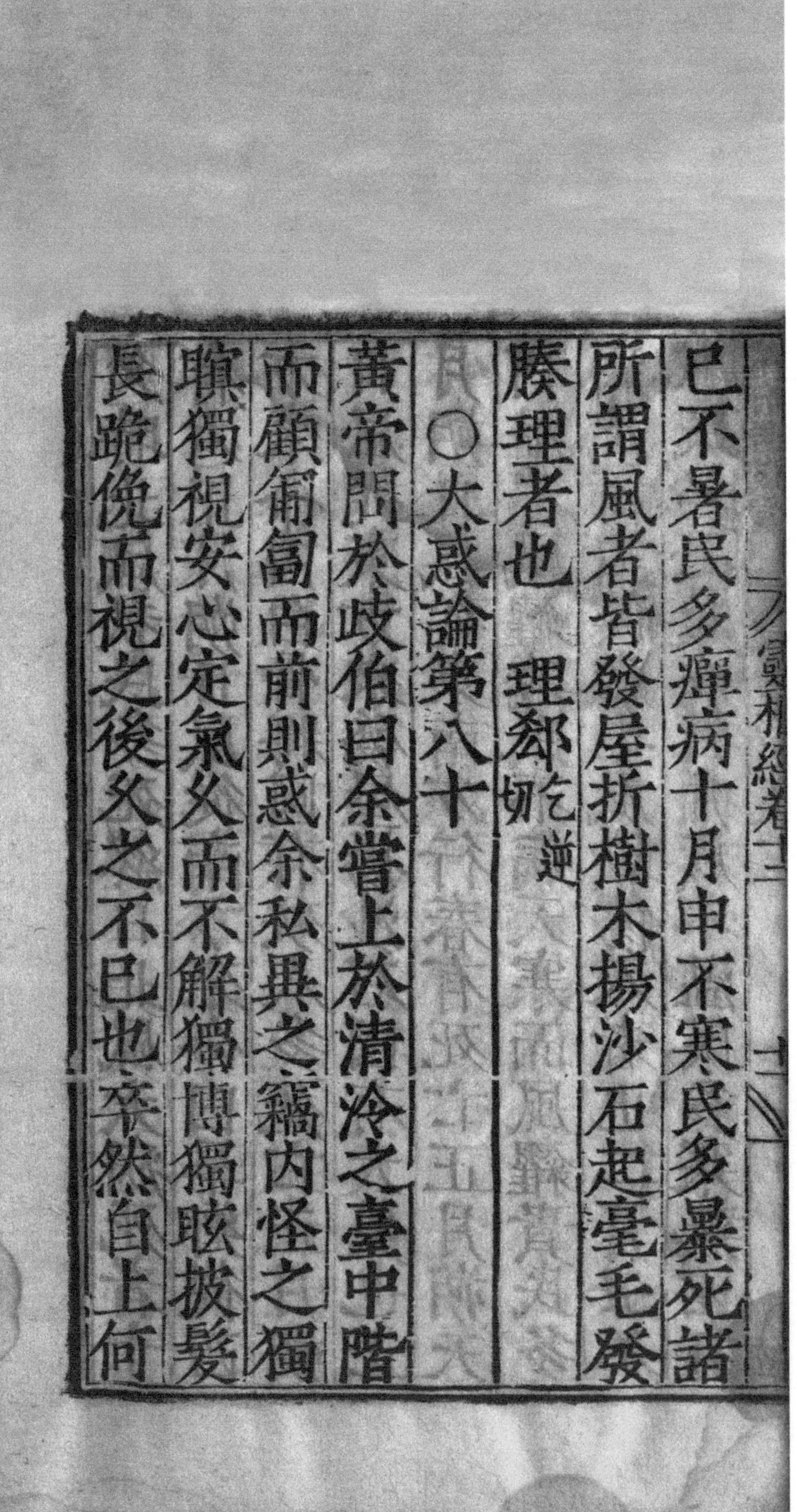

已不暑民多癉病十月申不寒民多暴死諸
所謂風者皆發屋折樹木揚沙石起毫毛發
腠理者也 理郄乞逆切
○大惑論第八十
黃帝問於歧伯曰余嘗上於清泠之臺中階
而顧匍匐而前則惑余私異之竊内怪之獨
瞑獨視安心定氣久而不解獨博獨眩披髮
長跪俛而視之後久之不已也卒然自上何

氣使然岐伯對曰五藏六府之精氣皆上注於目而爲之精精之窠爲眼骨之精爲瞳子筋之精爲黑眼血之精爲絡其窠氣之精爲白眼肌肉之精爲約束裹擷筋骨血氣之精而與脉并爲系上屬於腦後出於項中故邪中於項因逢其身之虚其入深則隨眼系以入於腦入於腦則腦轉腦轉則引目系急目系急則目眩以轉矣邪其精其精所中不相

比也則精散精散則視歧視歧見兩物目者
五藏六府之精也營衛魂魄之所常營也神
氣之所生也故神勞則魂魄散志意亂是故
瞳子黑眼法於陰白眼赤脉法於陽也故陰
陽合傳而精明也目者心使也心者神之舍
也故神精亂而不轉卒然見非常處精神魂
魄散不相得故曰惑也黃帝曰余疑其然余
每之東苑未曾不惑去之則復余唯獨爲東

死勞神乎何其異也岐伯曰不然也心有所喜神有所惡卒然相感則精氣亂視誤故惑神移乃復是故間者爲迷甚者爲惑黃帝曰人之善忘者何氣使然岐伯曰上氣不足下氣有餘腸胃實而心肺虛虛則營衛留於下久之不以時上故善忘也黃帝曰人之善饑而不嗜食者何氣使然岐伯曰精氣并於脾熱氣留於胃胃熱則消穀穀消故善饑胃氣

逆上則胃脘寒故不嗜食也黃帝曰病而不得臥者何氣使然歧伯曰衛氣不得入於陰常留於陽留於陽則陽氣滿陽氣滿則陽蹻盛不得入於陰則陰氣虛故目不瞑矣黃帝曰病目而不得視者何氣使然歧伯曰衛氣留於陰不得行於陽留於陰則陰氣盛陰氣盛則陰蹻滿不得入於陽則陽氣虛故目閉也黃帝曰人之多臥者何氣使然歧伯曰此

人腸胃大而皮膚濕而分肉不解焉腸胃大
則衛氣留久皮膚濕則分肉不解其行遲夫
衛氣者晝日常行於陽夜行於陰故陽氣盡
則卧陰氣盡則寤故腸胃大則衛氣行留久
皮膚濕分肉不解則行遲留於陰也久其氣
不清則欲瞑故多卧矣其腸胃小皮膚滑以
緩分肉解利衛氣之留於陽也久故少瞑焉
黃帝曰其非常經也卒然多卧者何氣使然

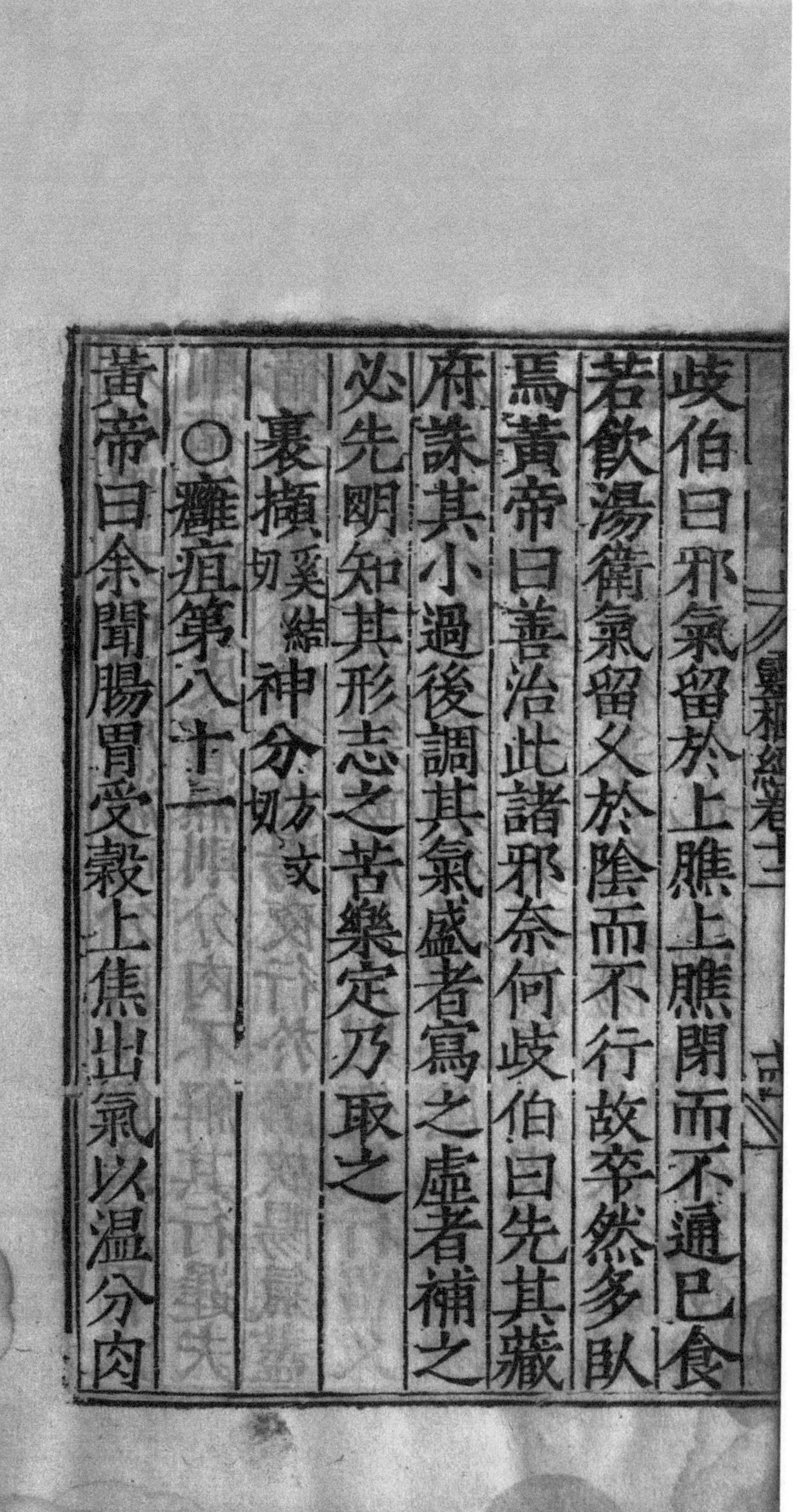

岐伯曰邪氣留於上膲上膲閉而不通已食若飲湯衛氣留久於陰而不行故卒然多臥焉黄帝曰善治此諸邪奈何岐伯曰先其藏府誅其小過後調其氣盛者寫之虛者補之必先明知其形志之苦樂定乃取之

襄擷奚結切神分方文切

○癰疽第八十一

黄帝曰余聞腸胃受穀上焦出氣以溫分肉

而養骨節通腠理中焦出氣如露上注谿谷而滲孫脉津液和調變化而赤爲血血和則孫脉先滿溢乃注於絡脉皆盈乃注於經脉陰陽已張因息乃行行有經紀周有道理與天合同不得休止切而調之從虛去實寫則不足疾則氣減留則先後後虛去虛補則有餘血氣已調形氣乃持余已知血氣之平與不平未知癰疽之所從生成敗之時死生之

期有遠近何以度之可得聞乎岐伯曰經脉
留行不止與天同度與地合紀故天宿失度
日月薄蝕地經失紀水道流溢草萱不成五
穀不殖徑路不通民不往來巷聚邑居則別
離異處血氣猶然請言其故夫血脉營衛周
流不休上應星宿下應經數寒邪客於經絡
之中則血泣血泣則不通不通則衛氣歸之
不得復反故癰腫寒氣化爲熱熱勝則腐肉

肉腐則爲膿膿不寫則爛筋筋爛則傷骨骨
傷則髓消不當骨空不得泄寫血枯空虛則
筋骨肌肉不相榮經脉敗漏薰於五藏藏傷
故死矣黄帝曰願盡聞癰疽之形與忌曰名
岐伯曰癰發於嗌中名曰猛疽猛疽不治化
爲膿膿不寫塞咽半日死其化爲膿者寫則
合豕膏冷食三日而已發於頸名曰天疽其
癰大以赤黑不急治則熱氣下入淵腋前傷

任脉内薰肝肺薰肝肺十餘日而死矣陽留
大發消腦留項名曰腦爍其色不樂項痛而
如刺以鍼煩心者死不可治發於肩及臑名
曰疵癰其狀赤黑急治之此令人汗出至足
不害五藏癰發四五日逞焫之發於腋下赤
堅者名曰米疽治之以砭石欲細而長踈砭
之塗已豕膏六日已勿裹之其癰堅而不潰
者爲馬刀挾癭急治之發於胷名曰井疽其

狀如大豆三四日起不早治下入腹不治七日死矣發於膺名曰甘疽色青其狀如穀實菰蓏常苦寒熱急治之去其寒熱十歲死死後出膿發於脇名曰敗疵敗疵者女子之病也灸之其病大癰膿治之其中乃有生肉大如赤小豆剉蔆翹草根各一升以水一斗六升煮之竭爲取三升則強飲厚衣坐於釜上令汗出至足已發於股脛名曰股脛疽其狀

不甚變而癰膿搏骨不急治三十日死矣發於尻名曰鋭疽其狀赤堅大急治之不治三十日死矣發於股陰名曰赤施不急治六十日死在兩股之内不治十日而當死發於膝名曰疵癰其狀大癰色不變寒熱如堅石勿石石之者死須其柔乃石之者生諸癰疽之發於節而相應者不可治也發於陽者百日死發於陰者三十日死發於脛名曰兎齧其

狀赤至骨急治之不治害人也發於内踝名
曰走緩其狀癰也色不變數石其輸而止其
寒熱不死發於足上下名曰四淫其狀大癰
急治之百日死發於足傍名曰厲癰其狀不
大初如小指發急治之去其黑者不消輒益
不治百日死發於足指名脫癰其狀赤黑死
不治不赤黑不死不衰急斬之不則死矣黃
帝曰夫子言癰疽何以別之岐伯曰營衛稽

留於經脉之中則血泣而不行不行則衛氣從之而不通壅遏而不得行故熱大熱不止熱勝則肉腐肉腐則爲膿然不能陷骨髓不爲燋枯五藏不爲傷故命曰癰黄帝曰何謂疽岐伯曰熱氣淳盛下陷肌膚筋髓枯内連五藏血氣竭當其癰下筋骨良肉皆無餘故命曰疽疽者上之皮夭以堅上如牛領之皮癰者其皮上薄以澤此其候也

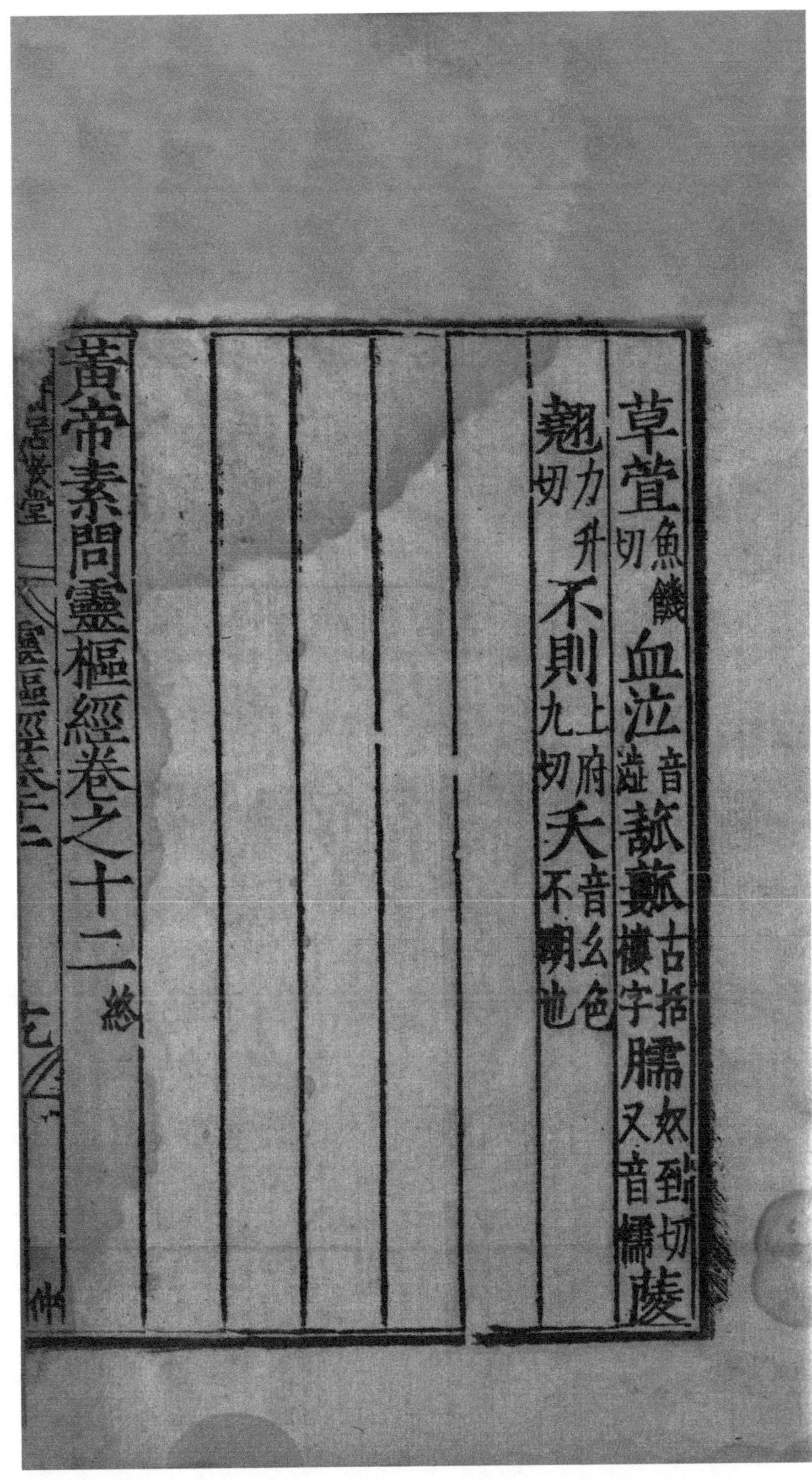

草萓魚饑切　血泣音澁　⿰言瓜[illegible]古括⿰衤蔑字　臑奴到切又音儒　陵

⿰夌翅力升切　不則上府九切　夭音幺色不明也

黄帝素問靈樞經卷之十二　終

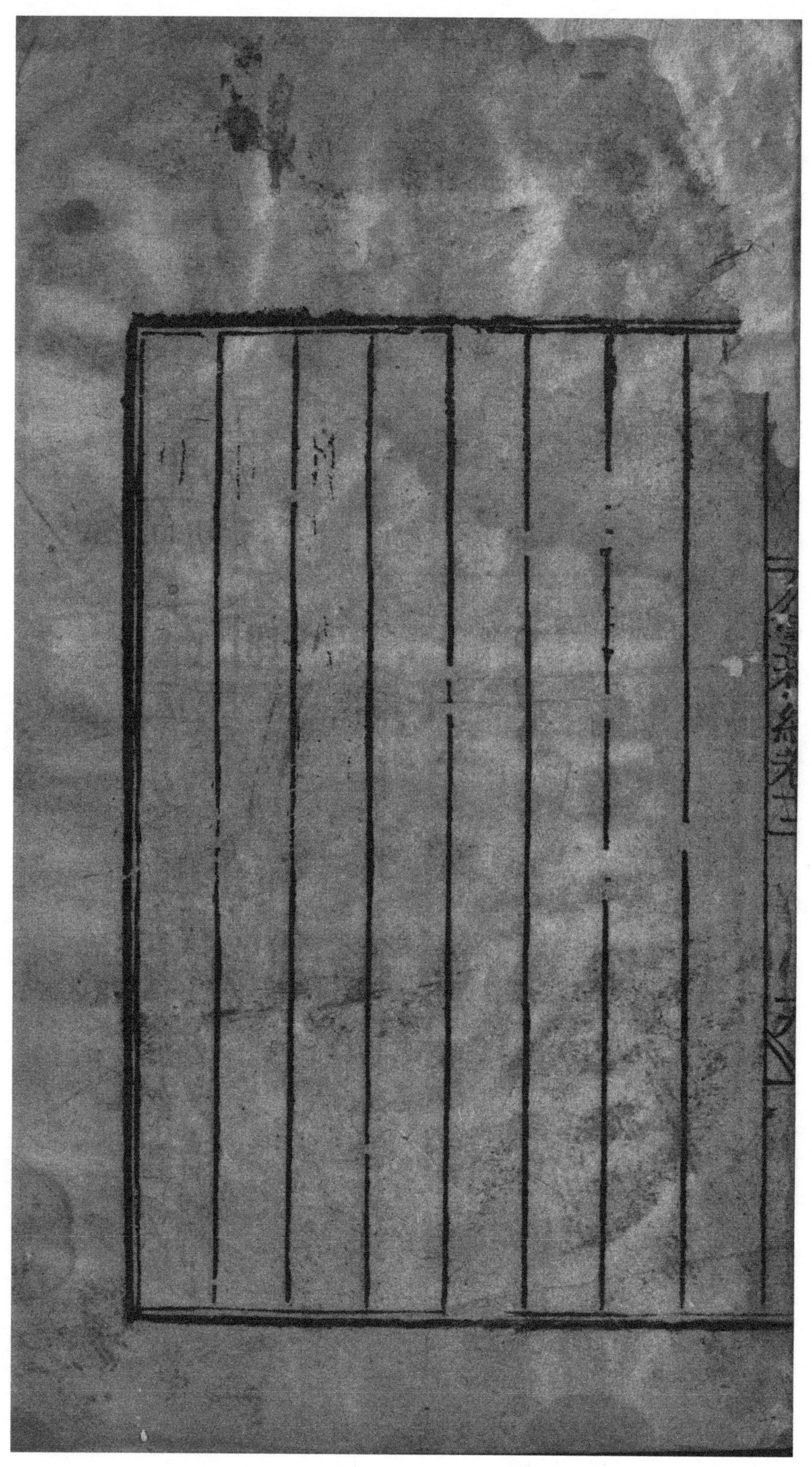